GERBERT BRUNNER

# DIE THEOLOGISCHE MITTE DES ERSTEN KLEMENSBRIEFS

# FRANKFURTER THEOLOGISCHE STUDIEN

Im Auftrag
der Professoren der Philosophisch-Theologischen Hochschule Sankt Georgen
– Theologische Fakultät S.J. –, Frankfurt am Main
herausgegeben von
HEINRICH BACHT, FRITZLEO LENTZEN-DEIS, OTTO SEMMELROTH

11. Band

GERBERT BRUNNER

## DIE THEOLOGISCHE MITTE
## DES ERSTEN KLEMENSBRIEFS

Ein Beitrag zur Hermeneutik frühchristlicher Texte

JOSEF KNECHT · FRANKFURT AM MAIN

GERBERT BRUNNER

# DIE THEOLOGISCHE MITTE DES ERSTEN KLEMENSBRIEFS

Ein Beitrag zur Hermeneutik frühchristlicher Texte

1972

JOSEF KNECHT · FRANKFURT AM MAIN

Die Veröffentlichung wurde ermöglicht durch einen Zuschuß der

**AUGUSTIN BEA STIFTUNG GMBH.**

2P12

C59/e/b

185744

ISBN 3-7820-0252-0

1. Auflage 1972. Alle Rechte vorbehalten. Printed in Germany. © 1972 by
Verlag Josef Knecht – Carolusdruckerei GmbH, Frankfurt am Main.
Gesamtherstellung: Wiesbadener Graphische Betriebe GmbH, Wiesbaden.
Imprimi potest. Monachii, die 21.1.1972 Heinrich Krauss Praep. Prov. Germ.
Sup. SJ. Die kirchliche Druckerlaubnis wird erteilt, Limburg (Lahn), den
7.2.1972 AZ 1629/72/1 Dr. Höhle, Generalvikar

# VORWORT

Vorliegende Untersuchung wurde im Frühjahr 1971 von der Theologischen Fakultät der Universität Innsbruck als Dissertation angenommen; im Sommer desselben Jahres erhielt ich zu meiner Freude den Bescheid, daß sie in der Reihe »Frankfurter Theologische Studien« im Druck erscheinen könne. Mein Dank gilt deshalb in gleicher Weise denen, die mir bei der Fertigstellung der Arbeit geholfen, wie denen, die die Veröffentlichung ermöglicht haben.

Prof. DDr. Franz Lakner SJ (Innsbruck) hat mich bei meinen ersten Versuchen in Theologiegeschichte durch Jahre hindurch begleitet und ermuntert; Dr. Wolfgang Feneberg SJ (München) hat sich in ungezählten, oft Stunden währenden Gesprächen als stets anregender und kritischer Zuhörer erwiesen; Prof. DDr. Walter Kern SJ (Innsbruck und München) und Prof. Dr. Engelbert Gutwenger SJ (Innsbruck) waren die beiden Gutachter, die in kürzester Frist die Beurteilung erstellten. Ohne sie und manche ungenannte andere Helfer wäre die Studie nicht zustande gekommen.

Die Veröffentlichung wurde ermöglicht durch die wohlwollende Empfehlung von Prof. Dr. Alois Grillmeier SJ (Frankfurt a. M.) und das freundliche Entgegenkommen der Herausgeber dieser Reihe, der Professoren Dr. Heinrich Bacht SJ und Dr. Otto Semmelroth SJ sowie Dr. Fritzleo Lentzen-Deis SJ. Die Umsicht des Verlags Josef Knecht und die Sorgfalt der Wiesbadener Graphischen Betriebe erleichterten die Drucklegung sehr. Das letzte Hindernis beseitigte – aufgrund der Befürwortung meines Ordensoberen, Dr. Heinrich Krauss SJ (München) – die Augustin Bea Stiftung durch einen beträchtlichen Zuschuß. Allen, den namentlich Genannten und denen, die mitgemeint sind, danke ich herzlich.

Zum Zeichen des Dankes widme ich dieses Buch meinen Eltern.

Frankfurt a. M., den 7. Februar 1972

Gerbert Brunner

# INHALT

# EINLEITUNG

Die Erforschung des Ersten Klemensbriefes in unserem Jahrhundert ist von zwei Faktoren getragen: der Hinwendung zu Einzelfragen und der Verwendung in speziellen Fragen aktueller Theologie. Beides hat sich aus der Beschäftigung der kritischen Forschung mit dem Brief ergeben. Nachdem nämlich die Kritik darauf aufmerksam geworden war, daß der Brief die korinthischen Vorgänge mit römischen Augen sieht und deshalb wohl auch einseitig gefärbt darstellt, wurde es notwendig, jede einzelne seiner Aussagen genauer unter die Lupe zu nehmen. Die religionsgeschichtliche Schule unterstützte diese Tendenz zur Einzelforschung. Zugleich damit stieß man aber auch auf die aktuelle Verwendbarkeit. Denn mit der Erkenntnis, daß der Brief einen bestimmten, nämlich den römischen Standpunkt vertritt, konnte er für die apologetische Frage nach der Form des wahren Christentums verwendet werden.

Die Einzelforschung ließ sich leiten von der Frage nach den Quellen des clementinisch-römischen Christentums. Während es R. Knopf genug war, sprachlich-gedankliche Parallelen aus der antiken Umwelt beizubringen, nannte A. Harnack drei ineinander verwobene Elemente: Spätjudentum, Christentum und Hellenismus[1]. Das hellenistische Element wird näherhin von Knopf und Harnack als Stoizismus gekennzeichnet; die Forschung folgt ihnen darin allgemein[2]. Doch gegen die scheinbar einseitig betonte stoische Ableitung macht sich eine Gegenbewegung geltend: Für viele vermeintlich rein stoische Stücke konnte man in jüngster Zeit auch alttestamentlich jüdische Herkunft nachweisen[3].

Dadurch ist zugleich eine Wende eingetreten in der Frage nach dem christlichen Element. Während Harnack noch glaubte, gegen die Meinung angehen zu sollen, als hätten dem Verfasser des Ersten Klemensbriefes die neutestamentlichen Schriften als »Lehrbegriffe« vorgelegen[4], und während die Einzelforschung nach der bestimmenden Komponente fragte, ob sie etwa paulinisch (L. Sanders), matthäisch (É. Massaux) oder gar johanneisch (M. E. Boismard) sei, ist jetzt solche Fragestellung für K. Beyschlag überholt. Nach ihm ist das Christentum des Briefes durch das hellenistisch geprägte Diasporajudentum hindurchgegangen. Sowohl die stoischen wie die christlichen wie die alttestamentlichen Stücke sind auf dem Weg über die spätjüdisch-hellenistische Synagoge in den Brief gelangt.

Parallel zur Frage nach der Herkunft des römisch-clementinischen Christentums wird die Frage nach seiner Wertigkeit gestellt. Offensichtlich verteidigt der Brief das

---

[1] Vgl. *Einführung* 66–86.
[2] Z. B. *M. Spanneut, L. Sanders, W. Jaeger.*
[3] Zu nennen wären da neben anderen: *W. C. van Unnik, Annie Jaubert* und *K. Beyschlag.*
[4] *Einführung* 56 f.

Amt in der christlichen Gemeinde. Je nach der Einstellung des modernen Wissenschaftlers zum kirchlichen Amt ist dann der »Geist« entweder auf seiten des Briefschreibers oder auf seiten der korinthischen Widersacher. So wurde der Brief zum Feld für die Auseinandersetzung um die Frage nach Geistkirche oder Rechtskirche[5] und die Frage nach dem römisch päpstlichen Jurisdiktionsprimat[6]. Durch die Beurteilung des Ersten Klemensbriefes konnte das eigene Kirchenbild artikuliert werden[7].

Bei beiden Beschäftigungsarten ist der Brief als ganzer zu kurz gekommen. Die Einzelforschung vergißt die Gesamtinterpretation, die aktuelle Auswertung übersieht viele Einzelheiten. Hier ist die Synthese zu schaffen. Unter Voraussetzung der Einzelergebnisse muß eine Gesamtinterpretation versucht werden, von der her möglichst alle im Brief enthaltenen Einzelheiten gleichermaßen verständlich werden. Umgekehrt müssen – ausgehend von einem Gesamtverständnis – die Einzelphänomene aufgezeigt und erklärt werden, so daß sich daraus ein Gesamtverständnis ergibt, das seine Richtigkeit am Brief selber ausweisen kann. Es geht darum, die Besonderheit des Briefes als ganzen zu entdecken. Denn es scheint doch, daß weder die Frage nach den Quellen des Briefes noch die nach seiner aktuellen Verwendbarkeit diese Besonderheit herausstellen konnte. Dafür stellen sich die Ergebnisse bisher als zu divergent dar. Es bedarf eines neuen Standpunktes, von dem aus die ans Tageslicht geförderten Quellen und die als möglich erwiesenen Sichtweisen zum Ausgleich und zu gegenseitiger Ergänzung gebracht werden können. Die Einzelergebnisse der Quellenforschung und die Gesamtentwürfe der aktuellen Auswertung werden zum Material, mit dessen Hilfe die Einmaligkeit des Ersten Klemensbriefes aufzuweisen ist.

Diese Einmaligkeit läßt sich nicht dadurch erkennen, daß man entweder Einzelheiten und Einzelteile für unverständlich erklärt (W. Bauer) oder die aktuelle theologische Auswertung von einer Einzelfrage her vornimmt[8]: Beides bleibt spekulativ, solange nicht der historisch und gesellschaftlich einmalige Ort gefunden ist, an dem der Brief entstehen konnte und entstehen mußte. Erst dieser im Strom der Entwicklung von Gemeinde, Christentum, Glaube und Theologie liegende Ort gibt den Standpunkt, der eine dem Brief entsprechende Gesamtsicht und Gesamtinterpretation ermöglicht. Die Auffindung dieses Ortes hat sich die vorliegende Arbeit als Ziel gesteckt.

Der Versuch, Einzelphänomene und Gesamtverständnis des Briefes miteinander zu versöhnen, verlangt nach einer Methodenreflexion. Vom vorliegenden Material her muß die dem Brief angemessene Methode gefunden werden, damit dann sowohl die Einzelheiten auf die Gesamtheit des Briefes hin wie die Gesamtheit aus den Einzelheiten heraus gedeutet werden kann. Aus der Zielsetzung ergeben sich die drei Schritte: hermeneutische Vorklärung, Bereitstellung des Materials der Einzelergebnisse und schließlich die Gesamtdeutung. Es wird erwartet, daß von dieser Gesamtdeutung her die Einzelheiten des Briefes verständlich werden und der Brief als solcher eine neue theologische Verwendbarkeit gewinnt.

---

[5] R. Sohm, A. Harnack, F. Gerke, P. Meinhold. Genaueres im Aufsatz von O. Knoch, Die Ausführungen des 1. Clemensbriefes.

[6] Z. B. die Aufsätze von B. Altaner, S. Lösch, R. van Cauwelaert.

[7] Ganz deutlich geschieht das in den fundamentaltheologischen Ekklesiologien, vgl. z. B. A. Lang, Der Auftrag der Kirche (Fundamentaltheologie Bd. II). München ⁴1968.

[8] Z. B. O. Knoch von der Eschatologie, H.-U. Minke von der Kosmologie her.

# I. TEIL

# DIE METHODENFRAGE

## *Das Anliegen des I. Teiles*

1. Obwohl die Auslegung der Apostolischen Väter vornehmlich in Händen von Kirchengeschichtlern lag und liegt, konnte es – aufgrund der zeitlichen und literarischen Nähe dieser Schriften zu denen des Neuen Testaments – doch nicht ausbleiben, daß die Interpretationsmethoden denen der ntl. Exegese parallel liefen; das um so mehr, als die Forschungsmethoden aller theologischen Disziplinen immer auch zusammenhingen mit dem vorausliegenden oder begleitenden Gesmtverständnis von dem, was Wesen und Entstehen des Christentums ausmacht. Daher kann es nicht verwundern, daß die historisch-kritische Methode auch auf dem Gebiete der Auslegung der Apostolischen Väter das Feld beherrscht, ja beherrschen muß. Eine Arbeit, die zu solcher Auslegung einen Beitrag leisten will, kann also nicht an dieser Methode vorbeigehen.

2. Zu dieser ersten festzustellenden Gegebenheit, nämlich der beherrschenden Rolle der historisch-kritischen Methode, kommt heute ein Zweites hinzu, das nicht übersehen werden darf, und das ist die Notwendigkeit, daß alles wissenschaftliche Bemühen, nicht nur das exegetische, sich seine Methoden bewußt macht und darüber im Vollzug des wissenschaftlichen Arbeitens und parallel dazu Rechenschaft ablegt. Diese Notwendigkeit ist bereits so sehr im Bewußtsein aller Wissenschaften verankert, daß kein eigener Nachweis geführt zu werden braucht. Es mußte aber gleich zu Beginn darauf hingewiesen werden, weil von daher der Weg einer naiv-positiven Übernahme der historisch-kritischen Methode – falls so etwas einmal möglich gewesen sein sollte – nicht mehr gangbar ist. Der kritischen Methode muß selbst kritisch begegnet werden – wenn überhaupt die Einsicht, daß Methodenreflexion nötig ist, auf die konkrete Arbeitsweise sich auswirken soll.

3. Methodenreflexion ist nun selbst wieder Teil eines weiter gespannten Bemühens: der geisteswissenschaftlichen Verstehenslehre oder der Hermeneutik in diesem heutigen Sinne. Damit kommt nun das Anliegen des I. Teiles dieser Arbeit in den Blick: Es geht um die Frage der richtigen Methode für die Interpretation des Ersten Klemensbriefes. Da die historisch-kritische Methode die heute ziemlich allgemein herrschende ist, bedarf es einer kritischen Reflexion auf diese Methode. Das kann nur geschehen von einer größeren Basis aus, in der diese Methode noch einmal umgriffen ist. Diese größere Basis ist die Hermeneutik im Sinne von geisteswissenschaftlicher Verstehenslehre.

# 1. ABSCHNITT

## HERMENEUTISCHE AUSEINANDERSETZUNG

Wie jede Methode der Interpretation, so möchte auch die historisch-kritische dem Verstehen dienen; mit anderen Worten: die historisch-kritische Methode versteht sich selbst als Hermeneutik in bezug auf die frühchristlichen Glaubensdokumente.Was dieser hermeneutische Zugriff, diese Art des Herangehens an eine bestimmte Gruppe antiker Schriften für das Verstehenkönnen leistet, läßt sich kaum anders ermitteln, als daß man die Ergebnisse solchen wissenschaftlichen Bemühens erörtert, um daran die Leistungsfähigkeit der Methode abzulesen. So wird die Methodenreflexion notwendig zur hermeneutischen Auseinandersetzung, d.h. zum kritischen Befragen einzelner Autoren, ob wohl ihre Methode das hergab, was sie sich von ihr versprochen hatten; konkret: ob sie mit Hilfe ihrer Methode das tradierte Werk verstehen und verständlich machen konnten.

Es ist selbstverständlich, daß eine solche Prüfung nur in Auswahl durchgeführt werden kann und braucht. Bedingung ist nur, daß die herangezogenen Autoren repräsentativ sind, sei es als Vertreter, sei es als Anreger einer Forschungsrichtung. Von daher bedürfen die Namen R. Knopf und W. Bauer keiner weiteren Rechtfertigung. Aber auch die Wahl der Werke von O. Knoch und K. Beyschlag versteht sich von selbst, weil es die jüngsten einschlägigen Buchveröffentlichungen sind.

### a) Hermeneutische Auseinandersetzung mit R. Knopf

Das jüngste Kommentarwerk zum Ersten Klemensbrief ist immer noch das von R. Knopf aus dem Jahre 1920. »Der Kommentar ist derart beliebt, daß darüber die grundlegenden Kommentare von Harnack und Lightfoot meist über Gebühr vernachlässigt werden«[1]. Konkurrenzlosigkeit und »Beliebtheit« sind aber nicht die wichtigsten Kriterien: wichtiger ist seine hervorragende Bedeutung für die Klemensforschung. Man kann sagen, daß alle religionsgeschichtlichen Aufsätze der letzten Jahrzehnte auf die »solide, zuweilen etwas sparsame«[2] Kommentierung bei Knopf zurückgreifen, um die dortigen Ansätze weiterzuführen oder zu untermauern[3]. Knopf wird weitgehend als Standardwerk zitiert, gerade was seine religionsgeschichtlichen Ergebnisse angeht[4]. Das zeigt schon, daß er sich würdig in das Handbuch zum NT einfügt, das »die exegetischen Anschauungen der Religionsgeschichtler in materialreichen Kommentaren«[5] bietet. Der Darstellung von Knopfs Methode und der An-

---

[1] *Beyschlag* 15, Anm. 3.
[2] *Beyschlag* 15.
[3] Z. B. *E. Peterson, L. Lemarchand, W. C. van Unnik.*
[4] Z. B. von *M. Spanneut* bezüglich des Einflusses der Stoa, von *W. Bauer* im Wörterbuch, etwa unter εὐεργέτης.
[5] *W. G. Kümmel*, Artikel »Bibelwissenschaft«: RGG³ I 1245.

führung seiner hermeneutischen Ergebnisse soll eine Diskussion folgen, ob sich vermuten läßt, daß die Ergebnisse sich notwendig aus dieser Methode ergeben.

### aa) R. Knopfs Methode

Bei R. Knopfs Beschäftigung mit dem Ersten Klemensbrief ist seine Gesamtkonzeption des frühen Christentums von seiner Forschungsmethode zu unterscheiden. In der Gesamtkonzeption, 1905 niedergelegt in seinem Buch »Das nachapostolische Zeitalter«, steht er A. Harnack nahe, der A. Ritschls Konzeption aufgenommen hat. Derzufolge erwuchs die Großkirche »aus der von Paulus und den Uraposteln zwar beeinflußten, aber nicht bestimmten breiten Schicht des Heidenchristentums, wie es vor allem in der Gemeinde Roms lebt und in den Schriften der apostolischen Väter, vorzüglich im 1. und 2. Clem. und bei Hermas, erstmals literarisch in Erscheinung tritt«[6]. Da aber diese Auffassung aus einer Gegenbewegung gegen F. C. Baurs konstruierenden dialektischen Idealismus entstanden ist, so liegt bei ihr der Nachdruck gerade nicht auf der geistesgeschichtlichen Entwicklung und dem Entwurf eines Gesamtbildes, sondern auf der Erfassung der Einzelerscheinung. Diese Position macht es R. Knopf leicht, in der Folgezeit sich der maßgeblich von W. Wrede geforderten religionsgeschichtlichen Methode, die sich von A. Harnack absetzte, zu bedienen. Die Verfasser von frühchristlichen Schriften dürfen nicht länger als Vertreter theologischer Schulrichtungen gesehen werden, sie sind vielmehr Exponenten einer religiösen Bewegung im Raum des spätantiken Synkretismus. Die urchristliche Religiosität soll aus dem Strom spätjüdischer und hellenistischer Religion gedeutet werden.

Da Knopfs Methode nicht durch den ganzen Kommentar hindurch verfolgt werden kann, soll sie an einem exemplarischen Beispiel dargestellt werden. Kapitel 19–20[7] scheint dafür besonders gut geeignet zu sein. Erstens behandelt die Stelle einen zentralen Gedanken des Briefes[8]; zweitens gibt es kaum eine andere Stelle, die religionsgeschichtlich ebenso ergiebig wäre; drittens hat Knopf in einem Exkurs zu dieser Stelle seine Ergebnisse deutlicher zusammengefaßt als irgend sonst. Der Exkurs referiert zuerst eine formgeschichtliche Einordnung des Kapitels[9] und wirft dann die Frage nach dessen Eigenart auf. Dafür wird eine Bestimmung der Herkunft des Stoffes verlangt, wozu Hinweise auf das AT und atl. Apokryphen nicht genügten, sondern griechische Stoffparallelen beizubringen seien[10].

---

[6] Goppelt 6.

[7] 19, 2–20, 12 ist nach Ausgabe 157 eine eigene Einheit, nach Kommentar 74 eine Untereinheit des größeren Abschnittes 19, 2–22, 8.

[8] »Der Begriff der Ordnung ist eben für Clemens offenbar ein fundamentaler« Ausgabe 173.

[9] Nach Drews haben wir »in I Clem 20 ohne Zweifel ein Stück altrömische Liturgie, wenn auch natürlich in freier Benutzung erhalten« Kommentar 76. Vgl. Kommentar 74: »I Clem lehnt sich in diesem Abschnitt unzweifelhaft auf das stärkste an die Gemeindeliturgie an.«

[10] »Die Frage nach der Eigenart von I Clem 20 . . . verlangt aber weiter noch die Herkunft des Stoffes zu bestimmen.« . . . mit dem Hinweis auf die heiligen Bücher können die Ausführungen längst nicht zur Genüge erklärt werden . . . Hinzu kommt starker griechischer Einfluß in den Einzelvorstellungen und in dem Einzelausdruck, weiter auch die großen Stoffparallelen, die nachgewiesen werden können: aus den Fragmenten der Stoiker, aus Cicero De natura deorum II, aus Senecastellen . . ., aus Pseudo-Aristoteles De mundo . . ., aus den Gebeten in Firmicus Maternus . . ., aus den Zauberpapyri, die sehr viel stoisches Gut enthalten, und aus anderen Quellen hellenistischer Theologie« Kommentar 76.

Gemäß diesem Programm geht nun der Kommentar Vers für Vers und Wort für Wort voran. In ungeheurer Reichhaltigkeit werden Fundstellen ähnlichen Inhalts angeführt oder wird auf solche verwiesen[11]. Zu πατὴϱ τοῦ κόσμου[12], κτίστης[13], εὐεϱγέτης[14], ἀόϱγητος[15], διοίκησις[16], χοϱοί[17], ἄβυσσος[18], κϱίματα[19], transozeanische Welten[20],

[11] Natürlich wird, soweit nötig, auch einmal eine Wortbedeutung diskutiert, z. B. σαλεύεσθαι, θῆϱ, σταθμός.

[12] »Zu πατὴϱ τοῦ κόσμου vgl. Philo Legum allegoriae ... und Quis rerum divin heres ...« *Kommentar 75.*

[13] Zu κτίστης wird verwiesen auf 1 Petr, 2 Kön, Jdt, Sir, 2 und 4 Makk, Philo, epist Arist, Fluchtafel von Hadrumet, Leydener Zauberpapyrus. *Kommentar 75.*

[14] »Der Gedanke von Gott dem großen Wohltäter ist dem AT nicht fremd ... Aber der Gedanke in der Form und Zuspitzung, auch in der ganzen Verbindung (der Ordnung des Kosmos), in der I Clem ihn gibt, ist ein Absenker eines großen weitverbreiteten hellenistischen Gedankens, der in der Religion und Philosophie oft nachzuweisen ist.« Es folgen Hinweise auf Arius Didymus, Musonius, Plutarch, Philo, Seneca. *Kommentar 75.*

[15] »Echt philosophisch (stoisch) klingt endlich auch ἀόϱγητος« mit Verweisen auf Ignatius v. Ant., Polycarp, Justin, Marc Aurel, Epiktet, Seneca. *Kommentar 76.*

[16] »Zu διοίκησις vgl. schon Zeno«, Stobaeus, Chrysipp, Kleanthes, auch Epiktet, Cornutus, Marc Aurel u. a. *Kommentar 77.*

[17] »Die Chöre = die Reigen der Sterne sind ein sehr altes Bild, und beliebt bei den Stoikern ... In christlicher Liturgie vgl. Apost. Konstit. ..., Ps.-Cyprian. ..., Martyrium der kappadok. Drillinge ...; vgl. weiter Theoph. ..., Philo. ..., dann Eurip. ... u. a. m.« *Kommentar 78.*

[18] »Die Betrachtung steigt von hier an aus den himmlischen Regionen zu den sublunarischen herab. Erde und Abyssus in ihren festen Ordnungen werden 4–8 vorgeführt. Obwohl uns der Kosmos der Griechen auch hier in entscheidenden Zügen entgegentritt, und die religiöse Stimmung des freudigen Vertrauens auf die alles ordnende und festsetzende Wirksamkeit Gottes weiter mitklingt, so nimmt doch jetzt die Mythologie und die Beziehung auf das AT einen breiteren Raum ein ...« »Von der im Sonnenlicht liegenden, fruchttragenden Erdoberfläche aus geht die Betrachtung zu den Räumen unter der Erde. Dort in der Unterwelt ist der Aufenthaltsort der Gestorbenen und insonderheit der Strafort von großen Frevlern. Wir sind hier nicht mehr in der stoischen Kosmologie, sondern in populärer Hadesmythologie, in der orientalische Scheolvorstellungen mit griechischen Tartarosbildern zusammentreffen. Daß wir es insonderheit mit jüdisch-christlicher Überlieferung zu tun haben, zeigt schon der Gebrauch des Wortes ἄβυσσος, das als Hauptwort ἡ ἄβυσσος vom Weltenabgrund (Gen 1, 1) oder von der Hadestiefe gebraucht, erst seit LXX vorkommt ...; der entsprechende griechische mythologische und kosmologische Ausdruck ist βυθός« *Kommentar 78 f.*

[19] »Die von der Überlieferung einstimmig bezeugte Lesart κϱίματα ist zu halten ... κϱίματα kann ›Ordnungen, Satzungen‹ bedeuten, und das würde hier ganz gut hineinpassen: schon am Schluß des Gilgameschepos Tafel XII befragt der Held seinen Freund um die Satzung der Erde ... Der sonst belegten Bedeutung von κϱίματα aber entspricht die Übersetzung ›Gerichte, Urteilssprüche‹ besser. Bereits nach dem Tode jeden ergeht ein vorläufiges Gericht über seine Seele, vgl. ... ausführlich Henoch, IV Esra. Über besondere Frevler werden gleich nach dem Tode oder nach ihrem Sturz in die Hölle schwere Strafen verhängt: die alten Erzählungen von Ixion, Sisyphus und Tantalus muß Clemens gekannt haben; die jüdisch-apokalyptische Überlieferung berichtete von der Fesselung und Quälung des in die Unterwelt gestoßenen Satans und seiner Helferengel ...; und auch die orphisch-pythagoräischen Höllenvorstellungen können dem Clemens ebensogut bekannt sein, wie sie der Verfasser der Petrusapokalypse übernommen hat. – Wollen wir die Ausdrücke an unserer Stelle teilen, dann wird unter den geheimnisvollen Gerichten des Abgrunds die Verurteilung des Satans und seiner Helfer zu verstehen sein, während wir bei den unsagbaren Gerichten der Totenwelt wohl an die Urteilssprüche zu denken haben, die über die verschiedene Aufbewahrung der Seelen an den Orten der Verstorbenen entscheiden« *Kommentar 79.*

[20] Eine reiche Sammlung griechischer Zeugnisse über die Welten jenseits des Okeanos: Strabo, Posidonius, Plato, Cicero, Eratosthenes: »Clemens schließt sich aber auch hier an antike Überlieferungen an« *Kommentar 80 f.*

Jahreszeiten und Winde[21], δημιουργός[22] u. a. werden religionsgeschichtliche Hinweise und Parallelen geboten, die vom AT[23] und spätjüdischer Literatur[24], sowie dem NT[25] und frühchristlichen Schriften[26] über griechische und römische Klassiker und Philosophen[27] bis zur antiken Kultpraxis und Sagenwelt[28] reichen.

Der Leser wartet nun darauf, wie der Verfasser das überreich zusammengetragene Material für das Verständnis des Kapitels fruchtbar macht. Er muß aber feststellen, daß weder am Ende der kleineren Einheit (19,2–20,12) noch am Ende der größeren (19,2–22,8) eine Auswertung des religionsgeschichtlichen Stoffes geboten wird: Ohne Schlußbemerkung beginnt der folgende Abschnitt. Oder ist die Auswertung jeweils als zusammenfassende Einleitung vorweggenommen? Die Überschrift[29] enthält wirklich eine summarische Charakteristik des Kapitels und die Vorbemerkung eine gute inhaltliche Einteilung[30], aber auch nur eine Bezugnahme auf die Ergebnisse der religionsgeschichtlichen Bemühungen ist nicht zu entdecken. In unserem Fall bleibt noch die Möglichkeit, den beigegebenen Exkurs »Liturgisches« zu befragen. Dieser schließt tatsächlich mit einer Interpretation des Kapitels, die Kerygma und Paränese, d. h. Darlegung und Ermahnung heraushebt und voneinander abhebt[31], so daß das Kapitel durchsichtig und verständlich wird. Aber auch hier wieder: mit keinem Wort

---

[21] Cicero, Firmicus Maternus – »Somit zeigt Kap. 20 auch nach seiner Anordnung vollkommen deutlich die stoische Kosmologie: Himmel und Gestirne, also Feuer (oder Aether, das himmlische Feuer) steht voran; es folgen die drei Sphären der irdischen Welt: die feste Erde, das innerste und tiefste Element, wird zuerst erwähnt, es folgt das sie bedeckende Wasser, und das dritte ist das Luftreich; vgl. – um nur zwei Belege zu bringen – Cicero De natura deor. II 98–104 der Reihe nach die Beschreibung von terra, mare, aer, caelum (= aether) oder De mundo 2f (wo freilich die fünf, nicht die älteren vier Elemente unterschieden werden): οὐρανός + ἄστρα (= αἰθήρ); das irdische Feuer, die φλογώδης οὐσία von Blitzen, Meteoren usw.; Luft; Erde; Meer« *Kommentar* 81.

[22] »δημιουργός als Bezeichnung für Gott kommt noch 26,1; 33,2; 35,3; 59,2 vor; im NT bloß Hebr 11,10, in LXX gar nicht. Im II. Jhrh. gebrauchen die Apologeten das Wort und auch das Verbum öfters... Philo und Josephus haben es häufig. Die Bezeichnung δημιουργός ist echt griechisch, insonderheit platonisch: im Timäus wird Gott, der Weltenbaumeister, oft so genannt..., vgl. auch Xenoph. Memorab. I 4, 7. 9. In der Geschichte der griechischen Religion, auch der Philosophie, haben Wort und Begriff große Bedeutung« *Kommentar* 81.

[23] 2 Kön, Jdt, 2 Makk, Ijob, Sir.

[24] 4 Makk, Henoch, 4 Esr.

[25] 1 Petr, Hebr.

[26] Ignatius v. Ant., Polycarp, Justin, Theophilus v. Ant., allgemein die Apologeten, Apostol. Constitutionen, Ps.-Cyprian, Martyrium der kappadok. Drillinge.

[27] Euripides, Plato, Xenophon, Zeno, Kleanthes, Chrysipp, Eratosthenes, Epistula Aristeae, Posidonius, Cicero, Strabo, Philo, Josephus, Seneca, Cornutus, Musonius, Plutarch, Epiktet, Marc Aurel, Stobaeus.

[28] Gilgameschepos, Ixion, Sisyphus, Tantalus, Hadesmythologie, Tartarusbilder, Fluchtafel von Hadrumet, Leydener Zauberpapyrus.

[29] »19, 2–22, 8 Gottes Wohltaten und des Menschen Verhalten ihnen gegenüber« *Kommentar* 74

[30] »Frieden und Ordnung herrscht im Kosmos (19, 3–20, 12), diesem Friedensziel muß auch der Mensch nacheifern, Furcht vor Gott, Gehorsam, Ordnung und Frieden muß in der Gemeinde herrschen (21, 1–22, 8; 21, 6–9 Gemeindetafel)« *Kommentar* 74.

[31] »Die ganze Ausführung in Kap. 20 hat zwei Spitzen. Die eine Betrachtung ist die, daß die herrliche gutgeordnete Schöpfung eine Wohltat Gottes ist... Die Paränese ist dann: der großen Wohltaten müssen wir uns würdig erzeigen. Die zweite Betrachtungsweise ist die, daß in der Schöpfung Gehorsam und Frieden sich zeigt... Die Paränese ist dann: auch wir wollen uns unterordnen und Frieden und Eintracht wahren« *Kommentar* 76f.

sind die seitenlangen exegetischen Bemühungen in das deutende Ergebnis eingeflossen. Muß man da nicht fragen: Wozu dann der ganze Aufwand?

Man könnte zu antworten versuchen, daß es dem Verfasser offensichtlich nicht um die Verständlichmachung des Gesamtbildes gehe, sondern um die der einzelnen Mosaiksteinchen, aus denen es zusammengesetzt ist. Doch das ist absurd. Auch der Verfasser möchte ein Gesamtverständnis erreichen; das zeigen wenigstens die Zwischenüberschriften, die die Kapitel charakterisieren. Nicht beachtet scheint er allerdings zu haben, daß das einzelne Steinchen seine Bedeutsamkeit vom Gesamtmosaik her erhält und deshalb auch nur von daher zu verstehen ist. Sonst hätte er seine früher schon angestellten Überlegungen von der Bedeutsamkeit der Ordnung für den Brief[32], über den inneren Zusammenhang von c. 20 mit c. 40f[33], über die liturgische Form des Stückes[34] unbedingt weiterführen müssen. Die Darstellung der Methode endet also mit der Feststellung, daß diese Methode zu einer Fülle von Einzelergebnissen führt, aber ein offensichtlich erwünschtes Gesamtergebnis nicht fördert.

### bb) Knopfs hermeneutische Ergebnisse

Was bei der Untersuchung der Methode paradigmatisch an einem Kapitel festgestellt wurde, daß nämlich das zusammengetragene Material hermeneutisch nicht fruchtbar gemacht wird, gilt auch für den Kommentar als ganzen: Er bricht nach 110 Seiten ab, ohne eine Gesamtinterpretation zu versuchen. Wie beim Einzelkapitel in der Überschrift, so schreibt der Verfasser beim ganzen Brief nur in der Einleitung seine Erklärung gleichsam »über« das ganze Werk. Diese Erklärung mündet in die Feststellung, daß für weite Teile des Briefes der Zusammenhang nicht gesehen werden kann[35], weil breite predigtartige Gedankengänge die Briefform sprengen[36].

Wie uns bei dem paradigmatischen c. 19f der Exkurs zu Hilfe gekommen ist, so können wir hier ein früheres Werk des Verfassers befragen, nämlich die literarhistorische Untersuchung, welche die letzten 40 Seiten von Knopfs Textausgabe des Ersten Klemensbriefes füllt[37]. Hier ist das in der Einleitung des Kommentars knapp Zusammengefaßte ausführlich dargestellt. Eines der Hauptprobleme des Briefes sei das

---

[32] Vgl. oben Anm. 8.

[33] ». . . c. 20 und cc. 40f besagen zusammengenommen nichts weiter als dies: in der Schöpfung und im A. B. hat Gott eine feste Ordnung ausgeprägt, folglich müßt ihr in der Gemeinde auch eine Ordnung haben, vgl. 40, 1 πάντα τάξει ποιεῖν ὀφείλομεν« *Ausgabe* 174. ». . . die Mahnung 41, 1 . . . könnte, etwas anders gewandt, ebenso gut auch c. 20 Schluß stehen« *Ausgabe* 173.

[34] Vgl. oben Anm. 9.

[35] »Doch geben die Römer über die unmittelbare Veranlassung des Schreibens hinaus in umfangreicher Wortfülle noch eine Anzahl von Ermahnungen über die Hauptstücke christlichen Wandels und Lebens, ohne daß man genauer sehen könnte, in welchem Zusammenhang diese Mahnungen mit dem eigentlichen Zwecke des Briefes stehen; vgl. hier vor allem den ersten, umfangreicheren Hauptteil des Schreibens (4–38) und die Zusammenfassung in 62, 1f« *Kommentar* 42.

[36] »Über den Augenblicksbedarf hinaus hat er (sc. der Verfasser) ein literarisches Kunstprodukt geliefert, das die Form des echten Briefes sprengt und in breiten predigtartigen Gedankengängen und Ausführungen das Ideal rechten christlichen Lebenswandels zeichnet« *Kommentar* 43.

[37] *R. Knopf*, Der litterarische Charakter des ersten Clemensbriefes: Der erste Clemensbrief. Leipzig 1899, 156–194. Dieser Rückgriff ist legitim, da Knopf selbst im Kommentar öfter darauf zurückverweist und da auch objektiv festzustellen ist, daß seine Ansichten im jüngeren Werk noch dieselben sind: So ist z. B. sein Aufbau des Briefes fast bis in alle Einzelheiten hinein derselbe geblieben.

Auseinanderklaffen von konkretem Anlaß und weitschweifiger Form[38]. Der Brief zerfalle praktisch in zwei Teile, von denen der zweite, wenigstens im großen und ganzen, beim Thema bleibe[39], während der erste Teil aus kaum zusammenhängenden Stücken bestehe[40]. Nach konkretem Beginn fließe der Brief breit auseinander[41]. In großer Umständlichkeit[42] behandle er eine Unmenge von Einzelthemen[43] ohne rechten Zusammenhang untereinander und zum Thema[44]. Nur einigermaßen würden die zerfahrenen Ausführungen zusammengehalten[45].

Von diesen seinen Ergebnissen geht Knopf nun aus, wenn er mit der Frage nach der Form[46] bzw. der literarischen Gattung »das Verständnis der Briefes«[47] gewinnen will. Er rechnet ihn der »allgemeinen Erbauungsliteratur des nachapostolischen Zeitalters«[48] zu, da er – im Anschluß an die »Formen der üblichen Gemeindeerbauung«[49] – von vornherein für »öftere kirchliche Anagnose«[50] hergerichtet worden sei, woraus sich das Vielerlei im ersten Briefteil[51] und die Anfügung des langen Gebetes[52] erklären sollen. Speziell der erste Teil des Briefes wird als »homiletisch-paränetische Gemeindeansprache«[53] oder als »homilienartige Abhandlung«[54] oder als »ein aus kleinen homiletischen Aufsätzen und Abhandlungen zusammengesetztes Ganze«[55] charakterisiert, der Brief als ganzer als »predigtartiges Mahnschreiben«[56] angesprochen.

Hier wird man an den Verfasser einige kritische Fragen richten müssen. Wenn es stimmt, daß wir von der Vielzahl der Themen des ersten Briefteiles – Knopf zählt deren 19(!) auf[57] – nur die Behandlung des einen oder anderen verstehen können, trägt dann der Hinweis auf den erbaulichen oder predigtartigen Charakter noch etwas für das Verständnis ein? Oder soll gesagt sein, Erbauliches und Predigtartiges sei ex definitione unverständlich?

Wenn es stimmt, daß die Form des Briefes seiner Veranlassung und seinem Zweck nicht entspricht, was für einen Sinn soll dann noch der Hinweis auf eine – postulierte – allgemeine Erbauungsliteratur haben? Oder ist »allgemeine Erbauungsliteratur« jene, die dem von ihr genannten Zweck nicht dient? Das ganze riecht zu sehr nach einer Ad-hoc-Hypothese, die den angerichteten Scherbenhaufen, d.h. den in kleinste Einzelstücke aufgelösten Brief, wieder mühsam zusammenkitten will. Es scheint, daß dem Verfasser seine ursprüngliche These von der weitgehenden Zusammenhanglosigkeit

---

[38] *Ausgabe* 160.
[39] Ebd.
[40] *Ausgabe* 158.
[41] *Ausgabe* 177.
[42] *Ausgabe* 160.
[43] *Ausgabe* 178.
[44] *Ausgabe* 160.
[45] *Ausgabe* 156.
[46] *Ausgabe* 160 ist von der »weitschweifigen Form« die Rede.
[47] *Ausgabe* 184.
[48] *Ausgabe* 186.
[49] *Ausgabe* 194.
[50] *Ausgabe* 188.
[51] *Ausgabe* 178.
[52] *Ausgabe* 188.
[53] *Ausgabe* 176.
[54] *Ausgabe* 178f.
[55] *Ausgabe* 187.
[56] *Ausgabe* 177.
[57] *Ausgabe* 178.

des Briefes, die seiner Methode konform geht, als letztes Ergebnis doch zu unbefriedigend vorkam. Was er dann aber als Lösung anbietet, verdeckt das Problem nur, weil es zum Verständnis doch nichts Neues beibringt.

### cc) Der Zusammenhang zwischen Methode und hermeneutischen Ergebnissen bei R. Knopf

Knopfs Methode ist es, Einzelerscheinungen – Wörter und sprachliche Wendungen, Begriffe und Bilder – mit Hilfe des religionsgeschichtlichen Vergleiches zu erfassen. Das konnte durch das Referat des paradigmatischen Kapitels 19f deutlich gezeigt werden. Ähnliches mußte die Untersuchung der hermeneutischen Ergebnisse für den Gesamtbrief feststellen. Knopf kommt zu einer Vielzahl von Teilen und Unterteilen, die nur hier und da eine Beziehung zu einem zentralen Thema aufzuweisen haben, ansonsten aber mehr oder weniger eigenständig nebeneinanderstehen. Hier zeigt sich nun erst, wie »Methode« verstanden werden muß: Nicht als eines unter vielen wissenschaftlichen Hilfsmitteln zur Erforschung eines Textes, sondern als *der* Zugriff, mit dem letztlich eine überlieferte literarische Einheit angegangen wird, als der Schlüssel, der zum Verständnis eines Werkes angewendet wird.

Hat man diese Bedeutung von Methode einmal in den Blick bekommen, dann ist leicht zu sehen, daß die Methode notwendig ein Vorverständnis impliziert. An R. Knopfs Beschäftigung mit dem Ersten Klemensbrief wird das sehr deutlich. Die religionsgeschichtliche Methode verlangt die Untersuchung von Einzelerscheinungen – anders kann sie gar nicht arbeiten. Da das ihre einzige Möglichkeit ist, kann diese Methode, insofern sie Methode ist, einen anderen Zugriff nicht in den Blick bekommen; mit anderen Worten: die religionsgeschichtliche Methode sieht nur Einzelerscheinungen, aber nicht die Gesamtheit eines literarischen Werkes. Ihr Vorverständnis von einem religiösen literarischen Werk ist das, daß es aus vielen Einzelstücken zusammengesetzt sein muß.

Von daher ist es gar nicht verwunderlich, daß Knopf gerade zu *seinen* hermeneutischen Ergebnissen kommt. Das Vorverständnis, das seine Methode impliziert, schließt ein anderes Ergebnis geradezu aus. Wer die Untersuchung von Einzelerscheinungen für den einzig sachgerechten Zugriff hält, kann als Ergebnis auch nichts anderes als Einzelerscheinungen erhalten. Der Einwand, ein solches Vorverständnis könne niemand gehabt haben, wie das da und dort durchscheinende Bemühen um ein Gesamtverständnis beweise, dieser Einwand trifft nicht, da erstens das Vorverständnis unreflektiert geblieben ist und zweitens die Ansätze um ein Gesamtverständnis weder aus der Methode erwachsen noch gelingen. Aufgabe der hermeneutischen Auseinandersetzung war es nur, das Vorverständnis thematisch zu machen und seinen Zusammenhang mit den hermeneutischen Ergebnissen der Methode aufzuweisen. Natürlich ist damit ein sehr kritisches Urteil über die hermeneutische Leistungsfähigkeit der religionsgeschichtlichen Methode gefällt. Aber es geht nicht über das Urteil hinaus, das sich Knopf selber spricht, wenn er dem Brief Zusammenhanglosigkeit und damit weitgehende Unverstehbarkeit[58] vorwirft. Was dieser Abschnitt über Knopf hinaus bringt, ist der Aufweis, wie das hermeneutische Ergebnis in der Methode begründet liegt.

---

[58] Vgl. oben S. 8f.

## b) Hermeneutische Auseinandersetzung mit W. Bauer

Die religionsgeschichtliche Schule hat sich den Einzelerscheinungen zugewandt und mit ihrer Methode die überlieferten Schriften in Einzelstücke aufgelöst. W. Bauer knüpft nun zwar nicht unmittelbar an diese Schule an, aber von ihrem Geiste herkommend löst er das frühe Christentum in eine Vielzahl von wenig miteinander zusammenhängenden »Einzelerscheinungen«, also Gruppen und Sekten auf. Was ihn mit der religionsgeschichtlichen Schule verbindet, ist, daß er von einer Vielfalt ausgeht; was ihn unterscheidet, daß er nicht eine Vielheit außerchristlicher Einflüsse, sondern eine Vielheit urchristlicher Ursprünge postuliert. Seine Methode könnte man die »ketzergeschichtliche« nennen. Daß sein Buch heute noch aktuell ist, zeigt die kürzlich erfolgte Neuauflage. Während aber seine Ausführungen und Mutmaßungen über die früheste Geschichte der östlichen Kirchen neuestens wichtige Ergänzungen und Korrekturen, z. B. von H. Köster[59], erfahren haben, sind Bauers Kapitel über die Westkirche – auch von diesem Autor – nicht weitergeführt worden. Von daher dürfte es nicht ungerechtfertigt sein, W. Bauer in die hermeneutische Auseinandersetzung mit einzubeziehen. Nacheinander sollen die Methode, die hermeneutischen Ergebnisse und die Frage nach dem Zusammenhang beider erörtert werden.

### aa) W. Bauers Methode

W. Bauer schreibt nicht einen Kommentar zum Ersten Klemensbrief, aus dem man seine exegetische Methode leicht eruieren könnte[60]. Er zieht den Ersten Klemensbrief vielmehr ausgiebig heran in den letzten sechs Kapiteln, d. h. in der zweiten Hälfte eines Buches, das er als »Geschichtsforscher«[61] schreibt. Nur von daher kann man versuchen, seine Methode darzustellen. Bauer geht davon aus, daß die ntl. Wissenschaft längst gelernt habe, die einzelnen Schriften, die später zum NT vereinigt worden sind, jeweils zu verstehen von einer bestimmten und unwiederholbaren Sachlage her, aus der heraus sie entstanden sind. Mit derselben Objektivität möchte er auch den Häretikern gegenübertreten. Seine Grundintention ist die, daß es ja von vornherein gar nicht sicher ist, ob alles, was später als Häresie bezeichnet wurde, das von Anfang an auch überall war. Könnte es nicht sein, daß an einem bestimmten Ort ein später als häretisch bewertetes Christentum dort ursprünglich die erste und einzige Form der neuen Religion war[62]?

Bauers Methode zeichnet sich jetzt schon ab als die des Historikers, der auch Kirchen- und Theologiegeschichte kritisch betreibt. Das heißt, er ist gewillt, auch die frühesten kirchengeschichtlichen Gesamtdarstellungen, etwa die eines *Irenäus von Lyon* oder *Eusebius von Caesarea*, und Einzeläußerungen, z. B. in Briefen, kritisch unter die Lupe zu nehmen, um »Geschehen« und »Deutung«[63] unterscheiden zu kön-

---

[59] *H. Köster*, Γνῶμαι διάφοροι. Ursprung und Wesen der Mannigfaltigkeit in der Geschichte des frühen Christentums. *Köster* nennt den Aufsatz einen »Arbeitsplan für weitere Untersuchungen in der Theologiegeschichte des frühen Christentums«.

[60] Seinen Kommentar zu den Ignatiusbriefen oder seinen Johanneskommentar herzunehmen und die dort angewendete Arbeitsweise auf die Behandlung des Ersten Klemensbriefes zu übertragen, ist natürlich unstatthaft.

[61] *Bauer* 1.

[62] *Bauer* 2.

[63] Vgl. den gleichnamigen Artikel von *P. Meinhold*, der *Einführung* 91 weiterzuführen sucht.

nen. Für den Historiker – auch für den Kirchen- und Theologiegeschichtler! – kann
es ja nicht aprioristisch feststehen, daß die spätere kirchliche Lehre – mindestens in
nuce – das von Anfang an und überall Ursprünglichere war, während alles Häretische
(wie es der Wortsinn will!) immer und überall nur Abfall hiervon sein konnte. Genau
das gelte es kritisch zu prüfen[64].

Von diesem – durch und durch zu begrüßenden – methodischen Ansatz her behandelt nun Bauer im Rahmen seines Buches auch den Ersten Klemensbrief. An der
Art, wie er das tut, läßt sich seine kirchen- und theologiegeschichtliche Methode
konkreter aufzeigen. Bauer selbst stellt fest – und das wird man ihm auch ohne lange
Beweisführung abnehmen –, daß die Zustände in Korinth aufgrund der voreinge-
nommenen Stellungnahme Roms entworfen werden. Er folgert daraus, daß die Begründung, die die Römer für ihr Eingreifen anführen, nicht übernommen werden
kann, weil das den Verzicht auf eine Erklärung bedeuten würde. Wie aber kann man
weiterkommen?

Bauer verweist auf das starke Machtstreben Roms in späterer Zeit (Osterfeststreit;
Unterstützung des Bischofs *Demetrius* von Alexandrien gegen *Origenes*; Nordafrika).
Die früheste derartige Gelegenheit nimmt Rom mit dem Ersten Klemensbrief Korinth
gegenüber wahr[65]! Nach dieser Vorbereitung kommt Bauer zu dem Schluß, Rom
hätte sich deswegen an die Gemeinde von Korinth gewandt, weil diese, durch den in-
neren Zwist geschwächt, eine leichte Beute zu sein schien[66]. Bauer unternimmt also
den Versuch, den Gegensatz zwischen Orthodoxie und Häresie zum Verständnis des
Ersten Klemensbriefes und seiner Entstehung fruchtbar zu machen[67]. Der wesentliche
Inhalt des Briefes soll aus einer ganz bestimmten Sachlage heraus begriffen werden[68].
Die Sachlage ist die, daß die »Starken« – die 1 Kor (z. B. 8,9.11) voraussetzt und in die
Schranken weist – inzwischen die Mehrheit erlangt hatten und jetzt als die »Jungen«
des Ersten Klemensbriefes grundlegenden Wandel schaffen wollten durch einheit-
liche Besetzung der Ämter[69]. Sich auf die Mehrheit in Korinth stützend wagte Rom,
das Rad zurückzudrehen[70].

So anregend die Lektüre solcher Sätze sein mag – wir müssen fragen, inwieweit
sie kritisch an den Quellen abgesichert sind. Den Ausgangspunkt, daß es im Ersten
Klemensbrief um Auseinandersetzung mit Häresie gehe, belegt Bauer damit, daß
wir in 1 Clem 1,1 die »Tonart« des Streiters gegen die αἵρεσις vernehmen[71]. Auch wenn
er noch anfügt, man glaube *Tertullian* zu hören und ähnliches mehr, so bleibt das vom
Text her gesehen eine reichlich magere Abstützung. Nicht minder problematisch ist
die Charakterisierung der »Jungen«: sie ist vom Text her einfach zu wenig abgesichert.
Daher muß ein kritischer Leser die Beschreibung der Rolle Roms als unbewiesene
Vermutung bezeichnen, von wo aus eine ausgewogene Beurteilung des Ersten Klemensbriefes kaum zu erwarten ist. Es ist also festzustellen, daß W. Bauer die von ihm geforderte kirchen- und theologiegeschichtliche Methode nicht so sehr kritisch, sondern

---

[64] *Bauer* 4.
[65] *Bauer* 100–102.
[66] *Bauer* 102.
[67] *Bauer* 106.
[68] *Bauer* 108.
[69] *Bauer* 104 f.
[70] *Bauer* 106.
[71] *Bauer* 103.

viel eher als einseitiger Kritiker handhabt, so daß auch nicht mehr zu sehen ist, wie er eigentlich »Korinth« gerecht wird.

## bb) Bauers hermeneutische Ergebnisse

Daß es um Hermeneutik, um Verstehen des Ersten Klemensbriefes geht, dessen ist sich Bauer bewußt, wenn er die Ansicht vertritt, dieses Schreiben könne nur in dem von seinem Buch aufgezeigten Zusammenhang richtig verstanden werden[72]. Er schließt sich zunächst der oben erörterten Meinung R. Knopfs an, den er ausführlich zitiert, geht aber dann selbst weit über ihn hinaus, indem er zum Ausdruck bringt, daß die bei weitem größere Hälfte des Briefes nur der Erweiterung des Umfanges diene, damit der Brief dadurch größeres Gewicht erhalte[73]. Damit ist der größte Teil des »ungefügen Schreibens«[74] zu Füllmaterial erklärt, das in sich nicht mit Sinn gefüllt ist. Natürlich muß er dann sagen, daß vieles für den, der diesen Sinn im Auge behält, ganz unerwartet kommt[75]. Der Leser sei also in der Situation, daß er ständig auf Dinge stößt, auf die er nicht gefaßt war: er erhält den Eindruck, daß der Verfasser seinen Standpunkt nicht klar zum Ausdruck bringt und seine eigentliche Absicht verbirgt[76]. Die Mittel, die wirklich angewendet werden – finanzielle Beihilfen und Zuwendungen[77] – verdeckt der Brief mehr, als er sie enthüllt[78].

Ein vernichtendes Urteil, was die Verstehbarkeit des Briefes betrifft: Aus sich heraus ist das meiste – mindestens zunächst – unverständlich, erst durch von außen hinzukommende Hinweise kann die Bedeutung des einen oder andern richtig verstanden werden.

Wenn ein so geartetes Schreiben trotzdem historische Bedeutsamkeit erlangt hat – und Bauer schreibt ihm einen außerordentlich hohen Grad davon zu –, dann muß es einer besonderen literarischen Gattung zugehören. Zwar stellt Bauer darüber keine eigenen Reflexionen an, dafür kommt er aber auf die Sache dauernd zu sprechen. Was sich nämlich in seinen beurteilenden Äußerungen durchhält, ist die Kriegs- und Kampfterminologie. Der Verfasser wird verglichen mit einem Streiter[79], einem Vorkämpfer[80], einem, der seine Stellung einnebelt[81], er will seine Stoßkraft erhöhen[82]; die Gegner haben nicht mehr genügend Widerstandskraft und werden zur leichten Beute[83]; es gibt ketzerfeindliche Spitzen[84]; man hört von schneidenden Waffen[85], von Waffen im Streite[86], von Ketzerkampf[87] und Kampfgenossen[88]; kurz: das ganze ist ein korin-

---

[72] *Bauer 98.*
[73] *Bauer 99.*
[74] *Bauer 115.*
[75] *Bauer 99.*
[76] *Bauer 100.*
[77] *Bauer 126.*
[78] *Bauer 115.*
[79] *Bauer 103.*
[80] Ebd.
[81] *Bauer 100.*
[82] *Bauer 99.*
[83] *Bauer 102.*
[84] *Bauer 107; 151.*
[85] *Bauer 232.*
[86] *Bauer 222.*
[87] *Bauer 232.*
[88] *Bauer 222.*

thischer Feldzug[89]. Eindeutig: Der Erste Klemensbrief ist für Bauer eine Kampfschrift. Ziel dieses Kampfes ist die geistige Unterwerfung und organisatorische Ein-
gliederung[90]; Waffen sind gezielte Verwendung autoritativer Schriften, wie des AT[91]
und des 1 Kor[92], Aussendung diplomatisch geschickter Unterhändler[93], finanzielle
Zuwendungen[94] und organisatorisches Geschick[95]. Genauerhin kann man nun sagen,
der Brief sei nach Bauer eine kirchenpolitische Werbe- und Kampfschrift[96].

Daß damit nun eine Verstehensmöglichkeit des Briefes als solchen gewonnen
sei, muß doch wohl äußerst fraglich bleiben. Keinen der angeführten Gründe kann
Bauer aus dem Schreiben selbst herausarbeiten; alle werden von außen herange-
tragen und finden nur eine schwache Stütze im Text. Die antignostische Verwendung
des AT ist *Irenäus* entnommen[97], die Mission der Überbringer ist zugegebenermaßen
reine Annahme[98], die finanziellen Zuwendungen beruhen auf gewagten Interpretationen und Rückprojektionen von Bemerkungen im Brief des *Dionys* an *Soter*[99],
und zum Beleg organisatorischer Absichten muß die Natur des Römers herhalten[100].
Das alles ist ein sehr großes Fragezeichen, das Bauer selbst hinter die Gattungsbestimmung »kirchenpolitische Werbe- und Kampfschrift« setzt. Durch die Einordnung in
eine solche literarische Gattung scheint für das Verständnis des Briefes, wie er nun
einmal vorliegt, nichts gewonnen zu sein.

### cc) Der Zusammenhang zwischen Methode und hermeneutischen Ergebnissen bei W. Bauer

Die begrüßenswerte kritische Methode und das skeptisch stimmende hermeneutische
Ergebnis klaffen bei W. Bauers Arbeit – wenigstens was den Ersten Klemensbrief
betrifft – auffallend auseinander. Jedoch schon bei der Methode mußte unterschieden werden zwischen dem Ansatz und der Durchführung. Während der methodische
Ansatz uneingeschränkte Anerkennung erhielt, mußte auf manches Fragwürdige
der Durchführung hingewiesen werden. Nun liegt die Versuchung nahe, die Differenz
auf mangelnde Sorgfalt der Arbeitsweise zurückzuführen. Das wäre aber keine Erklärung, sondern nur eine Verschiebung des Problems. Denn gerade das fragt sich ja,
wie es zu einem solchen Mangel kommen konnte.

Bauers Methode wurde als kirchen- und theologiegeschichtliche bestimmt. Eine
solche Bestimmung abstrahiert aber schon wieder von vielen Konkretheiten; will
sagen: »chemisch rein« gibt es diese Methode nicht. Bei Bauer hat sich das ja gezeigt:
Er hat diese Methode angewendet aus einem Anliegen heraus. Er wollte als Historiker
den Christen, die man schon sehr früh als Ketzer abstempelte, gerecht werden. Ganz

---

[89] *Bauer* 112.
[90] *Bauer* 101.
[91] *Bauer* 107.
[92] *Bauer* 222.
[93] *Bauer* 115 f.
[94] *Bauer* 126.
[95] *Bauer* 232.
[96] Bezeichnend, daß *Bauer* im Kap. VI, das er mit »Roms Werbe- und Kampfmittel« überschreibt,
gleich in den ersten Zeilen auf den Ersten Klemensbrief zu sprechen kommt!
[97] *Bauer* 107 f.
[98] *Bauer* 116.
[99] *Bauer* 125.
[100] *Bauer* 232.

notwendigerweise ist dieses Anliegen in die Methode eingeflossen. Bezüglich des Ersten Klemensbriefes weist er selbst deutlich auf diesen Einfluß hin, wenn er sagt, daß dieses Sendschreiben nur dann richtig verstanden werden könne, wenn man es in den Zusammenhang des Ketzerkampfes aufnehme, der sich in dem Versuch kirchlicher Führer zeige, zuerst auf andere Gemeinden Einfluß zu gewinnen, um dann den dortigen Gesinnungsgenossen das Übergewicht zu verschaffen [101].

Natürlich ist das ein sehr weittragendes Vorverständnis, doch darf man es nicht illegitim nennen, insoweit es Vorverständnis bleibt und nicht zu mehr wird. Vorverständnis hätte es aber nur bleiben können, wenn es als solches reflektiert und im Verlauf der beweisführenden Erarbeitung auf seine Berechtigung hin geprüft worden wäre. Daß das nicht geschehen ist, zeigte sich an den sehr weitgehenden, in diesem Vorverständnis wurzelnden Behauptungen und Vermutungen, die Bauer aufstellt, und der nur schwachen Stütze, die sie im Text fanden. Damit ist aber aus dem berechtigten Vorverständnis ein unberechtigtes Vorurteil geworden, das nicht mehr ins Bewußtsein gehoben und korrigiert werden wollte.

Es besteht also bei Bauer ein Zusammenhang nicht so sehr zwischen Methode – als hermeneutischem Zugriff – und Ergebnis, als vielmehr zwischen seiner Methodik – als konkreter Anwendung der Methode – und seinen hermeneutischen Ergebnissen. Das zum Vorurteil erstarrte Vorverständnis ist zur Hintergrundsfolie geworden, auf der allein der Brief noch gelesen wird. Alles, was vor diesem Hintergrund verschwindet, wird zu unverständlichem Füllmaterial. Nun *muß* es so erscheinen, als diene die bei weitem größere Hälfte lediglich der Steigerung der Masse [102]. Wenn aber Bauer dem Autor vorwirft, daß er in großem Umfange Dinge vortrage, auf die man nicht gefaßt ist [103], so muß er sich die Frage gefallen lassen, ob vielleicht nur er auf vieles von dem Vorgebrachten nicht gefaßt ist, weil er den ganzen Brief auf einen falschen Hintergrund projiziert, während ein anderer Leser bei der Lektüre eventuell viel weniger oft solche Überraschungen erleben würde.

### c) Hermeneutische Auseinandersetzung mit O. Knoch

Die umfassendste neuere Untersuchung zum Ersten Klemensbrief ist zweifellos die von O. Knoch. Der unschätzbare Wert dieses Buches liegt darin, daß die gesamte einschlägige Literatur nicht nur vollständig aufgeführt wird, sondern daß auch alle Forschungsergebnisse an der jeweils entsprechenden Stelle eingearbeitet sind. Gute Register machen die Arbeit für den Klemensforscher zu einem unbezahlbaren Nachschlagewerk. Die ntl. Forschung war mit der formgeschichtlichen Methode, vor allem vertreten von R. Bultmann, der sowohl von der religionsgeschichtlichen Schule wie von der konsequenten Eschatologie A. Schweitzers herkam, einen wichtigen Schritt weitergekommen. Bultmann hatte im dritten Teil seiner »Theologie des Neuen Testaments« auch die Apostolischen Väter, unter ihnen den Ersten Klemensbrief, eingearbeitet. So konnte man sich einen wichtigen Forschungsbeitrag davon versprechen, wenn die eschatologische Frage mit Hilfe des in zwei Jahrzehnten formgeschichtlich

---

[101] Vgl. *Bauer* 97 f.
[102] *Bauer* 99.
[103] *Bauer* 100.

erarbeiteten Materials an einer außerkanonischen Schrift weitergetrieben würde. Wie weit damit ein größeres Verständnis des Ersten Klemensbriefes erreicht wurde, soll durch die Darstellung der Methode, der hermeneutischen Ergebnisse und des Zusammenhangs zwischen Methode und Ergebnissen im Buch O. Knochs aufgezeigt werden.

## aa) O. Knochs Methode

O. Knoch geht nicht ohne Methodenreflexion an die Arbeit: am Ende der kurzen Einleitung stellt er seine Methode knapp dar. Danach muß man in seinem Vorgehen zwei Phasen unterscheiden: eine analysierende und eine synthetisierende. Die erste oder analysierende Phase seiner Methode besteht in der Erhebung einzelner wichtiger Begriffe. Dabei geht es um deren inhaltlichen Gebrauch, ihren theologischen Gehalt, ihre Herkunft und um das Verhältnis zu ihrer ntl. Verwendung. In der zweiten oder synthetisierenden Phase der Methode geht es darum, die aus den Begriffsuntersuchungen gewonnenen Ergebnisse systematisch zu ordnen[104]. Die beiden methodischen Phasen durchdringen sich gegenseitig in der Weise, daß einerseits der Aufriß des Werkes zwar schon systematisierend ist, indem in den einzelnen Abschnitten inhaltlich zusammengehörende Begriffe auch zusammengeordnet sind, daß aber andererseits innerhalb der Abschnitte die Begriffe nacheinander analytisch behandelt werden und erst der letzte der Abschnitte samt der abschließenden Zusammenfassung die Synthese bietet[105].

In der ersten Phase geht es, wie gesagt, um die Erhebung einzelner wichtiger Begriffe. Dabei zeichnen sich – und damit sollen Knochs eigene Angaben präzisiert werden – folgende methodische Schritte ab: Zuerst die Auswahl, dann die Bestimmung, dann die Wertung. Wie die Auswahl zustande kommt, darauf reflektiert Knoch nicht: sie scheint sich ganz von selbst vom Thema des Buches her zu ergeben. Alle Begriffe, die eine gewisse Nähe zur eschatologischen Thematik haben, gehören herein. Dennoch ist zu fragen, ob diese Auswahl nicht eine ausdrückliche methodische Rechtfertigung wert gewesen wäre. So legitim es ist, an ein Werk mit einer speziellen – hier der eschatologischen – Fragestellung heranzugehen, so sorgfältig muß man doch in seinem Vorgehen sein, damit man nicht einseitig gefärbte Antworten erhält. Ein leises Bedenken in dieser Richtung muß hier angemeldet werden. Ist es möglich, einem Werk gerecht zu werden, wenn man – unter der Voraussetzung, daß man überhaupt von Begriffsuntersuchungen ausgeht – die am häufigsten vorkommenden Begriffe[106] ganz übergeht? Mit anderen Worten: Kann ein spezieller Gesichtspunkt herausgearbeitet werden ohne ausdrückliche methodische Bezugnahme auf den Gesamtrahmen?

Was für die Bestimmung der einzelnen ausgewählten Begriffe geschieht, gibt Knoch genau an. Er nennt den inhaltlichen Gebrauch, den theologischen Gehalt und die Herkunft[107]. Dahinter verbirgt sich das Gros der Arbeit, das die ganze Breite der historisch-kritischen Methode umfaßt: Die Ergebnisse der religionsgeschichtlich und literarkritisch (formgeschichtlich und z.T. auch redaktionsgeschichtlich) arbeitenden

---

[104] *Knoch* 29 f.
[105] Vgl. *Knoch* 7–9.
[106] Vgl. unten S. 62–66 und 69–72.
[107] *Knoch* 30.

Forscher werden aufgearbeitet und weitergeführt, auch Anregungen anderer Provenienz zusammengetragen und nach Tunlichkeit eingearbeitet[108].

Die Wertung der einzelnen ausgewählten und bestimmten Begriffe erfolgt mit Hilfe der Frage nach ihrem Verhältnis zur ntl. Verwendung[109]. Da das – allerdings erst später zusammengewachsene – NT die glaubensmäßige Grundlage der Gesamtchristenheit ist, kann durch dieses methodische Vorgehen die Beurteilung *dogmatisch* nicht fehlgehen. Aber kann es Knoch überhaupt um eine dogmatische Beurteilung gehen? Der Erste Klemensbrief ist zunächst ein theologisch selbständiges Werk, dem man theologisch nicht ohne weiteres gerecht wird, wenn man es sofort von einer außer ihm liegenden theologischen Größe – dem NT – her beurteilt. Und zunächst ginge es eben um die theologisch gerechte Beurteilung, erst danach könnte (was aber Knoch gar nicht anstrebt) eine dogmatische Wertung erfolgen.

Mit der zweiten, der synthetisierenden Phase seiner Methode bietet Knoch – über einige »Zwischenergebnisse« hin – ein Gesamtbild dessen, was der Erste Klemensbrief auf seine Fragestellung zu antworten weiß. Dank seiner sowohl historisch-kritisch wie auch dogmatisch korrekten Arbeitsweise kommt er innerhalb seines selbstgezogenen Rahmens zu Resultaten, die weitestgehend als endgültig angesehen werden können. Einer Gefahr vom methodischen Ansatz her, der Begriffsuntersuchung, ist er nicht entgangen (und konnte es wohl auch nicht ganz, weil gerade hier die schwache Stelle seiner Methode liegen muß). Es ist die Gefahr der Überinterpretation einzelner Begriffe aus ihrem Herkunftszusammenhang zum Zwecke der Auffüllung systematischer Lücken. (Hier mußte sich rächen, daß Knoch es unterließ, auf die Grundaussage des Briefes zu reflektieren.)

Ausnehmend deutlich kann man das an der Interpretation des 1 Clem 27,4 gebrauchten und auf den Weltuntergang zu deutenden καταστρέφειν zeigen. Aus der Nähe zu dem – wohl späteren[110], aber aus gleicher Tradition schöpfenden[111] – 2 Petr 3 wird dann geschlossen, daß auch für 1 Clem die Sintflut der Typus des Weltunterganges ist[112] und der Weltuntergang durch Feuer geschehen wird[113]. Da nun 1 Clem 33,3 von στηρίζειν τοὺς οὐρανούς spricht, was der stoische Terminus technicus für die je neue Befestigung der Erde an die himmlischen Sphären tragenden Polachse sei, die nach jeder Ekpyrosis stattfindet, und da 1 Clem 9,4 auch die zur Ekpyrosis gehörende Palingenesia nennt, wird geschlossen, daß er wie 2 Petr der stoischen Lehre von den zwei Weltperioden anhängt[114] und daß für ihn Christus der zweite Noach ist[115].

Um so weitgehende Schlüsse ziehen zu können, steht aber doch zu wenig im Text. Die Sintflut wird nur implizit angetönt, wenn von Noach gesprochen wird, 1 Clem 7,4; 9,4. Aber dann ist da nicht von Untergang die Rede, sondern nur von Rettung!

---

[108] Da *Knoch* sich keiner Auslassung schuldig gemacht hat, ist sein Buch gerade in diesem Punkt wertvoll, deswegen aber auch ziemlich umfangreich. Das rechtfertigt aber noch lange nicht eine Bemerkung, wie sie *Beyschlag* 27 macht, *Knochs* Buch sei »ein Werk, dessen uferlose Breite allerdings auch den hartgesottensten wissenschaftlichen Leser ermüden kann«.

[109] *Knoch* 30.

[110] *Knoch* 99.

[111] *Knoch* 211.

[112] Ebd.

[113] *Knoch* 212; 298.

[114] *Knoch* 297f.

[115] *Knoch* 269; 298; 309.

Wenn also Typus, dann Typus der Wiedergeburt in Christus. Deshalb kann Palingenesia nicht als Teil des stoischen Wortpaares Ekpyrosis/Palingenesia angesehen werden. Der Ausdruck aus 33,3, der Schöpfer habe die Himmel befestigt, kann dann allein die ihm aufgebürdete Last wahrhaftig nicht mehr tragen. Bleibt noch die Behauptung, Christus sei die Erfüllung »vor allem«[116] des Noach. An beiden Stellen, die Noach nennen, steht er in einer Reihe, ohne besonders hervorgehoben zu werden: 7,6–8,2 zählt auf: Noach – Jona – die Diener der Gnade – der Herr selbst; und 9,3–10,1: Henoch, Noach, Abraham (11,1 und 12,1 gesellen sich Lot und Rahab hinzu).

Mögen solche Überinterpretationen das Gesamtbild auch nicht verfälschen, so sind es doch Eintragungen in den Text, die zumindest störend wirken und einen gegenüber der angewandten Methode bedenklich stimmen können.

### bb) Knochs hermeneutische Ergebnisse

Hier ist nicht der Gesamtumfang der wissenschaftlichen Ergebnisse zu referieren, sondern es ist hinzuweisen auf jene Leitlinien, mit deren Hilfe Knoch den Ersten Klemensbrief durchsichtig zu machen sucht. Es gilt also jene Punkte aufzuspüren und zu beurteilen, von denen her Knoch sein Verständnis des Briefes gewonnen hat.

Es war das Ziel der Arbeit, »Eigenart und Bedeutung der Eschatologie im theologischen Aufriß des ersten Clemensbriefes« aufzuzeigen. So sagt es der Titel des Buches. Damit ist das richtige methodische Vorgehen sehr korrekt angekündigt: Die spezielle Fragestellung (Eschatologie) soll von der allgemeinen her (theologischer Aufriß) beantwortet werden. Nach der Lektüre des Buches stellt man jedoch fest, daß der allgemeinen Fragestellung nirgends nachgegangen wurde. Das mußte schon oben bei der Besprechung der Auswahl der untersuchten Begriffe festgestellt werden. Dafür geschah etwas anderes: unvermerkt ist aus dem *theologischen* ein *heilsgeschichtlicher* Aufriß geworden. Das ist zunächst kaum auffällig, denn warum sollten Theologie und Heilsgeschichte nicht identisch sein? Doch genau das hätte es zu prüfen gegolten! Der einzige »Aufriß« des Briefes, den Knoch gefunden zu haben glaubt, ist der schöpfungs- und heilsgeschichtliche[117]. Der aber baut grundlegend auf der Noach- und Sintfluttypologie auf[118], die bereits oben als Eintragung in den Text aufgedeckt wurde. Die einzige Konzeption, die als Verständnishilfe für den Ersten Klemensbrief als ganzen vorgelegt wird, muß also als dem Text fremd bezeichnet werden. Damit ist in keiner Weise behauptet, die *Einzel*ergebnisse seien durch die etwas schiefe Gesamtkonzeption verfälscht worden. Es ist nur gesagt, daß dem *Gesamt*verständnis kein Dienst erwiesen worden ist.

Knoch nennt das theologische Denken des Klemens eine »Synthese«. Als Elemente dieser Synthese werden vor und neben der eigentlich christlichen Überlieferung – grob gesagt – das AT, die hellenistische Synagoge, die Stoa sowie Zeit und Umwelt des Verfassers aufgeführt[119]. Was ist mit »Synthese« gemeint? Ist es die Neuformung vorhandenen Materials zu einer höheren Einheit oder nur die Zusammenstellung mehr oder weniger heterogener Komponenten? Knoch gibt zwar als Zentrum den Glauben an den einen Gott[120] an, aber zeigt doch nicht, wie auf diese Mitte hin und

---

[116] *Knoch* 268.
[117] Siehe *Knoch* 483.
[118] *Knoch* 450f.
[119] *Knoch* 448.
[120] Ebd.

von dieser Mitte her alles andere geordnet wird und so als Einfluß in einer neuen Einheit aufgeht. Vielmehr erweckt schon die Art der Aufzählung den Eindruck, daß er das Quellenmaterial als ziemlich unverbunden nebeneinandergestellt beurteilt. An anderer Stelle[121] spricht er daher auch nicht von Synthese, sondern von Mischung, die von den verwerteten Quellen her die Eigenart der Religion des Klemens ausmache; an anderer Stelle[122] von Verbindung, die etwa die Hoffnungsvorstellung ausmache. Was aber offen geblieben ist, ist die Art und Weise, in der Verbindung, Mischung oder Synthese gemacht wird. Gerade das aber hätte geklärt werden müssen, wenn es zur Aufhellung des theologischen Denkens im Ersten Klemensbrief etwas hätte beitragen sollen.

Viel eindeutiger ist Knochs hermeneutisches Ergebnis dort, wo er Aussagen des Klemensbriefes wertet. Das geschieht – wie schon dargelegt – durch Vergleich mit dem NT. Dabei gibt es zwei Grundwertungen: »Festgehalten«[123] und »Nicht festgehalten«[124]. Besonders für die negative Wertung steht eine reiche Auswahl an Varianten zur Verfügung, wie: aufgegeben, ausgehöhlt, umgedeutet, der Bedeutung entkleidet[125] an die Stelle gesetzt, einen anderen Sinn gegeben, interpretiert und umgedeutet[126]. Auffällig ist nicht nur die Polarisierung der Wertungen durch die Prädikate »festgehalten« und »preisgegeben« bzw. »im Kern« festgehalten[127] und »im Kern« preisgegeben[128], sondern auch das Übergewicht der negativen Prädikatisierung. Man fragt sich: Kann das, da es die einzige Art ist, wie der Brief gewertet wird, gerecht sein? Es gibt doch nicht nur illegitime Umdeutung, sondern auch notwendige und zu rechtfertigende Deutung, Auslegung und Neuinterpretation! Daß diese Möglichkeit für den Ersten Klemensbrief wirklich zutrifft, ist damit natürlich weder bewiesen noch behauptet. Behauptet ist nur, daß Knoch offenbar nicht damit gerechnet hat, sonst hätte er die Fragestellung erörtern müssen.

Der literarischen Gattung nach ist der Brief eine *allgemeine Instruktion* darüber, wie Christen sich in einem Fall wie dem korinthischen zu verhalten haben[129]. Damit ist er zugleich »Nuthesia«, d. h. eine dem paränetischen Predigtstil zugehörige Mahn- und Warnrede[130] und »Katholischer Brief«, d. h. für den gottesdienstlichen Gebrauch bestimmt[131].

## cc) Der Zusammenhang zwischen Methode und hermeneutischen Ergebnissen bei O. Knoch

Es soll gefragt werden, ob der methodische Ansatz schon irgendwie das hermeneutische Ergebnis impliziert. Das scheint bei O. Knoch ganz offensichtlich der Fall zu sein. Knochs Methode stützt sich auf die Begriffsuntersuchung. Als erster Schritt wurde die Auswahl der Begriffe genannt, die von der Thematik des Buches her er-

---

[121] *Knoch* 100.
[122] *Knoch* 250.
[123] Z. B. *Knoch* 150.
[124] Z. B. *Knoch* 160.
[125] *Knoch* 160.
[126] *Knoch* 188.
[127] Z. B. *Knoch* 349.
[128] Z. B. *Knoch* 289.
[129] *Knoch* 48.
[130] *Knoch* 39.
[131] *Knoch* 47.

folgte. Damit ist – da andere wichtige Begriffe übergangen werden – implizit eine theologische Vorentscheidung getroffen: das Eschatologische wird unvermerkt, aber notwendig präponderant. Das zeigt sich darin, daß der im Titel angekündigte theologische Aufriß ganz von den unter eschatologischem Gesichtspunkt ausgewählten Begriffen her erarbeitet wird. Da nun jedoch diese Begriffe in ihrem Gebrauch »enteschatologisiert« vorgefunden werden, ist der daraus resultierende Aufriß (zwar nicht ein eschatologischer, dafür aber) ein – enteschatologisiert – heilsgeschichtlicher.

Ganz ähnliches ist zum zweiten methodischen Schritt zu sagen, der Bestimmung der ausgewählten Begriffe. Knoch bedient sich da der ganzen Breite der Methoden und Ergebnisse und versucht, soweit es irgend möglich ist, zu einem Ausgleich und einer Synthese zu kommen. Nur durch eine behutsam ordnende Hand bringt er indirekt seine eigene Sicht zur Geltung, die sich jeweils an dem vorgegebenen Material ausrichtet, ohne einen Gesamtdurchblick beizusteuern. Ziemlich getreu diesem Schema wird dann auch der Verfasser des Ersten Klemensbriefes gesehen als einer, der aus dem in den verschiedenen Quellen Vorgefundenen eine Verbindung, Mischung und Synthese macht.

Als dritter methodischer Schritt war die Wertung der ausgewählten und bestimmten Begriffe festgestellt worden. Für diese Wertung werden als Maßstab ausschließlich Schriften des ntl. Kanons herangezogen. Die Qualität des Briefes wird also an einer Größe gemessen, die ihm äußerlich ist. Damit sind die kanonischen Schriften auf eine Höhe gehoben, die nicht zu übertreffen ist. Es kann daher das wertende Urteil gar nicht mehr positiv ausfallen. Das äußerst Erreichbare ist, daß der Brief an dem einen oder anderen Punkt dem angelegten Maßstab gleichkommt, übertreffen kann er ihn nie, meistens aber wird ein Abfall zu konstatieren sein. Das ist dann auch das Ergebnis. Ein richtiges Ergebnis, doch ist es auch ein gerechtes? Müßte man nicht zuerst einmal den Ersten Klemensbrief sich selber Maß sein lassen oder doch einen Maßstab anlegen, auf den er selbst Einfluß haben konnte, etwa die Größe »frühchristliche Schriften«, wozu sowohl das NT wie die AVV gehören würden? Vielleicht würde der Brief dann in einigen Punkten wesentlich besser abschneiden.

Das Vorgehen Knochs ist nur von einem ganz bestimmten Vorverständnis aus möglich, daß nämlich eine außerkanonische theologische Schrift nicht anders gewertet werden kann als vom ntl. Kanon her. Er deutet das an, wenn er sagt, daß es um das bewußte Festhalten am Wesenskern der biblisch-christlichen Überlieferung ging[132]. So richtig das ist, so wenig ist damit noch berücksichtigt, daß einerseits zur Zeit des Klemensbriefes der Kanon noch eine werdende Größe war und andererseits jede Theologie am Wesenskern nur festhalten kann, wenn sie ihn situationsgerecht in ihre Zeit und deren Problematik hineinformt.

Darüber ist sich Knoch noch im klaren, nur ist die Einsicht nicht bewußt in die Methode eingeflossen. Die Problematik der Zeit bestimmt er als einen durch das Ausbleiben der Parusie bedingten langsamen Umschichtungsprozeß der neutestamentlichen Eschatologie[133]. Das ist der zweite Punkt seines Vorverständnisses – durchaus berechtigt –, der aber leider nicht reflektiert und im Gang der Arbeit verifiziert wird. Nur von diesem Vorverständnis aus war es möglich, die einseitig eschatologische Begriffsauswahl zu treffen – nur eine Reflexion dieses Vorverständnisses hätte

---

[132] *Knoch* 458.
[133] *Knoch* 28.

vor der weitgehenden Identifikation der Theologie des Ersten Klemensbriefes mit einer enteschatologisierten Heilsgeschichte bewahren können.

### d) Hermeneutische Auseinandersetzung mit K. Beyschlag

Quellenkritik gehört zur historisch-kritischen Methode in all ihren Richtungen. Daher ruht auch die kritische Beschäftigung mit dem Ersten Klemensbrief weitgehend auf der Herausarbeitung seiner Quellen. Als solche werden allgemein genannt: Das Alte Testament (LXX), die hellenistische Synagoge, die hellenistische Zeitphilosophie (vor allem die stoische) sowie christliche Verkündigung und Liturgie. Die verschiedenen Schulen und Methoden kommen, was die Quellenkritik anbelangt, je nachdem, wie sie die Akzente verteilen, zu sehr unterschiedlichen Ergebnissen.

An dieser Stelle setzt die Arbeit K. Beyschlags ein mit der Frage, ob die quellenkritischen Divergenzen nicht doch zu überwinden seien. In diesem Anliegen durchkämmt er die ersten sieben Kapitel des Ersten Klemensbriefes. Seine Ergebnisse versetzen die Klemensforschung – und nicht nur sie, sondern die ganze Erforschung der frühen Kirchen- und Theologiegeschichte – in eine neue Ausgangslage, weil man von jetzt an in einem solchen Ausmaß mit einer sehr frühen eigenständigen römischen Gemeindetheologie rechnen muß, wie man es bisher nicht für möglich, vor allem nicht für nachweisbar gehalten hätte. Dieses Verdienst wird Beyschlag bleiben, auch wenn viele Einzelheiten, die er beibringt, der Kritik nicht standhalten können: manchmal wäre ein Weniger an sogenanntem Beweismaterial ein Mehr an Überzeugungskraft gewesen. Die ersten 47 Seiten des Buches, die einen knappen, aber gründlichen Forschungsbericht von A. Harnack bis O. Knoch darstellen, verdienen besonders erwähnt zu werden.

So reizvoll auch gerade hier eine Gesamtdarstellung der Arbeitsweise wäre, der Zweck des vorliegenden Kapitels verlangt eine strenge Beschränkung auf die hermeneutische Auseinandersetzung. Wenn deshalb zur Vermeidung größerer Mißverständnisse an einzelnen Punkten etwas weiter ausgeholt wird, so nur, soweit es im Dienste der Erörterung von Methode, hermeneutischen Ergebnissen und Zusammenhang zwischen beidem im Werke K. Beyschlags steht.

### aa) K. Beyschlags Methode

Die Forschung hatte angenommen, daß Klemens auf stoische Philosophie und Altes Testament zurückgreift, um sein – z.B. paulinisches[134] oder matthäisches[135] – Christentum aufzubereiten. Es zeigte sich aber bald, daß dieser direkte Rückgriff nicht stattgefunden hatte, daß vielmehr sowohl die heidnische Philosophie, wie die heiligen Schriften (AT und Apokryphen) über die hellenistische Synagoge auf Klemens kamen[136]. Eines ist aber auch hier unreflektiert geblieben: Daß nämlich der Verfasser des Ersten Klemensbriefes von einer in den ntl. Schriften niedergelegten Tradition und Theologie, die er mit Hilfe einer anderen (neuen oder alten) Begriffssprache aufbereitete, herkommen müsse.

---

[134] So *L. Sanders.*
[135] So *É. Massaux.*
[136] Z. B. *L. Goppelt, J. Daniélou, H. Thyen, W. C. van Unnik.*

Gerade von dieser bisher mehr oder weniger stillschweigend gemachten Voraussetzung möchte K. Beyschlag bewußt absehen[137] und die kritische Arbeit ganz von vorn beginnen[138]. Er fragt, genauer gesagt, ob es nicht zwischen der hellenistischen Synagoge und dem Ersten Klemensbrief eine sozusagen neben-neutestamentliche christliche Traditionsbrücke gebe, die man mit Hilfe der Quellenkritik noch erschließen kann. Der Weg zu dieser Quellenkritik ist ungewohnt: Er führt weder über Textvergleichung (wie bei der synoptischen Frage) noch über Brüche und Unebenheiten im Text (wie bei der Pentateuchfrage), sondern über die motivgeschichtliche Vergleichung[139]. Allerdings wird auch diese Methode in nichtüblicher Weise angewendet, indem die Motive nicht in der dem Ersten Klemensbrief voraufgehenden, sondern in der ihm nachfolgenden Literatur[140] erforscht werden.

In dieser jüngeren Literatur finden sich nun eine ganze Reihe von zentralen Motiven des Ersten Klemensbriefes[141]. Dabei kann nachgewiesen werden, daß einerseits eine Abhängigkeit von Klemens nicht besteht, andererseits aber die Motive in dieser jüngeren Literatur in einem überzeugenderen und geschlosseneren Zusammenhang stehen. Davon geht nun die Argumentation K. Beyschlags aus: Sie konstatiert die größere Ursprünglichkeit der Späteren, weil die Art, wie sie die Motive verwenden, der des Klemensbriefes überlegen ist[142]. Daraus wird auf eine gemeinsame ältere Quelle geschlossen. Der Weg ist grundsätzlich gangbar, der methodische Ansatz Beyschlags zu bejahen. Es ist ihm zuzustimmen, wenn er darauf hinweist, daß weder die religionsgeschichtliche[143] noch die formgeschichtliche[144] Methode auf die Traditionsgeschichte verzichten können[145]. Denn erst die Traditionsgeschichte kann (über die Religionsgeschichte hinaus) nachweisen, auf welchem Wege bestimmte Motive einen Verfasser erreichten[146], und kann (über die Formgeschichte hinaus) die Inhaltlichkeit der Motive dartun[147].

---

[137] *Beyschlag* 26.

[138] *Beyschlag* 43.

[139] *Beyschlag* 342f.

[140] Dazu gehören von den atl. Apokryphen vor allem 4 Makk, von den ntl. vor allem Apostelakten und Apostelmartyrien und die Pseudoclementinen, dazu die apostolische Kirchenordnung; dann frühe Heiligenlegenden und Märtyrerakten; danach die Apostolischen Väter, die Apologeten und frühe Kirchenväter und kirchliche Schriftsteller von Tertullian bis Chrysostomus.

[141] In drei Abschnitten: Das »AT« in 1 Clem 4; Der »antike Friedensgedanke« in 1 Clem 1–3; die Apostelmartyrien im Rahmen von 1 Clem 5–7 spürt *Beyschlag* den Motiven nach. Im ersten Abschnitt sind es das Motiv aus Weish 2, 24 und die Abelreihe; im zweiten Abschnitt das Motiv $εἰρήνη βαθεῖα/πόλεμος$ und das Aufruhrmotiv; im dritten das $ζῆλος/φθόνος$-Motiv, die Formel von den Beispielen unserer Generation, das Motiv der verfolgten Sünder, die Formel von nicht ein oder zwei, sondern mehreren Leiden, das Motiv des Zeugnisses vor den Machthabern, vom Lehrer der Gerechtigkeit und vom Herold in Ost und West, die Formel $καὶ οὕτω μαρτυρήσας$ und das Motiv vom Gang des Märtyrers in die Herrlichkeit.

[142] Vgl. *Beyschlag* 51. 57. 129. 165. 242.

[143] *Beyschlag* 214.

[144] *Beyschlag* 45f.

[145] *Beyschlag* 342f.

[146] *Beyschlag* 219.

[147] »Die folgende Untersuchung . . . wird . . . ihre Nachweise so einrichten müssen, daß sie gerade nicht den formalen, sondern den inhaltlichen Motiven bei der Analyse den Vorzug gibt, indem sie deren Herkunft, Verbreitung und theologisches Gewicht in einer zusammenhängenden Quellenkritik abwägt. Wie weit dieses Verfahren methodisch gerechtfertigt ist, wird sich am Ergebnis der Arbeit zeigen« *Beyschlag* 47.

Hier liegt aber auch schon eine der Gefahren dieser Methode. Sicher ist es richtig, daß man über das rein Formale, die äußere Zuordnung zu bestimmten literarischen Gattungen wie Diatribe, Homilie, Paränese usw. hinauskommen muß. Damit verglichen kann man wirklich Motive, die bei bestimmtem »Inhalt«, z.B. Apologie, Kirchenordnung, Martyrium, regelmäßig wiederkehren, in einem echten Sinn »inhaltlich« nennen[148]. Man muß sich aber über die sehr eingegrenzte Bedeutung und damit auch über die Mißverständlichkeit dieser Ausdrucksweise im klaren sein. Denn sowenig der gemeinsame Gebrauch gleicher Motive und Formeln – wie Beyschlag immer wieder betont – aus sich heraus schon literarische Abhängigkeit beweist, sowenig beweist er auch ohne weiteres theologische Verwandtschaft. Zunächst beweist er einzig und allein ein gemeinsames älteres »Vokabular«[149], eine gemeinsame »Sprachwelt«. Insofern also auch wieder etwas zunächst »Formales«, dessen sich ein Verfasser bedient, um seinen »Inhalt«, d.h. seine Gedanken und Anliegen zum Ausdruck zu bringen, die dann nicht notwendig (bzw. sehr wahrscheinlich nicht) identisch sind mit denen seiner Vorgänger oder Nachfolger, die dieselbe »Sprache« sprechen, indem sie innerhalb ähnlicher Zusammenhänge dieselben Motive und Formeln gebrauchen. Was die Methode also leistet, ist die Zuordnung eines Autors zu einer bestimmten »Sprachwelt«, innerhalb der seine »Individualität« noch einmal bestimmt sein will.

Die Gefahr, auf die hingewiesen werden mußte, ist die, daß man von der Methode her geneigt wird, innerhalb dieser entdeckten Sprachwelt in einer gewissen Weise alles zu homogenisieren, so daß späteren Vertretern die noch unausgereiften Vorstellungen der früheren, den älteren die schon spezifischen Ansichten jüngerer untergeschoben werden, daß also die »Individualität« der einzelnen Vertreter in etwa eingeebnet wird.

## bb) Beyschlags hermeneutische Ergebnisse

Hinter dem Ersten Klemensbrief steht die römische Gemeindetradition. Theologisch ist diese Überlieferung durchweg der Apologetik zugehörig[150]. Vom Spätjudentum herkommend wurde diese apologetische Theologie – an Paulus vorbei[151], aber mit synoptischen Einschlägen[152] – vom Frühchristentum übernommen, so daß als theologische Heimat des Ersten Klemensbriefes die jüdisch-frühchristliche Apologetik bezeichnet werden kann[153]. Zu dieser Apologetik gehört auch die jüdisch-frühchristliche Kirchenordnung[154] und die in diesen Rahmen hineingestellte, dem Klemens ebenfalls vorausliegende römische Martyrerüberlieferung[155]. Damit will Beyschlag den breiten Traditionsstrom gefunden haben, der als Zwischenglied in Frage kommt zwischen dem Spätjudentum (samt AT und hellenistischer Philosophie) und dem Ersten Klemensbrief[156]. Nur an zwei Stellen schien ein Blick noch hinter die Apolo-

[148] Vgl. *Beyschlag* 343.
[149] *Beyschlag* spricht einmal von »Vokabulatur«: 332.
[150] *Beyschlag* 352, vgl. z. B. auch 132. 143. 165. 188. 330–332.
[151] *Beyschlag* 340.
[152] *Beyschlag* 352. 341 f.
[153] *Beyschlag* 330, vgl. auch etwa 132. 287.
[154] *Beyschlag* 285.
[155] *Beyschlag* 305 und 343, vgl. 166. 239. 272. 287. 305. 318. 323. 337 f.
[156] *Beyschlag* 67. 351.

getik möglich zu sein: einmal in eine spätjüdisch-dualistische Überlieferung (die Adamshaggada)[157], zum anderen in eine Märtyrerüberlieferung (evtl. auch Petrusmartyrium)[158], deren Terminologie jedoch schon spätjüdisch (4 Makk!) mit der Apologetik verbunden war und auf diesem Wege in die frühchristlichen Schriften einwanderte[159]. Diese frühchristliche sogenannte apologetische Tradition wird nun immer wieder als unpaulinisch aufgewiesen[160], als solche frühkatholisch genannt[161] und als Wurzel der römisch-katholischen Theologie bezeichnet[162].

In dieser festen – sei es schriftlichen, sei es mündlichen – Tradition steht der Verfasser des Ersten Klemensbriefes[163]. Er ist daher nicht so sehr individueller freier Schriftsteller oder schriftstellerische Ich-Persönlichkeit als vielmehr Exponent seiner Tradition, an die er sehr stark gebunden ist[164]. Seine Leistung besteht darin, daß er einander nahestehende Überlieferungsstücke auf den »Fall Korinth« hin geschickt miteinander verbindet: Er ist in erster Linie Redaktor[165]. Von der auf dem Wege über die Motivgeschichte ermöglichten Quellenkritik her bieten sich so Zugänge zur Redaktionsgeschichte des Briefes[166], ohne daß jedoch die Frage nach Tradition und Redaktion umfassend beantwortet werden wollte oder könnte, zumal sich die Untersuchung auf die ersten sieben Kapitel beschränkt.

Diese Beschränkung könnte man auch als Grund dafür vermuten, daß Beyschlag sich an die Frage der Gattungsbestimmung nicht recht heranmacht, sondern nur einmal im Vorübergehen den Brief einen »seelsorgerlichen Generalappell« nennt[167] – eine kaum befriedigende Etikettierung. Es scheint aber, daß Beyschlag im Vergleich zur Motivforschung die Gattungsbestimmung überhaupt für zweitrangig hält[168], was eine gewisse Methodenblindheit verraten würde. Zugegeben: Ein Mehr oder Weniger an *rhetorischer* Form beweist nichts für die Gattung, aber gerade deshalb ist es wichtig, bessere Kriterien zu finden und die Gattung zu bestimmen; denn wo sollte sonst der Verstehensvorgang des Gesamtwerkes »Erster Klemensbrief« ansetzen? Eine gelegentliche Bemerkung, »im Kern« sei der Brief nichts anderes als eine Schrift zur zweiten Buße[169], hilft da auch nicht weiter.

Diese Unabgeschlossenheit darf man dem Buch zwar nicht zum Vorwurf machen, aber als Desiderat muß doch vorgebracht werden, daß hier noch manches ausständig ist. Und das betrifft nicht nur die Gattungsbestimmung, sondern auch die nähere Bestimmung dessen, was nun eigentlich mit Frühkatholizismus und Apologetik gemeint sei. Ehrlicherweise muß man zugeben, daß Beyschlag für die Begriffsbestimmung des Frühkatholizismus mehr tut als vielleicht irgend jemand vor ihm. Wenn sich aber in der Langfassung von einem Dutzend Doppelmerkmalen[170], wie in der

[157] *Beyschlag* 52. 131. 329. 352.
[158] *Beyschlag* 352, vgl. oben Anm. 155.
[159] *Beyschlag* 165
[160] *Beyschlag* 132. 148. 171. 178. 202. 280. 282f. 298. 340ff.
[161] *Beyschlag* 148. 203. 285. 332. 336.
[162] *Beyschlag* 342, vgl. 290. 340. 350.
[163] *Beyschlag* 348.
[164] *Beyschlag* 190. 350. 352.
[165] *Beyschlag* S. III. 166. 190. 350. 352.
[166] *Beyschlag* 131. 133. 166. 189f. 218. 220.
[167] *Beyschlag* 350.
[168] Siehe *Beyschlag* 348.
[169] *Beyschlag* 145.
[170] *Beyschlag* 350.

Kurzfassung[171] der Beschreibung des Frühkatholizismus die »Kaisergleichzeitigkeit« und die »Dreivölkerlehre« finden, die nur mit viel Mühe in den Ersten Klemensbrief hineininterpretiert werden können[172], so fragt man sich, wie weit das etwas zum Verständnis des – nennen wir ihn einmal so – »römischen Frühkatholizismus« des Ersten Klemensbriefes beitragen könnte.

Hier leuchtet eine Warnlampe auf: Wenn der Klemensbrief auch mit vielen Kanälen mit den späteren Quellen verbunden ist, so daß er sich in seiner Theologie nur dem Grad, nicht aber der Art nach von ihnen unterscheidet[173], so gibt das noch lange nicht das Recht, ihn über einen einheitlichen »frühkatholischen« Kamm zu scheren. Was für den »Schriftsteller« als sehr richtig herausgearbeitet wurde, daß er nämlich bis zum Verlust der Individualität in seine Tradition zurückgebunden ist, darf nicht unreflex einfach auf den Brief als literarisches und theologisches Werk übertragen werden: auch wenn das »Werk« *schriftstellerisch* keinerlei Originalität beanspruchen kann, so wäre damit noch nicht seine theologiegeschichtliche Einmaligkeit und Besonderheit ausgeschlossen. Genau das ist auch anzumerken zum Begriff der »Apologetik«. Apologetische Tendenzen sind in jeder – auch der paulinischen! – Theologie festzustellen. Es käme darauf an, die besondere Art der hinter dem Ersten Klemensbrief· stehenden apologetischen Tradition aufzudecken, wozu der Hinweis auf den »lukanischen« oder »synoptischen« Typ[174] wohl die Richtung, nicht aber das Ziel angibt.

### cc) Der Zusammenhang zwischen Methode und hermeneutischen Ergebnissen bei K. Beyschlag

Mit der motivgeschichtlichen Vergleichung hat K. Beyschlag eine Methode gefunden, die es ermöglicht, quellenkritisch auf Traditionen zu stoßen, die dem Ersten Klemensbrief vorausliegen. Daß ihm damit für die Hermeneutik ein unerwarteter Durchbruch gelungen ist, wurde schon anerkannt, und es braucht jetzt nicht mehr eigens darauf hingewiesen zu werden, daß das Ergebnis allein der Methode zu verdanken ist. Worum es hier geht, ist mehr die Kritik, speziell die Frage, ob die Grenzen der Ergebnisse schon mit der Methode gegeben sind. Das scheint, wenigstens zum Teil, so zu sein.

Die Methode möchte von gemeinsamen Motiven auf gemeinsame Quellen zurückschließen. Hier lauert eine Gefahr, und die heißt »Rückprojektion«, sobald auch auf die Inhaltlichkeit einer solchen Quelle geschlossen wird. Denn hermeneutisch ist es unmöglich, »forma« und »materia« einer Aussage chemisch rein voneinander zu trennen. Man kann also durch Rückschluß nie exakt erfahren, in welchem Sinn eine erschlossene Quelle das Motiv »material« verwendet hat. K. Beyschlag setzt diese Möglichkeit jedoch ungeprüft voraus, wenn er bei den von ihm herangezogenen späteren Quellen, beim Ersten Klemensbrief und bei den von ihm konjizierten gemeinsamen früheren Quellen in weitgehend univokem Sinne Frühkatholizismus und Apologetik

---

[171] *Beyschlag* 206.
[172] In 1, 1, wo die »Ereignisse und Vorfälle« genannt werden, die man auf Christenverfolgungen deutet, ist gerade jeder Hinweis auf »Kaisergleichzeitigkeit« vermieden; und die ὁμόφυλοι und ἀλλόφυλοι aus 4, 10. 13 lassen sich einfacher auch ohne »Dreivölkerlehre« erklären, vgl. für letzteres *H.-G. Leder:* ThLZ 92 (1967) 833.
[173] *Beyschlag* 350.
[174] *Beyschlag* 202. 342.

findet. Von da her ist zu fragen, ob er nicht manches »frühkatholisch« oder »apologetisch« überinterpretierte (z. B. als Kaisergleichzeitigkeit oder als Dreivölkerlehre). Dazu mag ihn auch sein Vorverständnis verleitet haben. Er fordert zwar, die Forschung müsse sich von allen Vorverständnissen emanzipieren[175]. Nun ist kaum anzunehmen, er wollte damit sagen, daß man ohne Vorverständnis arbeiten könne, das wäre ein zu schwacher Grad an Methodenreflexion. Gemeint kann nur sein, daß alle Vorverständnisse reflektiert und im Verlauf der kritischen Arbeit verifiziert werden müßten. Er selbst aber diskutiert sein deutlich durchscheinendes Vorverständnis – den römischen apologetischen Frühkatholizismus – an keiner Stelle des Buches. Nicht daß dieses Vorverständnis als unrichtig bezeichnet werden soll – unrichtig ist nur, daß es einfach vorausgesetzt wird, ohne kritisch gerechtfertigt zu werden. Dieser eine, von der Kritik ausgesparte Punkt nimmt im konkreten Falle dem Ganzen nichts von seinem Wert, weil eben die »Richtung stimmt«, erschwert es jedoch dem Leser, zuzustimmen, weil er oft »nicht mitkommt«[176].

Ein noch tiefer liegendes Vorverständnis verrät der Ruf nach den Quellen der Quellen[177]. Dahinter steht die Vorstellung, daß man mit den »inhaltlichen« Motiven, nach Ablösung von der Form[178], das eigentlich für das Vorverständnis Relevante in Händen habe. Eine hermeneutische Überlegung zeigt aber, daß diese sogenannten inhaltlichen Motive zunächst nichts anderes sind als »Sprachmaterial«, die der Verfasser dazu gebraucht, um das für ihn Bedeutsame auszudrücken, indem er es nuanciert, einfügt, umbaut, kurz: indem er ihm seinen Stempel, seine »Form« aufprägt. Da Beyschlag das nicht sieht, ist er dauernd geneigt, von inhaltlich gleichen Motiven her auf theologische Identität zu schließen. Das Ergebnis kann dann nichts anders sein, als daß der Erste Klemensbrief ein – wenn auch noch in jüdisch-apologetischen Anfängen steckendes, so doch schon – römisch-katholisches Schriftstück sei. Auch die rückschließende Motivgeschichte kann als Methode nicht absolut gesetzt werden.

[175] *Beyschlag* 43.
[176] Eine gute Illustration – auch für den Zwang, den die Eigengesetzlichkeit der Methode ausübt – ist das Bemühen des Verfassers, über 40 Seiten hin mit einer Fülle von Material, das Anklänge, Ähnlichkeit und Berührungen aufweist, ein vorclementinisches Petrusmartyrium, wenn nicht wahrscheinlich, so doch denkbar zu machen (*Beyschlag* 266). Was er gefunden hat, sind mehrere gleichberechtigt nebeneinanderstehende, sich ähnlich sehende Quellen, die alle eine ähnliche bis gleiche Terminologie benutzen. Daß das auf eine gemeinsame literarische Quelle von der Gattung Martyrium konvergiere, liegt zwar im Zug der Methode, ist aber sonst nicht sachlich zwingend. Es ist ja durchaus denkbar, daß von einer bestimmten Zeit an, wo das Martyrium vorkam und wo man anfing, Martyrien zu schreiben, sich spontan eine schon vorhandene Sprache, etwa die des Verfolgungstopos, zu dieser neuen Verwendung anbot. Damit ist es durchaus denkbar geworden, daß der Erste Klemensbrief in c. 5f ohne vorausgehendes Petrusmartyrium auf den Verfolgungstopos zurückgegriffen hat. Denn der Preis, den *Beyschlag* bezahlt hat, indem er die ganze Petrustradition in ein Martyriumsschema preßt, ist doch zu hoch. Vor allem die Petrusbefreiung von Apg 12, 3ff und die Jüngerbefreiung aus epist Apost 15 (*Beyschlag* 250. 328) dürften nicht aus der Martyrertradition stammen, sondern den Verfolgungstopos in der kultischen Begehung der Paschanacht darstellen (vgl. *R. Feneberg*, Christliche Passafeier 135–137). Darauf ist sehr deutlich hinzuweisen, damit einer falschen theologischen »Traditionsbildung« rechtzeitig ein Riegel vorgeschoben wird. Denn bei *Jaubert*, Clément de Rome 31, Anm. 1 ist Beyschlags vorclementinisches Martyrium bereits »très vraisemblable« geworden!
[177] *Beyschlag* 353.
[178] *Beyschlag* 47.

## 2. ABSCHNITT

# DER EIGENE HERMENEUTISCHE ZUGRIFF

Die hermeneutische Auseinandersetzung ist bei allen Vertretern auf Grenzen gestoßen. Das allein wäre nun weiter nicht verwunderlich und beunruhigend, weil eine absolut vollkommene Arbeit nirgends erwartet werden kann. Es hat sich aber überdies gezeigt, daß der Keim des mangelhaften Gelingens immer schon mit der Methode gegeben war. Das heißt: Die Art und Weise des Herangehens an den Ersten Klemensbrief, der jeweilige Zugriff, den die Forscher für sich wählten, implizierte schon ein teilweises Verfehlen des Zieles, nämlich eine größere Verstehbarkeit des Briefes zu erreichen. Da nun bei aller individuellen Verschiedenheit der Forscher und ihrer Arbeitsweisen sie sich für ihren Zugriff doch irgendeiner Form der historisch-kritischen Methode bedienten, so trifft der Vorwurf der Unzulänglichkeit diese – allgemein vorherrschende – Methode selbst. Die festgestellten – jeweils verschieden gelagerten – Unvollkommenheiten, rufen also – weil sie ja auf die Methode selbst und nicht auf deren schlechte Handhabung zurückzuführen waren – nicht nach einer Verfeinerung, sondern nach einer Überholung der historisch-kritischen Methode.

Damit ist die Forderung der Methodenreflexion erhoben, wozu es eines alle Methoden umgreifenden Rahmens bedarf. Die Ansicht K. Beyschlags, Abhilfe könne nur geschehen, wenn die Forschung bereit sei, die kritische Arbeit ganz von vorn zu beginnen[1], ist somit nachdrücklich unterstrichen. Allerdings nicht im Sinne einer absoluten Voraussetzungslosigkeit, sondern im Sinne der Reflexion und Kritik aller Voraussetzungen. Was damit gemeint ist, soll die folgende vorläufige Darstellung des eigenen hermeneutischen Zugriffs klären.

### a) Allgemeines zur Hermeneutik

Für die – wenigstens bei Theologen und Juristen – seit alters bekannte Ars interpretandi kam zu Beginn der Neuzeit der Terminus »Hermeneutik« auf. Für F. E. D. Schleiermacher wurde daraus die »Kunstlehre des Verstehens«, was sowohl eine Einengung – auf Kunstlehre – wie eine Ausweitung – auf Verstehen allgemein – bedeutete. Die Ausweitung schritt voran, indem für W. Dilthey (und O. F. Bollnow) die Hermeneutik zum philosophischen Verfahren schlechthin wird, während M. Heidegger in einer letzten Ausweitung unter Hermeneutik die »Phänomenologie des Daseins« versteht. Von ihm herkommend führte R. Bultmann die hermeneutische Frage neu in die protestantische Theologie ein. Seine Schüler G. Ebeling und E. Fuchs bauen auf ihm auf, während H.-G. Gadamer Heideggers Grundansatz weitertrieb[2].

---

[1] *Beyschlag* 43.
[2] Daneben versucht *E. Betti* einen eigenen Neuansatz in scharfer Auseinandersetzung mit *Dilthey*, *Heidegger* und *Bultmann*.

Inzwischen – d.h. im Verlaufe des siebten Jahrzehnts unseres Jahrhunderts – ist die hermeneutische Frage so sehr ins allgemeine Bewußtsein getreten, daß keine geisteswissenschaftliche Betätigung mehr an ihr vorbeigehen kann. Alles Bemühen, das noch ohne hermeneutische Reflexion, ohne Besinnung auf die Möglichkeitsbedingungen von Verstehen auszukommen meint, wird als naiv angesehen. Das bedeutet ein Doppeltes: Einerseits den Zwang zur Auseinandersetzung mit dem hermeneutischen Problem, andererseits die Chance, dadurch neue Möglichkeiten für eine richtige Interpretation an die Hand zu bekommen. Bevor daher der eigene hermeneutische Zugriff speziell entwickelt wird, muß einiges Allgemeine zum Begriff der Hermeneutik vorausgeschickt werden. Das soll in zwei Schritten geschehen: Zuerst eine Abgrenzung von Methode und Hermeneutik, und dann eine Erörterung von »Vorverständnis« und »hermeneutischem Zirkel« als Grundvoraussetzungen des Verstehens.

### aa) Methode und Hermeneutik

Als Ziel des I. Teiles vorliegender Arbeit wurde die Klärung der Methodenfrage aufgestellt. Im Verlauf des 1. Abschnitts, der mit »hermeneutische Auseinandersetzung« überschrieben ist, hat sich schon gezeigt, was Methode ist. Sie ist – negativ gesagt – nicht ein wissenschaftliches Hilfsmittel (auch nicht die Summe aller wissenschaftlichen Hilfsmittel), dessen sich der Interpret mehr oder weniger beliebig bedienen könnte, Methode ist vielmehr – positiv gesagt – der hinter allen solchen Hilfsmitteln stehende, vom Interpreten subjektiv unauswechselbare, weil explizit oder implizit für allein angemessen erachtete Zugriff, mit dem eine zu interpretierende Größe angegangen wird[3]. Von diesem Begriff der Methode ist die Methodik zu unterscheiden. Methodik meint dann – nicht Methodenlehre, sondern – die Summe aller wissenschaftlichen Hilfsmittel, insofern diese im Dienste der dahinter stehenden Methode zur Anwendung gebracht werden.

Die so verstandene Methodik eines Interpreten kann »besser« oder »schlechter« sein als seine Methode. »Besser«, wenn sie als reflex angewendetes wissenschaftliches Instrumentarium mit einer unreflektierten Methode einhergeht; »schlechter«, wenn sie als wenig durchdachtes und damit eigentlich unmethodisches Vorgehen die bewußt vertretene Methode desavouiert[4].

Diese Unterscheidung sollte die Erläuterung des Begriffes Hermeneutik vorbereiten. Hermeneutik bezieht sich nicht auf Methodik im eben angegebenen Sinne, meint also nicht das Gesamt wissenschaftlicher Auslegungswerkzeuge, sie bezieht sich vielmehr auf das, was Methode genannt worden ist, also auf die hinter aller Methodik stehende und sie bewußt oder unbewußt leitende Auffassung von dem, was Interpretation heißt. Diese Bezeichnung ist nun näher zu erklären. Hermeneutik hat von der Wortbedeutung her immer etwas mit Interpretation und Auslegung zu tun, wird aber speziell für das Verstehen gebraucht. Und hier nicht einfach für den Vorgang des Verstehens, sondern für etwas mehr. Dieses »mehr« kann die Lehre vom Verstehen genannt werden, sei sie deskriptiv (als Phänomenologie des Verstehens)[5] oder normativ (als

---

[3] Vgl. oben S. 10.
[4] Vgl. oben S. 14 f.
[5] *Gadamer* XIV. XXVI f.

Lehre von der richtigen Auslegung)[6] verstanden; es kann damit aber auch – unter Absehung der Systematik einer »Lehre« – bloß der weitere Reflexionsgrad bezeichnet werden. Dann heißt Hermeneutik soviel wie Reflexion auf das Verstehen.

Dieses Ergebnis ist nun zu verknüpfen mit dem oben erarbeiteten Begriff von Methode. Methode – hieß es etwa – ist der in allem auslegenden Tun gegenwärtige und dieses lenkende Zugriff, also die für gültig gehaltene Auffassung des Interpreten, insofern sie bewußt oder unbewußt die Interpretation letztlich bestimmt. Hermeneutik – und so soll sie in dieser Arbeit verstanden werden – meint dann eine Reflexion auf die Methode, d. h. also eine Reflexion, die den Gesamtvorgang von Interpretation und Verstehen noch einmal umgreift. Diese Reflexion steht natürlich nicht außerhalb der Methode, sondern wird vielmehr zu deren Bestandteil, was sie ja immer schon sein konnte. Was »dazukommt«, ist nur der weitere Reflexionsgrad, die Bewußtmachung der umgreifenden Reflexion. Hermeneutik ist damit Reflexion auf die Methode oder, was dasselbe ist, methodische Reflexion auf das Verstehen, kurz, man könnte sie »Methode der Methode« nennen[7].

### bb) Vorverständnis und hermeneutischer Zirkel

Die Kennzeichnung von Hermeneutik als methodische Reflexion auf das Verstehen schließt lediglich den Begriff von Hermeneutik als Theorie (theoretisch-systematische Lehre) aus, hält jedoch die ganze Weite der Hermeneutik als Praxis (in den Interpretationsvorgang einfließende praktische Haltung) offen. Das berechtigt nicht nur, sondern zwingt auch dazu, die allgemeinsten Voraussetzungen von Verstehen ohne Verengung auf eine spezielle Hermeneutik zu überlegen.

Heideggers Grundansatz von Hermeneutik als Phänomenologie des Daseins bringt das neu zur Sprache, was die Scholastik mit der Universalität des Seinsbegriffs und der Transzendentalität des Wahrseins (der Verstehbarkeit) gemeint hat. Nichts anderes besagt es, wenn nach ihm das Dasein immer schon Welt verstanden *hat*[8]. Was jedoch die Hermeneutik unserer Tage ohne Möglichkeit des Rückgriffs auf Tradition bewältigen mußte, war das neue Bewußtsein von der grundsätzlichen historischen Bedingtheit menschlichen Daseins. Wie das ganze menschliche Leben, ist davon auch das Verstehen betroffen. Kein Verstehen kann absolut voraussetzungslos, d. h. gleichsam bei seinem eigenen Nullpunkt beginnen. Alles Verstehen schreitet innerhalb seiner eigenen Geschichte weiter, von der es vielfältig bestimmt ist. R. Bultmann verwendet für diesen Sachverhalt den Begriff »Vorverständnis«: Wo das Bemühen um ein Verstehen einsetzt, ist immer schon ein vorläufiges Verständnis, ein Vor-Verständnis vorhanden[9].

---

[6] *Betti*, Hermeneutik 52.

[7] Vgl. *G. Ebeling*, Artikel »Hermeneutik«, Spalte 244: »Man wird sich an das Vorkommen methodisch betriebener und darum auch bis zu einem gewissen Grade auf die Methode reflektierender Interpretation zu halten haben.«

[8] Vgl. *K. Lehmann*, Artikel »Hermeneutik«, Spalte 680.

[9] *G. Ebeling* und *E. Fuchs* übernehmen diesen Begriff und arbeiten damit, *H.-G. Gadamer* verwendet dafür oft den Terminus Vorurteil, was aber Verwirrung schaffen kann. Man sollte den negativ vorbelasteten Namen Vorurteil der unkritischen Befangenheit vorbehalten, während für die

Mit der Feststellung, daß der Verstehensvorgang immer schon bei einem bereits vorhandenen Verständnis ansetzt, ist aber nicht behauptet, daß das erreichbare Verständnis notwendig innerlich abhängig bleibt vom voraufgehenden. Im Gegenteil: Mit dem Hinweis auf diese Struktur des Verstehensvorgangs ist auch die Möglichkeit der Reflektierung und damit der Korrektur des vorausliegenden Verständnisses aufgewiesen. Mit anderen Worten: Es ist möglich geworden, das schon vorhandene Verständnis als bloß vorläufiges, als Vor-Verständnis zu erkennen und es damit von vornherein der kritischen Klärung auszusetzen, die es im weiteren Vorgang des Verstehens erfahren soll. Damit ist die fundamentale Struktur unseres Verstehensvermögens aufgezeigt. Als Verstehenwollende *haben* wir auch immer schon verstanden. Und indem wir das, was wir schon verstanden haben, in den Vorgang des Verstehens bewußt einbeziehen, können wir es klären, d.h. vertiefen oder überwinden und dadurch zu weiterem, d.h. neuem und besser bewiesenem Verständnis voranschreiten.

Diese Erkenntnis, daß Verstehen nicht unter Umgehung, sondern nur bei reflexer Einbeziehung des Vorverständnisses in den Verstehensvorgang möglich ist, hat man den hermeneutischen Zirkel genannt[10]. Das Bild ist nicht glücklich. Denn das Entscheidende, worauf mit dem Begriff des Vorverständnisses hingewiesen wird, ist ja nicht die In-sich-Geschlossenheit des Verstehensvorgangs, sondern gerade im Gegenteil seine grundsätzliche Offenheit, derzufolge *jedes* vorgängige – und auch jedes vorläufig erreichte – Verständnis reflektierbar, d.h. als solches in seiner Vorläufigkeit erkennbar und damit überwindbar und überholbar ist[11]. Es geht also nicht um einen Zirkel, sondern eher um eine offene Spirale, die sich nicht in sich schließt, sondern bei

vorgegebene Struktur unseres Verstehens, dem immer schon anderes oder anfängliches Verstehen vorausliegt, der Begriff Vorverständnis verwendet werden sollte.

Ungeheuer scharf polemisiert *E. Betti* gegen den Begriff des Vorverständnisses, weil er meint, daß dadurch das Verstehen von Voreingenommenheiten *abhängig* gemacht wird: *Betti*, Auslegungslehre 173. Seine Schärfe dürfte daher rühren, daß er *Bultmanns* »Vorverständnis« unlöslich mit der Forderung nach existentialer Interpretation verknüpft sieht. Zur Beurteilung der »Lehrmeinung« über das Vorverständnis verweist er nämlich auf den Paragraphen, in dem er sich mit Entmythologisierung und existentialer Interpretation auseinandersetzt. Vorverständnis möchte er nur in dem Sinne gelten lassen, »daß der Interpret ein Sachverständnis, d. h. ein Lebensverhältnis zu der Sache mitbringen soll, indem er sich in der Sache versteht . . .« *Betti*, Hermeneutik 20. Damit ist nichts anderes gesagt als die Ablehnung der Geschichtlichkeit des Verstehens, die eine radikale Ablehnung des heideggerschen Ansatzes meint. *Betti*, Hermeneutik 38f. Die erste Bedingung des Auslegungsprozesses, die *Betti* nennt, ist eine »gefühlsmäßige Haltung«: »ein spezifisches noetisches Interesse am Verstehen« *Betti*, Auslegungslehre 191. Man würde nicht wagen, dies als seine Antwort auf das mit Vorverständnis aufgeworfene Problem anzuführen, wenn er nicht selbst darauf verwiesen hätte. »Vorverständnis« als Verschiebung des hermeneutischen Begriffs »Interesse am Verstehen« führt dazu, die ganze hermeneutische Theorie in eine falsche Perspektive zu rücken: vgl. *Betti*, Auslegungslehre 173.

Da *Betti* eine normative Verstehenslehre bieten will, genügt ihm der Hinweis auf das Interesse am Verstehen. Auf dieses kann er verweisen und dann die Normen aufstellen, wie von da ausgehend das Verstehen sein soll. Eine Phänomenologie des Verstehens, wie die von *H.-G. Gadamer*, kann es dabei nicht bewenden lassen, sondern muß auch noch einmal hinter dieses Interesse zurückfragen: was ist die Bedingung seiner Möglichkeit und die Bedingung der Möglichkeit, daß von da aus der Verstehensvorgang in Gang kommt. Daß *E. Betti* darauf antworten kann mit der Apostrophierung »Tatsächlichkeit gewisser Auslegungsverfahren« (*Betti*, Hermeneutik 51, Anm. 118), läßt sich nur aus seinem – sit venia verbo – Vorverständnis von Hermeneutik erklären, daß nämlich Hermeneutik es immer mit dem *Verfahren* der Auslegung, nicht aber mit dem Vorgang des Verstehens zu tun habe, daß sie also ein Sollen *vor*schreibt, nicht aber ein Sein *be*schreibt.

[10] Vgl. dazu *Coreth* 94–104.
[11] Vgl. *K. Lehmann* 681; *E. Coreth* 127.

jeder neuen Windung sich selbst übersteigt, nicht an den*selben* Punkt zurückkehrend, sondern den *gleichen* Punkt auf höherer Ebene wiedertreffend[12].


## b) Werkcharakter

Die allgemeinen Überlegungen zur Hermeneutik wurden darüber angestellt, daß in der vorliegenden Arbeit unter Hermeneutik jene praxisbezogene Haltung verstanden wird, die auf den Verstehens- und Interpretationsvorgang methodisch reflektiert. Das wird dadurch möglich, daß man nicht nur ständig mit der Tatsache eines je schon vorhandenen Verstandenhabens »rechnet«, sondern auch mit der Vorläufigkeit und damit Überholbarkeit solchen Verständnisses. Mit dem Begriff Vorverständnis soll diese Struktur unseres Verstehensvermögens bezeichnet sein. Solches »Allgemeine« zur hermeneutischen Frage muß nun fortgeführt werden durch auf den Ersten Klemensbrief ausgerichtete spezielle Erwägungen. Sehr verkürzt und in einem Satz gesagt, geht es darum, aufzuweisen, daß die »richtige« Interpretation in unserem Falle mit der Glaubenssituation des Verfassers rechnen muß. Der erste Schritt dazuhin ist der Beweis der These: Der erste Klemensbrief ist ein Werk. Was mit dem Begriff »Werk« gemeint ist, muß als erstes aufgewiesen werden; erst dann läßt sich aus dem historisch Vorfindbaren zeigen, daß dieser Begriff auf den Ersten Klemensbrief anzuwenden ist.


## aa) Werk und Einheit

Der unersetzliche, aber in seiner ganzen Bedeutungsbreite kaum zu definierende Begriff »Werk« kann in unserem Fall von vornherein eine doppelte Eingrenzung erfahren, nämlich auf »Geschriebenes« und auf »Überliefertes« (im Sinne von Nicht-Zeitgenössischem). Wann solches als »Werk« bezeichnet werden soll, dürfte uns vermutlich am ehesten die Literaturwissenschaft sagen können, deren Gegenstand – das literarische Kunstwerk – ja mit Hilfe des Begriffes »Werk« ausgedrückt wird. So macht sich die bekannte Einführung in die Literaturwissenschaft von Wolfgang Kayser zum Thema, in die Gesamtheit der Fragen einzuführen, die ein literarisches Werk als solches stellt[13]. Was aber ein literarisches Werk ist, darüber erfahren wir höchstens einiges in der Einleitung. Immerhin erhalten wir wichtige Hinweise: Der zentrale Gegenstand der Literaturwissenschaft ist das dichterische Werk sensu reduplicativo[14], das sich dadurch, daß es seine eigene Gegenständlichkeit hervorruft, von anderen geschriebenen Werken (Werken von Wissenschaftlern, Rednern, Journalisten) unterscheidet[15]. Uns geht es nun gerade nicht um das Kriterium, durch das sich ein dich-

---

[12] »Hier gibt es keinen logischen Zirkel, sondern nur einen – hermeneutischen – Zirkel von ganz anderer Struktur. Es ist überdies, streng genommen, nicht ein Zirkel im Sinne eines sich schließenden Kreises, sondern eher – um im Bilde zu bleiben – ein spiralförmiges Geschehen, in welchem dialektisch das eine Element sich am anderen fortbestimmt und fortbildet: Das Ganze der Verständniswelt wird durch jedes neu gewonnene Verständnis angereichert und vertieft; gerade dadurch ermöglicht ein um so volleres und tieferes Verstehen des einzelnen Sinngehalts« *Coreth* 103.

[13] *Kayser* 18.
[14] *Kayser* 17.
[15] *Kayser* 16.

terisches von einem anderen geschriebenen Werk unterscheiden läßt, unsere Frage ist
vielmehr die, wie sich überhaupt irgendwelches Geschriebene als zur Literatur im
weiteren Sinne gehörig, eben als »Werk« ausmachen lasse. Kayser gibt dafür ein anderes Kriterium an, indem er auf den »Gefügecharakter« der Sprache verweist
»durch den alles in dem Werk Hervorgerufene zu einer Einheit wird«[16].

Von diesem schmalen Befund her zu urteilen, scheint es nicht unberechtigt, daß
Roman Ingarden auch in der 2. Auflage den Satz hat stehen lassen: »Unser Wissen
über das Wesen des literarischen Werkes ist tatsächlich nicht nur sehr unzureichend,
sondern vor allem sehr unklar und unsicher«[17]. In seinem Vorentwurf, der durch die
nachfolgenden Analysen bestätigt werden soll, weist er vor allem darauf hin, daß das
literarische Werk kein loses Bündel von zufällig nebeneinandergereihten Elementen
ist, sondern einen organischen Bau darstellt, den Einheitlichkeit auszeichnet[18]. Einst-
weilen kann man also sagen, daß jenem Text das Prädikat »Werk« zukommt, der ein
Gefüge, eine Einheit darstellt. Oder umgekehrt: Einheit bzw. Gefüge ist jene Qualität
eines Textes, die ihn zum Werk macht[19].

Damit ist, vom hermeneutischen Standpunkt aus betrachtet, nichts anderes als das
Postulat der Verstehbarkeit erhoben: Der Interpret muß seinem Text mit einem Vertrauensvorschuß begegnen. Ob man diesen »Vertrauensvorschuß« dann Vorgriff der
Vollkommenheit[20] oder Grundsatz der Ganzheit bzw. des sinnhaften Zusammen-
hanges[21] nennt, macht von der Sache her keinen Unterschied mehr. Es geht darum,
daß man erkannt hat, daß in einem »Werk«, das diesen Namen verdient, das Ganze
und seine Teile sich gegenseitig erhellen. Die Interpretation des Ganzen darf nicht auf
Kosten der Verstehbarkeit einzelner Teile gehen, die Auslegung der einzelnen Teile
nicht zu Lasten der Stimmigkeit des Ganzen[22]. Indem auf solche Weise der organische
Bau[23] und die Bündigkeit[24] des Kontextes erkannt wird, weicht das Postulat und stellt
sich die Einsicht in die Verstehbarkeit ein.

---

[16] *Kayser* 14.

[17] *Ingarden* 1.

[18] »Trotz der Verschiedenheit des Materials der einzelnen Schichten bildet aber das literarische
Werk kein loses Bündel von zufällig nebeneinandergestellten Elementen, sondern einen organischen
Bau, dessen Einheitlichkeit gerade in der Eigenart der einzelnen Schichten gründet« *Ingarden* 25.

[19] »Die aneinandergereihten Sätze aus dem Übungstext einer Grammatik, in denen irgendeine
Regel geübt werden soll, sind kein Gefüge, ein literarischer Text immer« *Kayser* 13.

[20] »Die erste aller hermeneutischen Bedingungen bleibt somit das Vorverständnis, das im Zu-tun-
haben mit der gleichen Sache entspringt. Von ihm her bestimmt sich, was als einheitlicher Sinn
vollziehbar wird, und damit die Anwendung des Vorgriffs der Vollkommenheit« *Gadamer* 278.
Die Polemik *Bettis*, Hermeneutik 41 möchte auch hier wieder das Deskriptive auf die normative
Ebene verschieben und trifft deshalb nicht.

[21] *Betti*, Hermeneutik 15; Auslegungslehre 220.

[22] »So läuft die Bewegung des Verstehens stets vom Ganzen zum Teil und zurück zum Ganzen.
Die Aufgabe ist, in konzentrischen Kreisen die Einheit des verstandenen Sinnes zu erweitern. Ein-
stimmung aller Einzelheiten zum Ganzen ist das jeweilige Kriterium für die Richtigkeit des Verstehens. Das Ausbleiben solcher Einstimmigkeit bedeutet Scheitern des Verstehens« *Gadamer* 275.
». . .: eine Korrelation und Beziehung, welche die wechselseitige Erhellung des Sinnes zwischen dem
Ganzen und seinen Bestandteilen ermöglichen. Daß die Wechselbeziehung zwischen Teilen und
Ganzem, also deren innere Kohärenz und Synthese einem Bedürfnis des Geistes entsprechen . . .
leuchtet, so darf man annehmen, schon dem gesunden Menschenverstand ein« *Betti*, Auslegungslehre 220, vgl. Hermeneutik 15.

[23] *Ingarden* 25.

[24] *Betti*, Hermeneutik 16.

## bb) Werkcharakter und Wirksamkeit

Es ist nun durchaus richtig, von einem Zirkel von Ganzem und Teil zu sprechen und darauf zu verweisen, daß damit ein ontologisches Strukturmoment unseres Verstehens beschrieben ist[25]; es ist durchaus richtig, daß Verstehen, wenn überhaupt, nur in der gegenseitigen Sinnerhellung von Ganzem und Teil bzw., was dasselbe ist, in der Einsicht in die Bündigkeit des strukturierten Ganzen zustande kommt. Damit ist aber nicht alles gesagt. Es ist eher der falsche Eindruck erweckt, als ob diese Sinnerhellung und Einsicht nach den Gesetzen strenger Logik erfolgen würde, wo doch das Postulat der Verstehbarkeit, der Vertrauensvorschuß der Sinnhaftigkeit, die Entscheidung, daß ein Text das Prädikat »Werk« verdient, in den Auslegungsvorgang selbst mit eingegangen ist und nie so restlos überwunden werden kann, daß nicht doch eine Gebrochenheit der Evidenz zurückbliebe: Jene Gebrochenheit, die das Moment der Freiheit bei der Sinnerhellung mit sich bringt. Sinnerhellung gibt es nicht ohne ein freies Sich-Einlassen auf das zu interpretierende Gegenüber, ohne die freie Entscheidung, Sinn finden zu wollen, nicht ohne schöpferischen Voraus-Entwurf von Sinn[26]. Aus dieser Gebrochenheit der Evidenz werden die – oft leidenschaftlich verfochtenen – konträren Beurteilungen zeitgenössischer literarischer Werke erklärlich.

Hier nun erhebt sich die Frage, ob es nicht außer der werk- und interpretationsimmanenten Sinnerhellung ein weiteres Kriterium gibt, aufgrund dessen einem Text der Werkcharakter[27] zugesprochen werden kann. Mir scheint, es gibt einen wichtigen Hinweis: Wo wir uns unfähig fühlen, über ein zeitgenössisches Werk zu einer verbindlichen Ansicht zu kommen, sagen wir: Die Geschichte wird darüber urteilen. Die Geschichte stellt sich uns als ein unserer eigenen Einsicht in Sinnzusammenhänge überlegener Schiedsrichter dar, der ein gültiges Urteil fällt. Diese Meinung kann nur ein in die Zukunft extrapolierter Erfahrungssatz sein, der sich in der Vergangenheit, in der Geschichte schon bewährt hat, so daß er auf »historische« Werke anwendbar sein müßte. Wenn es also der Sinn eines Werkes ist, im weitesten Sinne seine Wirkung zu tun, wirksam zu sein, so muß man umgekehrt sagen können: Wo sich in der Ge-

---

[25] »Der Zirkel von Ganzem und Teil wird im vollendeten Verstehen nicht zur Auflösung gebracht, sondern im Gegenteil am eigentlichsten vollzogen. Der Zirkel ist also nicht formaler Natur, er ist weder subjektiv noch objektiv, sondern beschreibt das Verstehen als das Ineinanderspiel der Bewegung der Überlieferung und der Bewegung des Interpreten. Die Antizipation von Sinn, die unser Verständnis eines Textes leitet, ist nicht eine Handlung der Subjektivität, sondern bestimmt sich aus der Gemeinsamkeit, die uns mit der Überlieferung verbindet. Diese Gemeinsamkeit aber ist in unserem Verhältnis zur Überlieferung in beständiger Bildung begriffen. Sie ist nicht einfach eine Voraussetzung, unter der wir schon immer stehen, sondern wir erstellen sie selbst, sofern wir verstehen, am Überlieferungsgeschehen teilzuhaben und es dadurch selber weiter bestimmen. Der Zirkel des Verstehens ist also überhaupt nicht ein ›methodischer‹ Zirkel, sondern beschreibt ein ontologisches Strukturmoment des Verstehens« *Gadamer* 277.

[26] Vgl. *Gadamer* 251: »Wer einen Text verstehen will, vollzieht immer ein Entwerfen. Er wirft sich einen Sinn des Ganzen voraus, sobald sich ein erster Sinn im Text zeigt. Ein solcher zeigt sich wiederum nur, weil man den Text schon mit gewissen Erwartungen auf einen bestimmten Sinn hin liest. Im Ausarbeiten eines solchen Vorentwurfs, der freilich ständig von dem her revidiert wird, was sich bei weiterem Eindringen in den Sinn ergibt, besteht das Verstehen dessen, was dasteht.«

[27] *E. Betti*, vgl. Hermeneutik 55, versteht unter Werkcharakter etwas anderes, nämlich das Moment, das allen Ausdrucksformen der Kultur- und Geistesgeschichte gemeinsam ist; Werk ist für ihn eine spezifische Art der von ihm so genannten sinnhaltigen Form, während wir mit Werk eher das meinen, was er sinnhaltige Form nennt.

schichte solche Wirkmächtigkeit eines Textes gezeigt hat, ist dieser Text sicher ein Werk [28].

Dieser Satz enthält eine kühne Behauptung. Erinnern wir uns an W. Kaysers Hinweis, daß aneinandergereihte Übungssätze eines Sprachlehrbuches keine Einheit, kein Werk sind [29]. Es würde also heißen, daß ein solches Konglomerat von Sätzen als Konglomerat keine historische Wirksamkeit ausübt, daß historische Wirksamkeit nur von einem Text ausgeht, der ein Gefüge, eine Einheit, kurz: ein Werk ist. Der Versuch einer aprioristischen Beweisführung dürfte uns da nicht viel weiter bringen. Notwendig, aber auch hinreichend sind Belege, wie es sich historisch tatsächlich verhält. Da scheint mir das durchschlagendste Phänomen, daß von einer Anthologie, Chrestomathie, von einem Zitatenschatz, von einer Blütenlese, von einer subjektiven Auswahl nach dem Modell »das Schönste aus . . .«, daß von allem Derartigen keine historische Wirksamkeit ausgeht, mindestens – und das genügt – noch nie so ausgegangen ist, daß es bemerkt worden wäre; solche Bücher kommen kaum je über die erste Auflage hinaus und geraten bald wieder völliger Vergessenheit anheim. Wesentlich anders ist es natürlich bei gestalteten Sammlungen [30], wie etwa beim Buch der Sprüche und beim Buch der Psalmen. Das sind keine Anthologien oder Chrestomathien, sondern aus sich heraus historisch (weil sozial) wirksames religiöses Volksgut, überdies in schöpferisch gestalteter Zusammenstellung, so sehr, daß hier die Einheit auch unabhängig von der historischen Wirksamkeit gezeigt werden kann. Ähnliches ist zum Phänomen der Bibel als ganzer oder zum NT im besonderen zu sagen [31].

Diese Überlegungen, daß man von einem äußeren Kriterium, nämlich der geschichtlichen Wirkmächtigkeit, auf die innere Einheit, auf den Werkcharakter eines Textes schließen kann, werden dort von besonderer Bedeutung, wo die innere Bündigkeit sich nicht leicht erschließt, wo die Gebrochenheit der Einsicht in die Sinnhaftigkeit des Ganzen mit allen seinen Teilen besonders deutlich bleibt, wo sich dem Interpreten ein einheitlicher Sinn durchaus nicht unwiderstehlich aufdrängt. Das trifft nun, wie der Abschnitt der hermeneutischen Auseinandersetzung ergeben hat, für den Ersten Klemensbrief zu. Es wäre daher von einigem Vorteil, wenn man auch den Leser dafür gewinnen könnte, dem Brief mit einem Vertrauensvorschuß zu begegnen, schon bevor er sich auf den hermeneutischen Nachweis seiner inneren Einheit eingelassen hat,

---

[28] Das hier Gemeinte hängt zwar mit dem zusammen, was *H.-G. Gadamer* mit »Wirkungsgeschichte«, vgl. vor allem *Gadamer* 283 und 285, bezeichnet, ist aber durchaus nicht dasselbe. Wirkungsgeschichte im Gadamerschen Sinn ist gleichsam der Kometenschweif, den ein Werk hinter sich herzieht und dadurch sich selbst verändert, während die Wirklichkeit, die ich meine, in erster Linie die Veränderung im aktiven Sinne, also jene, die vom Werke ausgeht, bezeichnet; freilich schlägt diese aktive Veränderung wieder auf das Werk zurück, so daß die passive Veränderung des Werkes sachlich nicht davon zu trennen ist. Es braucht aber in unserem Zusammenhang nicht eigens darauf reflektiert zu werden.

[29] *Kayser* 13.

[30] »Die Worte des Vorsitzenden Mao« sind sehr bewußt auf gesellschaftspolitische Veränderung hin zusammengestellt. Wenn sie also wirksam sind, dann nicht qua Konglomerat wie eine Blütenlese, sondern qua gestaltete Sammlung.

[31] Hier zeigt sich nur, daß das schöpferische, die Einheit hervorbringende Moment nicht nur auf Geschaffensein, sondern unter Umständen auch auf Gewordensein – wenn man den sozialen Auswahl- und Sammlungsvorgang einmal sehr verkürzt so nennen darf – beruhen kann. Daß dieses Gewordensein tatsächlich Einheit schuf, zeigt auch hier nicht bloß die historische Wirksamkeit, sondern auch die Möglichkeit biblischer Theologie, die von der Vielzahl der in der Bibel enthaltenen Theologien nicht aufgehoben wird.

indem man durch äußere Kriterien für die Wirksamkeit den Werkcharakter des Briefes mindestens sehr wahrscheinlich macht. Dafür genügt es, die Phänomene aufzuzählen, die beweisen, daß er wirksam war und daß er es bis heute geblieben ist.

Seine Wirksamkeit im Altertum ergibt sich aus seiner Verbreitung und seiner Wertschätzung. Das Schreiben ist nicht nur in der griechischen Ursprache, sondern auch in frühen Übersetzungen: je einmal lateinisch und syrisch und zweimal – wenigstens teilweise – koptisch (achmimisch) auf uns gekommen. Nach A. v. Harnacks Urteil trifft das neben dem NT nur für wenige altchristliche Schriften zu[32]. Die weite Verbreitung entspringt der Wertschätzung des Briefes. Eusebius berichtet[33], daß er noch zu seiner Zeit in vielen Kirchen beim Gottesdienst vorgelesen wurde. Er rechnet ihn zwar nicht zu den kanonischen Schriften, sondern unter die Antilegomena[34], was jedoch voraussetzt, daß er in seiner Umgebung irgendwo »kanonverdächtig« war. Die Apostolischen Konstitutionen rechnen ihn tatsächlich dem ntl. Kanon zu[35]. So überrascht es nicht, daß die syrische Übersetzung in einem Kodex des NT, der sogar noch 1170 angefertigt wurde, auf uns gekommen ist, wo die beiden Klemensbriefe zwischen den Katholischen Briefen und dem Corpus paulinum ihren Platz gefunden haben[36]; überdies ist der Brief in dieser Handschrift in liturgische Perikopen eingeteilt[37]. Auch eine der koptischen Handschriften dürfte ein Kodex des NT gewesen sein, weil neben dem Ersten Klemensbrief auch Teile aus dem Jakobusbrief und dem Johannesevangelium überliefert sind[38]. Ebenso ist die eine griechische Überlieferung eine Bibelhandschrift: der Alexandrinus, in dem die Klemensbriefe hinter der Apokalypse stehen.

In der Neuzeit, seit seiner ersten Edition im Jahre 1633, besonders aber seit seiner vollständigen Neuentdeckung 1875 hat seine Wirksamkeit ständig zugenommen. Man braucht nur hinzuweisen auf die Sohm/Harnacksche Kontroverse über Geist und Amt und auf die Primatsfrage in zeitgenössischen Ekklesiologien, um die bleibende Wirkmächtigkeit des Briefes herauszustellen.

### c) Werkorientierte Interpretation

Der Werkcharakter eines überlieferten Textes wird dort offenbar, wo sich im Voranschreiten der Interpretation die Einsicht in die Einheit ergibt, d.h. in die Sinnhaftigkeit des Ganzen und seiner Teile, die sich wechselseitig erhellen. Es gibt aber nicht nur diese Möglichkeit, nämlich vom Vor-Entwurf und Erweis der Einheit zum Werkcharakter vorzudringen, sondern auch den umgekehrten Weg, der über Argumente für den Werkcharakter zur Hypothese von der Einheit führt (die dann allerdings auch noch einmal wie zuvor einsichtig gemacht werden will). Dieser Weg heißt die historische Wirksamkeit, die nur einem einheitlichen Werk als solchem, nicht aber einem Konglomerat von Wörtern und Sätzen zukommt. Das ist das Ergebnis der vorausgehenden und zugleich die Voraussetzung für die folgenden Überlegungen. Wenn es

---

[32] *Harnack*, Studie 39.
[33] hist. eccl. III 16, 2.
[34] hist. eccl. VI 13, 6.
[35] Apost. Konst. Can. 85.
[36] *Fischer* 22; *F. X. Funk*, Die Apostolischen Väter, S. XX.
[37] *Harnack*, Studie 39.
[38] *Fischer* 22.

um die Interpretation eines Werkes geht, d. h. um die Auslegung einer Einheit, die sich nur erschließt aus der wechselseitigen Sinnerhellung des Ganzen und der Teile, dann kann »richtige« Interpretation nicht irgendwoher, sondern eben nur von dieser Gegebenheit herkommen. Die Eingangsfrage muß daher lauten: Welcher Zugriff bietet die Chance, die beste Chance, daß sich der Sinn des Ganzen und aller seiner Teile erhellt? Wie ist anzusetzen, damit das Werk als solches immer im Blick bleibt und mehr in den Blick kommt? Nur dieser – der werkgerechte – Ansatz kann sachgerecht sein.

### aa) Verstehen und Interpretation

Die Tradition der scholastischen Philosophie kennt das Axiom: Quidquid recipitur ad modum recipientis recipitur. Damit ist die grundsätzliche Verquicktheit von Verstehen und Auslegen angesprochen. Alle Erkenntnis, auch die objektivste, geschieht auf subjektive Weise. Mit anderen Worten: alles Verstehen von Welt ist ein Auslegen von Welt in den Rahmen der vom verstehenden Subjekt bereits verstandenen Welt hinein, was wiederum heißt: der Verstehende ist Interpret. Seit Dilthey gibt es dafür den Hinweis auf die hermeneutische Struktur des Lebens, das sich selber auslegen will[39], seit Heidegger den Ansatz von Hermeneutik als Analytik des Daseins, womit Verstehen gleichbedeutend wird mit Selbstinterpretation.

Dieser Aufriß des Problems zeigt, daß die Frage nach dem Verständnis eines historischen Werkes nicht für sich steht. Wenn es hier ein Verstehen ohne Interpretation nicht gibt, so ist das nur ein besonders deutliches Beispiel für unseren Verstehensvorgang überhaupt. Verstehen ist immer Auslegen. Demnach ist für unseren Zusammenhang gerade *die* Frage dringend, wie die Interpretation einem Werk gegenüber beschaffen sein muß, damit Verstehen zustande kommt. Was hier »richtig« und »sachgerecht« ist, kann nicht mit dem Hinweis auf allgemeine Strukturen von Verstehen und Auslegen beantwortet werden.

### bb) Werk und Interpretation

Die Frage nach der »werkgerechten« Interpretation hat sich an der Auseinandersetzung mit den Vertretern der historisch-kritischen Methode entzündet. So verschieden im einzelnen die methodischen Zugriffe auch waren, überall konnte bei den unbefriedigenden hermeneutischen Ergebnissen auf den notwendigen Zusammenhang mit der Methode hingewiesen werden. Das gab den Anstoß, nach einem Zugriff zu suchen, der jede Methode – und damit auch die historisch-kritische – noch einmal hinterfragt. Jetzt sind wir an einer Stelle angelangt, wo diese »Methode der Methode« etwas konkreter werden muß. Es ist nicht nötig, die Ergebnisse der hermeneutischen Auseinandersetzung im einzelnen zu wiederholen, es genügt, daran zu erinnern, daß alle Autoren den Sinn außerhalb des Werkes suchten, sei es in der Religionsgeschichte oder der Kirchen- und Theologiegeschichte, im Kanon des NT oder in der frühkatholischen römischen Gemeindetradition.

Der Lohn für dieses Vorgehen war die zerbrochene Einheit. R. Knopf und W. Bauer geben es offen zu, daß für sie weite Teile des Briefes aus der Verstehbarkeit herausfallen. Damit ist aber einer der hermeneutischen Grundforderungen, derzufolge sich

---

[39] Vgl. *Gadamer* 213.

das Ganze und die Teile wechselseitig erhellen müssen, nicht entsprochen. So verstricken sich die Autoren in einen gewissen Widerspruch. Denn einerseits bestreiten sie den Werkcharakter des Briefes, weil sie seine Einheit bestreiten. Andererseits setzen sie denselben Werkcharakter voraus, weil sie die historische Wirksamkeit durchaus zugeben, zum Teil eher übertreiben. Anders liegt die Sache bei O. Knoch und K. Beyschlag. Ihr Vorgehen führt nicht zu einem so eklatanten Unvermögen, das Werk als solches, d. h. als Einheit des Ganzen und der Teile zu erkennen. Während die beiden Vorgänger ein Gesamtverständnis einfach »setzen«, auch auf Kosten der Verstehbarkeit der Teile, so ist es bei ihnen eher umgekehrt: Sie fördern vieles zutage, was die Verstehbarkeit der Teile erhöht, können aber das zum Gesamtverständnis Entscheidende nicht beitragen, so daß auch hier das Ineinanderspiel des Ganzen und der Teile nicht zustande kommt.

Das ist der deutliche Hinweis darauf, daß ein Werk in seiner innersten Schicht, in der sein innerer Zusammenhalt – und damit seine Verstehbarkeit – gründet, nicht von außen her erreicht werden kann. Die »Individualität« eines Werkes will sich nicht mit fremdem Maßstab messen lassen. Darauf weist die Hermeneutik nun sehr deutlich hin. E. Betti stellt die entsprechende Forderung sogar als ersten »Kanon« der Auslegung auf: Ein Werk (Betti spricht von »sinnhaltiger Form«) muß mit dem seiner ursprünglichen Bestimmung immanenten Maßstab gemessen werden und nicht nach Maßgabe seiner Eignung für einen äußeren Zweck[40]. Damit ist nun weder bei Betti noch in unserem Zusammenhang einer engen rein werkimmanenten Auslegung das Wort geredet, so als ob jedes Werk eine Welt für sich, eine fensterlose Monade wäre. Es ist nur gesagt, daß der grundlegende Ansatz für die Interpretation – wenn das Werk als Werk ernst genommen wird – in diesem selbst enthalten sein und aus diesem selbst entnommen werden muß. Es ist nur gesagt, mit den Worten H.-G. Gadamers, daß die Entwürfe, die in der Ausarbeitung ihre Bestätigung finden sollen, »sachangemessen« zu sein haben[41].

Solche am Werk orientierte Interpretation wird alle zu Gebote stehenden Möglichkeiten einbeziehen, nur daß sie primär vom Werk her auf die übrige Wirklichkeit zugeht und erst sekundär von der übrigen Wirklichkeit auf das Werk, und nicht umgekehrt. Der Gegensatz zu »werkorientiert« wäre demnach »fremdorientiert«. Fremdorientiert wäre jeder Zugriff, der seinen Interpretationsmaßstab an einem anderen Werk, etwa dem NT gewinnt, der von einem möglichst großen Zusammenhang (etwa der Religionsgeschichte oder der Dogmengeschichte) ausgeht oder der an Rand-

---

[40] »Ich möchte vorschlagen, diesen ersten Kanon als Kanon der hermeneutischen Autonomie des Objekts oder als Kanon der Immanenz des hermeneutischen Maßstabs zu bezeichnen. Damit meinen wir, daß die sinnhaltigen Formen in ihrer Eigengesetzlichkeit verstanden werden müssen, gemäß der eigenen Bildungsgesetzlichkeit nach ihrem intendierten Zusammenhang, in ihrer Notwendigkeit, Kohärenz und Bündigkeit: sie sollen daher mit dem ihrer ursprünglichen Bestimmung immanenten Maßstab gemessen werden, der Bestimmung nämlich, der die geschaffene Form vom Standpunkt des Autors (man möchte sagen: des Demiurgs) und seines Gestaltungswollens beim Schaffensprozeß entsprechen sollte; also nicht nach Maßgabe ihrer Eignung für diesen oder jenen äußeren Zweck, der dem Interpreten als der nächstliegende erscheinen mag« *Betti*, Hermeneutik 14 f; vgl. Auslegungslehre 218.

[41] »Wer zu verstehen sucht, ist der Beirrung durch Vormeinungen ausgesetzt, die sich nicht an den Sachen selbst bewähren. Die Ausarbeitung der rechten sachangemessenen Entwürfe, die als Entwürfe Vorwegnahmen sind, die sich ›an den Sachen‹ erst bestätigen sollen, ist die ständige Aufgabe des Verstehens. Es gibt hier keine andere ›Objektivität‹ als die Bewährung, die eine Vormeinung durch eine Ausarbeitung findet« *Gadamer* 252.

bemerkungen (etwa politischen Andeutungen) statt am Kern des Werkes methodisch
ansetzt. Die erste hermeneutische Forderung, die aus dem Werkcharakter folgt, lautet
also: Werkorientierte Interpretation! Von der Mitte des Werkes ausgehend hat die
Interpretation zuerst auf die äußeren Teile des Werkes überzugreifen, dann die umliegenden Werke, dann die einschlägige Gesamtgeschichte und -literatur zu ergreifen,
immer so, daß das Kleinere das Größere und das Größere das Kleinere von einem
Gesamtentwurf her zu weiterem Verständnis bringt.

### d) Werkinterpretation und Glaube

Die Forderung der werkorientierten Interpretation ist sehr allgemein und eigentlich
negativ, indem sie sich apologetisch gegen die historisch-kritische Methode richtet,
der es nicht gelungen ist, das Werk als solches zu würdigen. Wie das aber geschehen
kann, dazu bedarf es eines positiven Aufweises. Wie könnte eine Methode aussehen,
die werkorientiert und nicht fremdorientiert vorgeht?

Eine Antwort kann nur in mehreren Schritten gefunden werden. Die Hermeneutik
im allgemeinen und die Literaturwissenschaft im besonderen gibt Hinweise, wie das
Verstehen eines schriftlich überlieferten Werkes zustande kommt: Zwischen Autor
und Interpret muß es etwas Gemeinsames geben. Je mehr nun dieses Gemeinsame bis
in die innerste Schicht des Werkes hinabreicht, desto richtiger, desto sachgerechter
wird die Interpretation sein. Diese Einsicht gilt es auf den Ersten Klemensbrief
anzuwenden: Von woher ist er zu verstehen? Wo ist das Gemeinsame zwischen Verfasser und Ausleger? Reicht es – als Gemeinsames – bis in die innerste Mitte des
Briefes hinein?

### aa) Konzeptions- und Verstehenshorizont

Verstehen ist nur möglich, wo und insofern der Interpret eine lebendige Beziehung
hat zu dem zu Interpretierenden. Der Begriff »Vorverständnis« sollte dafür die nähere
Bezeichnung sein. Aber auch wo »Vorverständnis«[42] dem Wortlaut oder dem Inhalt
nach abgelehnt wird, wird die lebendige Beziehung zwischen dem Auslegenden und
dem Werk als notwendig anerkannt. Man spricht von einem »Lebensverhältnis
zur Sache«[43], das der Interpret mitbringen muß. Dieses Lebensverhältnis meint
die Gemeinsamkeit, kraft derer der Interpret mit dem überlieferten Werk verbunden ist, welche Gemeinsamkeit zum Ineinanderspiel von Überlieferung und Auslegung werden muß[44]. Erst in diesem Ineinanderspiel, wo der Interpret sich selbst
ins Spiel bringt, kann jenes andere, das des Ganzen und der Teile zum Tragen kommen. Erst in diesem »Zirkel« von vorausgesetzter und herausgearbeiteter Gemeinsamkeit bewährt sich jener andere von Vor-Verständnis und Voll-Verständnis[45].

---

[42] »Die erste aller hermeneutischen Bedingungen bleibt somit das Vorverständnis, das im Zu-tun-
haben mit der gleichen Sache entspringt« *Gadamer* 278.

[43] *G. Ebeling*, Artikel »Hermeneutik« 257; *K. Lehmann*, Artikel »Hermeneutik« 680. Auch
*E. Betti*, Hermeneutik 20 ist bereit, den Ausdruck gelten zu lassen, verkürzt aber das Gemeinte,
wenn er es auf Sachverstand (oder Interesse an der Sache, vgl. Auslegungslehre 191) reduziert.

[44] *Gadamer* 277, siehe oben Anm. 25.

[45] Das Begriffspaar »Vorverständnis« und »Sachverständnis«, dessen sich *E. Coreth* 116. 127 bedient, scheint mir weniger günstig, weil auch das Vorverständnis schon etwas von der Sache verstanden haben muß.

Nicht jedoch so, als ob das zwei verschiedene Ineinanderspiele oder Zirkel wären, sondern so, daß dasselbe Ineinanderspiel und derselbe Zirkel jetzt zu einem besseren Verständnis führt.

Die Übereinkunft von Werk und Interpret hat man schon »Horizontverschmel-zung«[46] genannt, wie überhaupt eine Hermeneutik ohne den Begriff Horizont kaum auskommen kann, wenn sie den endlichen, aber unbegrenzten »Raum« menschlicher Verstehensmöglichkeit beschreiben will[47]. Welches sind die »Horizonte«, die da im Verstehensvorgang miteinander verschmelzen? Zur Begriffsbildung können wir wieder bei der Literaturwissenschaft eine Anleihe machen. Walter Höllerer sagt: »Interpreta-tion ist dem conceptum des Werkes verpflichtet«[48], und führt damit als Schlüssel-begriff die Konzeption eines Werkes ein. Das ist der Hintergrund, der uns erlaubt, von einem »Konzeptionshorizont« zu sprechen. Es ist damit jener Gesamtzusammen-hang lebendiger Situation und verstehenden Bemühens gemeint, aus dem heraus der Autor sein Werk konzipierte und schuf.

Diesem Konzeptionshorizont – und nicht einem »bloßen« Werk – steht der Inter-pret gegenüber. Allerdings auch wieder nicht »nackt«, sondern mit seiner eigenen Geschichte und seinem eigenen Selbstverständnis, wir können sagen: mit seinem »Verstehenshorizont«. Diese beiden Horizonte, Konzeptionshorizont und Verstehens-horizont müssen »verschmelzen«, wo Verstehen zustande kommt. Allerdings ist der Verschmelzungsprozeß nicht ein mechanischer, rein rezeptiver Vorgang[49], sondern ein Nach-Schaffen des Werkes durch den Interpreten[50]. Solches Nach-Schaffen heißt aber, daß der Interpret sich auf das Werk einläßt und sich vom Werk bestimmen läßt: Er kann nicht absehen von seiner eigenen Situation. Wenn er überhaupt verstehen will, muß er den Text auf diese Situation beziehen[51].

Verschmelzung von Konzeptionshorizont und Verstehenshorizont meint also in einem das Nach-Schaffen des Werkes und den Bezug zur Situation des Interpreten, das Herausarbeiten der Konzeption des Werkes und den Aufweis seiner Aktualität.

---

[46] *Gadamer* 361; vgl. 289f. 356f. 375.

[47] Zum Begriff des Horizontes vgl. *Coreth* 82–93.

[48] *W. Höllerer*, Methoden und Probleme der vergleichenden Literaturwissenschaft: GRM 33 (1952) 129–131, zitiert in: *R. Feneberg*, Der Begriff des Verstehens in der Literaturwissenschaft 194.

[49] »Es ist zwar richtig, daß die Aufgabe des Interpreten einzig die ist, den gemeinten Sinn einer fremden (bzw. schon vergangenen) Bekundung eines Gedachten aufzusuchen, die darin auftretende Art des Denkens und Vorstellens zu verstehen. Aber ein solcher Sinn und eine solche Art des Vor-stellens ist nicht etwas, das die sinnhaltigen Formen einem bloß rezeptiv eingestellten Interpreten fertig darböte, und das nur mit Hilfe einer mechanischen Verrichtung bloß aufzuheben wäre; nein, es ist im Gegenteil etwas, das der Interpret in sich selbst, mit seinem Fingerspitzengefühl, kraft der eigenen Einsicht und mit den Denkkategorien seines erfinderischen Erfahrungswissens wieder-erkennen und nachkonstruieren soll« *Betti*, Hermeneutik 20.

[50] »Kanon der Aktualität des Verstehens. Danach ist der Interpret gehalten, in seiner Innerlichkeit den Schaffensprozeß rückläufig zu verfolgen, ihn von innen her nachzukonstruieren, einen fremden Gedanken, ein Stück Vergangenheit, ein erinnertes Erlebnis, in die eigene Lebensaktualität von innen her zurückzuübersetzen, d. h. ihn im Rahmen der eigenen Erfahrung, vermöge einer Art Umstellung seinem eigenen Geisteshorizont kraft derselben Synthese anzupassen und einzufügen, durch die er ihn nachkonstruiert und wiedererkennt« *Betti*, Hermeneutik 19.

[51] »Der Interpret will vielmehr gar nichts anderes, als dies Allgemeine – den Text – verstehen, d. h. verstehen, was die Überlieferung sagt, was Sinn und Bedeutung des Textes ausmacht. Um das zu verstehen, darf er aber nicht von sich selbst und der konkreten hermeneutischen Situation, in der er sich befindet, absehen wollen. Er muß den Text auf diese Situation beziehen, wenn er überhaupt verstehen will« *Gadamer* 307.

Darin besteht das Lebensverhältnis zwischen dem Werk und seinem Interpreten, daß beides wohl unterschieden, aber nicht getrennt werden kann. Das Werk erschließt sich erst, wo es auf die Gegenwart des Interpreten bezogen wird und wo der Interpret diese notwendige Bezogenheit in den Verstehensvorgang bewußt aufnimmt und in seinem Verlauf reflex klärt.

Diese Struktur unseres Verstehens hat die historisch-kritische Methode nicht bedacht. Nicht nur, daß sie den Verstehenshorizont des Interpreten nicht genügend einbezog, sie würde auch nur dem Konzeptionshorizont eines als Geschichtswerk verfaßten Werkes gerecht werden[52]. Wo aber ein Werk nicht aus einem »historischen« Konzeptionshorizont heraus geschaffen wurde, bleibt der historisch-kritische Verstehenshorizont diesem Werk gegenüber zunächst einmal fremd. Aufgabe der »richtigen« Interpretation muß es daher sein, zuerst auf den Konzeptionshorizont des Werkes zu reflektieren.

## bb) Glaubensgeschichte

In der im Voraufgehenden erarbeiteten Begrifflichkeit lautet die Frage, um die es jetzt geht: Welches ist der Konzeptionshorizont des Ersten Klemensbriefes? Die Antwort auf diese Frage will verstanden werden im Sinne des Vorbereiteten, das sich selbst in der Antwort bewähren muß. Denn alles, was im 2. Abschnitt dieses I. Teiles bisher gesagt wurde, war Vorbereitung auf diese Antwort. Jetzt muß der eigene hermeneutische Zugriff zu einer ersten Formulierung gebracht werden, das eigene Vorverständnis als solches erkennbar werden. Es geht um einen Vorentwurf von Sinn[53], der jetzt noch nicht bewiesen, sondern erst in der späteren Ausarbeitung einsichtig gemacht werden kann. Zunächst ist es ein Sich-Verlassen auf das eigene Fingerspitzengefühl[54] und Einfühlungsvermögen in das überlieferte Werk.

Ausgehen können wir von etwas sehr Allgemeinem und allgemein Anerkanntem, daß nämlich der Erste Klemensbrief eine christliche Schrift ist, der es in irgendeinem Sinn um christliche Religion, um christlichen Glauben geht. Von diesem unbestreitbaren Ansatz her gilt es nun weiterzudenken. Wenn es im Ersten Klemensbrief letztlich um den christlichen Glauben geht, dann verlangt der Grundsatz von der werkorientierten Interpretation den Ausschluß jeden anderen, z. B. des religionsgeschichtlichen Maßstabes. Das ist aber bei weitem zu wenig. Um das Werk aus sich selbst heraus verstehen zu können[55], bedarf es eines positiven Ansatzes. Es heißt also nachzufragen, wie ein Glaubensdokument zustande kommt.

Zunächst ist festzuhalten, daß der Erste Klemensbrief ein »Werk« ist mit nachweisbarer Geschichtsmächtigkeit. In dieser seiner Bedeutsamkeit kommt sicher mindestens eine gewisse Verbindlichkeit zum Ausdruck, so daß der Brief in diesem Sinne »Dokument« zu nennen ist. Damit soll gesagt sein, daß in ihm nicht irgendwelche Belanglosigkeit festgehalten ist, sondern eine für den Glauben des Verfassers lebenswichtige Frage. Anders wären Aufwand und Erfolg des Schreibens gar nicht zu ver-

---

[52] »Das historische Bewußtsein, das Überlieferung verstehen will, darf sich nicht auf die historisch-kritische Arbeitsweise, mit der es an die Quellen herantritt, verlassen, als ob diese es davor bewahrte, seine eigenen Urteile und Vorurteile einzumengen. Es muß in Wahrheit die eigene Geschichtlichkeit mitdeuten« *Gadamer* 343.

[53] Vgl. *Gadamer* 251.

[54] Vgl. *Betti*, Hermeneutik 20.

[55] *Beyschlag* 26.

stehen. Wie es in der Geschichte keine Neuauflagen vergangener Situationen gibt, so sind auch Fragestellung und Beantwortung im Ersten Klemensbrief einmalig. Sowohl seine Glaubensfrage wie seine Antwort aus dem Glauben sind an eine unwiederholbare Sachlage gebunden[56]. Werkorientierter Interpretation muß es also darum gehen, diese »Sachlage« zu erfassen, und zwar aus dem Werk selbst heraus. Dazu lassen sich noch einige formale Überlegungen anstellen.

Wenn Glaube und lebendige Tradition zusammengehören, wenn das Glaubensbewußtsein erst im Laufe einer Glaubensgeschichte mehr und mehr zu sich kommt, dann geschieht diese Bewußtwerdung in zeitlicher Abhängigkeit von der historischen Entwicklung der gläubigen Gemeinde, ihren Fragen und Problemen. In einem bestimmten Augenblick beginnt die Tradition sich mit einer neuen Situation zu reiben: d. h. die neue Situation verlangt nach einer neuen Verkündigung, einer neuen Versprachlichung des Überlieferungsgutes. Wo ein Werk christlichen Glaubens auf uns gekommen ist, stammt es aus einer solchen historisch neuen Situation, indem es eine neue »Versprachlichung« der Tradition als Antwort auf die neue Situation anbietet. Bewältigung solcher Situation aus dem Glauben ist der Konzeptionshorizont eines überlieferten christlichen Werkes.

Die »richtige« Interpretation wird immer den Versuch machen müssen, aus dem Werk die »neue« Situation zu eruieren, aus der heraus und in die hinein es verfaßt worden ist. In einem damit muß sie zu erfassen suchen, wie das Überlieferungsgut auf die damalige neue Lage angewendet wurde. Gerade hier öffnet sich der Lebenszusammenhang des Interpreten mit seinem Werk. Weil Glaube ständiger Neuinterpretation auf die je neue Lebenssituation hin bedarf, kann der gläubige Interpret das historische Werk von seiner Lage her befragen und sich von dessen Bewältigung des damaligen Problems bestimmen lassen für seine eigene Bewältigung der Glaubensfrage. Sein Verstehenshorizont ist somit von derselben Struktur wie der Konzeptionshorizont des Werkes: die »Horizontverschmelzung« ist möglich, das Werk kann aus sich selbst, aus seiner eigenen Problematik heraus verstanden werden.

So ist deutlich geworden, daß ein aus dem Glauben heraus entstandenes Werk zunächst einmal seinen eigenen Maßstab braucht. Es wäre falsch, wollte der Interpret ungeprüft die historische Forschung als oberstes Leitgesetz gelten lassen[57]. Der Glaube hat seine eigene »Geschichte«, die dem Auge dessen, der zunächst nur kritischer Historiker ist, verborgen bleibt (wie ihm z. B. auch die Poesie eines Werkes verborgen bleibt). Seine *Geschichte* hat allerdings auch der Glaube. Und auch das einzelne Glaubensdokument wird erst durch seine Einordnung in das größere Ganze mehr und mehr verständlich[58]. Da das aber immer beachtet wurde, braucht es hier nicht besonders betont zu werden. Hier mußte im Gegenteil mit Hilfe hermeneutischer Reflexion herausgestellt werden, daß »richtige« Interpretation des am Werk orientierten Maßstabes bedarf, der als Konzeptionshorizont im Werk selbst zu suchen ist.

---

[56] *Bauer* 2.

[57] Was *Gadamer* zum Verhältnis von Philologie und Geschichte sagt, gilt entsprechend auch von Theologie und Geschichte: »Am Ende verkennt sich der Philologe, der Freund der schönen Reden, selber, wenn er sich unter den Maßstab historischer Forschung beugt« *Gadamer* 320.

[58] Vgl. *Betti*, Hermeneutik 16: »Der Grundsatz der wechselseitigen Erhellung von Teilen und Ganzem läßt sich indessen weiter entwickeln; dahin nämlich, daß wiederum jede Rede und jedes schriftlich verfaßte Werk ebenso als das Glied einer Kette betrachtet werden kann, das erst aus einem größeren Zusammenhang vollkommen zu verstehen ist.«

## II. TEIL

# DAS MATERIAL ZUR BESTIMMUNG DER FORM DES ERSTEN KLEMENSBRIEFES

### Die Aufgabe des II. Teiles

1. Die Frage, welche »Station« der frühen christlichen Glaubensgeschichte sich in dem Werk »Erster Klemensbrief« niedergeschlagen habe, blieb am Ende der Darstellung des eigenen hermeneutischen Zugriffs stehen. Es ist die Frage, die neu zu beantworten die Aufgabe der vorliegenden Arbeit sein muß. Das soll in zwei eng zusammengehörigen Schritten geschehen: Einmal durch die Bestimmung der Form, zum anderen durch die Bestimmung der Grundthematik. Das ist wohl sosehr zweimal dasselbe, daß das erste nicht ohne das zweite und das zweite nicht ohne das erste beantwortet werden kann. Aber dennoch muß – ohne daß es adäquat gelingen kann – *methodisch* eine Scheidung versucht werden, um irgendwo mit dem Versuch der Antwort beginnen zu können. Der erste Schritt soll demnach die Erarbeitung des Verständnisses mehr von der *Form* her, der zweite die Erarbeitung des Verständnisses mehr vom *Inhalt* her erbringen.

2. Formbestimmung als notwendigen Schritt zum Verständnis eines Werkes hat die Literaturwissenschaft[1] sowohl, wie die Bibelexegese erkannt. Mag von der Literaturwissenschaft für unseren Fall (nämlich ein antikes Glaubensdokument) vielleicht auch nicht mehr als die Fragestellung zu erwarten sein[2], so liefert uns die von der Exegese entwickelte formgeschichtliche Methode die für unser Anliegen entscheidende Einsicht, wenn sie darauf hinweist, daß »Gattung« nicht etwa als beliebig gewählte äußere Überlieferungsform zu verstehen ist, sondern als notwendige Erscheinung eines ganz bestimmten Inhalts[3]. R. Bultmann hat dafür das oft zitierte Wort geprägt, »daß die Literatur, in der sich das Leben einer Gemeinschaft, also auch der urchristlichen Gemeinde, niederschlägt, aus ganz bestimmten Lebensäußerungen und Bedürfnissen dieser Gemeinschaft entspringt, die einen bestimmten Stil, bestimmte Formen und Gattungen hervortreiben«[4]. Insofern ist der Behauptung zuzustimmen, daß man heute

---

[1] »Das Problem der literarischen Gattung einer Schrift stellt sich nicht nur in der biblischen Exegese. In der französischen Literatur z. B. des 17. und 18. Jh. nahm die Theorie der literarischen Gattungen einen wichtigen Platz ein . . .« *S. Lyonnet* 251 f.

[2] Als willkürliches Beispiel für das in der Literaturwissenschaft seit langem vorhandene Problembewußtsein sei nur hingewiesen auf *Ingarden* 29 f: »So läßt sich z. B. das viel diskutierte Problem des Unterschieds zwischen ›Form‹ und ›Inhalt‹ (bzw. ›Gestalt‹ und ›Gehalt‹) des literarischen Kunstwerkes ohne die Berücksichtigung seines vielschichtigen Aufbaus überhaupt nicht richtig stellen, weil alle nötigen Termini vieldeutig und verschiebbar sind. Insbesondere muß jeder Versuch, das Problem der Form des literarischen Kunstwerks zu lösen, mißlingen, wenn man stets nur eine aus den vielen Schichten ins Auge faßt . . . Auch das schon erwähnte Problem der ›literarischen Gattungen‹ setzt die Einsicht in den vielschichtigen Aufbau des literarischen Werkes voraus.«

[3] Vgl. *H. Köster*, Γνῶμαι διάφοροι 183–190.

[4] *R. Bultmann*, Geschichte der synoptischen Tradition 4, zitiert z. B. in: *H. Zimmermann*, Neutestamentliche Methodenlehre. Stuttgart ³1970, 132.

bemüht sei, das literarische Phänomen vom sozialen Phänomen her zu erklären[5]. Allerdings ist das »soziale Phänomen« zuerst ein Ereignis der gemeindeinternen Geschichte und dann erst ein Reflex der gesamtsoziologischen Vorgänge[6]. So steht die Bestimmung der Form im Dienste der Erforschung eines Stückes Geschichte der Gemeinde und des Glaubens.

3. Was mit »Form« bzw. »literarischer Gattung« genauerhin gemeint ist, muß noch geklärt werden. Die formgeschichtliche Forschung hat darauf hingewiesen, daß es kollektive Formen des literarischen Ausdruckes gibt, vergleichbar den Stilarten in der bildenden Kunst[7], »die, ihrem Wesen nach überindividuell, nicht der Willkür des einzelnen Autors unterworfen sind und jeweils aus ihrem ›Sitz im Leben‹ der Gemeinde verstanden werden wollen«[8]. Diesem Aspekt hat sich die formgeschichtliche Methode verschrieben, wenn sie sich der Kleinformen[9] annahm und nur beiläufig auch die Großformen in den Blick bekam[10]. Für das NT werden allgemein vier solche »Gattungen« genannte Großformen angegeben: Evangelien, Acta, Briefe, Apokalypse[11]. Besonders verwunderlich ist dabei, daß wie selbstverständlich und ohne weitere Erklärung »Briefe« als literarische Gattung angeführt wird, wo es doch seit Anfang der formgeschichtlichen Betrachtungsweise feststeht, daß die Brieform als solche – wobei mit Brieform der auf weite Teile der frühchristlichen Literatur angewendete Sammelbegriff »Brief« gemeint ist – noch wenig über die literarische Gattung aussagt[12], sowenig die Feststellung etwa der rhetorischen Form schon eine Gattungsbestimmung sein kann[13]. Terminologisch ergibt sich folgendes Bild:

1. Gattung als generelle Großform (z. B. »Brief«)
2. Form als spezielle Großform (z. B. »Diasporabrief«)
3. Form als kleinere Kleinform (z. B. »Hymnus«)
4. Formel als kleinste Kleinform (z. B. »Doxologie«).

4. Bei der Bemühung um die Bestimmung der Form des Ersten Klemensbriefes wird zunächst einmal Form im Sinne der eben so genannten »speziellen Großform« ver-

---

[5] *S. Lyonnet* 252.

[6] »Die Analyse der ntl. Texte ergab längst, daß in den Gemeinden weniger soziologisch greifbare Vorgänge, als vor allem innere Ereignisse zueinander und gegeneinander stehen«, *Fuchs*, Marburger Hermeneutik 81.

[7] »Man sieht in der literarischen Gattung ›eine kollektive Form des Denkens, Fühlens, des Ausdrucks in Funktion einer bestimmten kulturellen Epoche‹ (*A. Robert*), ähnlich dem Stil der bildenden Kunst, der von einer Anzahl von Bedingungen abhängt (verwendetes Material, herrschende Konzeption usw.), die der Architekt, Maler oder Bildhauer berücksichtigen muß, wenn er in seiner Generation verstanden werden will. Folglich entwickelt sich die eng an den Denkstil gebundene literarische Gattung in Entsprechung zur jeweiligen kulturellen Situation«, *S. Lyonnet* 252.

[8] *G. Bornkamm*, Artikel »Formen und Gattungen im Neuen Testament« 999.

[9] *H. Zimmermann*, a. Anm. 4 a. O. 135 versteht unter ›Form‹ »die kleinere – mündlich oder schriftlich fixierte – Einheit und unter ›Formel‹ die kurze, fest geprägte Wendung«; *R. Pesch*, »Formgeschichte«: SM II 48 spricht von den kleinsten (Formeln) und kleineren Einheiten (Formen).

[10] »Gattung« als die übergreifende Form (*H. Zimmermann*, a. a. O.) oder die übergreifende literarische Großform (*R. Pesch* a. a. O.).

[11] Vgl. sowohl *H. Zimmermann* wie *R. Pesch* am jeweils angegebenen Ort.

[12] »Denn die Feststellung der Brieform entscheidet, in jener Zeit zumal, noch nicht über die literarische Gattung«, *M. Dibelius*, Der Brief des Jakobus. Göttingen [10]1959 (3. photomechanischer Nachdruck der Neubearbeitung durch Dibelius von 1921), S. 1.

[13] »Die rhetorische Form als solche beweist für die Gattung nichts, und die von Clemens benutzten Überlieferungen und Motive finden sich in der frühchristlichen Literatur in Schriften der allerverschiedensten Gattungen wieder«, *Beyschlag* 348.

standen. Dabei muß man sich allerdings bewußt bleiben, daß das »Spezielle« nur sehr inadäquat vom »Individuellen« unterschieden werden kann, was am Beispiel der redaktionsgeschichtlichen Evangelienforschung ad oculos demonstriert werden könnte [14]. Vom hermeneutischen Standpunkt aus gesprochen geht es eben – auch wo eine allgemeine Klassifizierung zu Hilfe genommen wird – notwendig immer um *diese* Form, und nicht um die Form als solche; verstanden werden kann und soll ja nur das einzelne, das »individuelle« Werk, eben *diese* Form [15], »denn die Texte geben sich als Individuen, nicht als Exemplare« [16]. Aus diesem Grunde wird dieser II. Teil notwendig zur Materialsammlung für den III., der dann die »Individualität« des Ersten Klemensbriefs zur Ansicht bringen soll.

---

[14] »Die einzelnen synoptischen Evangelien werden von der jüngeren redaktionsgeschichtlichen Forschung sogar als je selbständige Gattungen aufgefaßt«, *R. Pesch*, Artikel »Formgeschichte«: SM II 48. Vgl. *W. Marxsen* 13.

[15] »Sind nämlich die sinnhaltigen Formen, die als Gegenstand der Auslegung auftreten, ihrem Wesen nach Objektivationen des Geistes und insbesondere Bekundungen eines Gedachten, dann ist es klar, daß sie nach dem fremden Geist, der sich darin objektiviert hat, verstanden werden müssen, nicht aber nach einem davon verschiedenen Geiste und Gedankeninhalt, auch nicht nach der Bedeutung, die der Form als solcher dann zukommen mag, wenn man sie von der Darstellungsform abstrahiert, der sie mit Bezug auf jenen Geist und jenes Denken dienstbar gemacht wurde« *Betti*, Hermeneutik 14.

[16] *P. Szondi*, Zur Erkenntnisproblematik in der Literaturwissenschaft: Die neue Rundschau 73 (1962) 146–165, zitiert bei *R. Feneberg*, Der Begriff des Verstehens in der Literaturwissenschaft 194, Anm. 60.

# 1. ABSCHNITT

## DER AUFBAU DES ERSTEN KLEMENSBRIEFES

Wenn A. Harnack vor nunmehr vier Jahrzehnten »Anlage und Disposition« des Ersten Klemensbriefes zu den noch nicht abschließend untersuchten Problemen rechnet[17], so gilt diese Feststellung auch heute noch. Auch in den neuesten Ausgaben[18] und Untersuchungen[19] herrscht dem Problem des Aufbaus des Ersten Klemensbriefes gegenüber offensichtlich Hilflosigkeit. Und doch hat der hermeneutische Teil[20] gezeigt, daß die Einsicht in den Aufbau entscheidend ist für das Verständnis eines Werkes. Denn erst dort, wo die Einheit des Ganzen und der Teile aufgewiesen werden kann, kommt der Werkcharakter eines Textes von innen her zur Ansicht und wird die Verstehbarkeit aus dem wechselseitigen Ineinanderspiel von Teilen und Ganzem ermöglicht.

### A. Erarbeitung des Aufbaus

Den Aufbau eines Textes herausfinden wollen, heißt den Versuch unternehmen, ein Werk nachzukonstruieren[21]. Das wird so geschehen müssen, daß der Interpret von seiner eigenen Intuition her eine sinnvolle Gliederung des Ganzen entwirft und diese beim Eindringen in den Text solange korrigiert, bis sie der Kritik standhält und den Sinn des Werkes zu erschließen vermag[22]. Was der Interpret dann vorzulegen imstande ist, ist nicht der Gang, sondern das Ergebnis seiner Intuition und kritischen Arbeit. Somit scheint es eine didaktische Frage dem Leser gegenüber zu sein, an welchem Ende man beginnt. Hier wird der Weg gewählt, mit der großen, allgemein anerkannten Einteilung zu beginnen, über die kleineren, bisher weniger berücksichtigten Einteilungen fortzuschreiten, dann die Entsprechungen in der Gliederung der beiden großen Teile herauszustellen und am Schluß erst das Gesamtschema des Aufrisses zu bieten.

---

[17] *Einführung* 99.

[18] *Fischer* schreibt S. 6: »Die hier versuchte Inhaltsübersicht läßt erkennen, daß das Schreiben einer Disposition *nicht entbehrt* (!), doch kann die Gliederung und ihre Durchführung im einzelnen nicht sehr straff genannt werden.« Das ist eine deutliche Antithese zu der Behauptung *Harnacks:* »Die Disposition darf sogar als straff bezeichnet werden«, Einleitung 52, Anm. 1.

[19] Vgl. *Beyschlag* 44, Anm. 2: »Eine überzeugende Gliederung des ganzen I Clem . . . ist nicht möglich . . . Den Hauptschlüssel seiner Gliederung *bietet Clemens selbst in C. 62, 2«(!).*

[20] Siehe oben S. 32.

[21] »Heute ist man sich überhaupt bewußt und darüber einig, daß die Haltung des Interpreten keine bloß rezeptiv aufnehmende, sondern eine tätig nachkonstruierende sein soll«, *Betti*, Hermeneutik 20.

[22] Vgl. *Gadamer* 251, siehe oben S. 33, Anm. 26.

## a) Die Zweiteilung des Briefes

Wenigstens seit R. Knopf ist es in der Klemensforschung einhellig anerkannt, daß der Erste Klemensbrief aus zwei Teilen besteht[23]. Uneinigkeit besteht lediglich in der Frage, wo die Zäsur zwischen erstem und zweitem Teil anzusetzen ist. Knopf selber schwankt: Früher läßt er den zweiten Teil mit c. 39 beginnen[24], später mit c. 40[25], wobei er c. 37–39 als »Abschluß« des ersten Teiles bezeichnet[26]. Altaner/Stuiber gehen noch weiter herunter: Nach ihnen fängt der zweite Teil schon mit c. 37 an. Dahinter könnte die Einteilung A. Harnacks stehen[27], für den die Kapitel 37 bis 47 »der eigentliche Kern des Briefes« sind[28]. J. A. Fischer nimmt in der Einleitung zu seiner Ausgabe eine mittlere Stellung ein, indem er zwar Knopfs Kommentar folgt und den zweiten Teil erst mit c. 40 beginnen läßt, die c. 37 ff jedoch nicht als »Abschluß« zum ersten Teil rechnet, sondern sie als »Überleitung zum zweiten Hauptteil« zwischen die beiden Teile stellt[29].

Man könnte nun diese Schwankungen als von vornherein unerheblich abtun. Denn der Brief, der »formell gründlich durchgearbeitet und stilistisch gefeilt« ist[30], vermeidet gern abrupte Neueinsätze und zieht die gleitenden Übergänge vor, indem er einen neuen Gedanken frühzeitig ankündigt und vorbereitet, so daß scharfe Zäsuren kaum festzustellen sind. Dieser Hinweis läßt sich aber gerade nicht anwenden auf die große Zweiteilung, als ob der Brief vom ersten Teil über ein oder mehrere Kapitel hin langsam in den zweiten Teil hinüberglitte. Hier ist vielmehr mit c. 40 ein klarer Neuanfang gegeben, den man nicht verwischen darf. Aufgabe der folgenden Überlegungen wird es unter anderem sein, die Richtigkeit dieser Behauptungen nachzuweisen.

## b) Die Unterteilungen des ersten und des zweiten Teiles

Die Frage, was noch zum Eingang des Briefes gehört und wo der erste Teil eigentlich beginnt, kann zunächst zurückgestellt werden. Allgemein anerkannt ist, daß am Anfang eine Laudatio steht[31], gefolgt von einer Improbatio[32]. Die Entdeckung von Laudatio und Improbatio am Anfang des Briefes hat allerdings dazu verleitet, beide auch im Aufbau des Briefes als zusammengehörig aufzufassen und nach der Improbatio

---

[23] Vgl. z. B. *Ausgabe* 156 ff, *Kommentar* 41, *Bauer* 99, *Beyschlag* Vorwort. 44. 167. 343, *Knoch* 39, *Fischer* 3–6, *Altaner/Stuiber* 45. Nur *Jaubert*, Clément de Rome 25–28 teilt den Brief nach einer Präambel in sechs ungleiche Abschnitte ein (4–21; 22–36; 37–44; 45–59, 1; 59, 2–61; 62–65). Auffälligerweise ist für c. 3 kein Platz: es ist ein Übergang, angehängt an die Präambel.

[24] *Ausgabe* 158.

[25] *Kommentar* 41.

[26] Ebd.

[27] »... daß nach der Einleitung (c. 1 und 2) die Hauptcäsur zwischen c. 36 und 37 fällt und die cc. 59–65 sich als Schluß abheben«, *Einleitung* 52, Anm. 1.

[28] *Studie* 40, Anm. 2 (auf S. 41).

[29] *Fischer* 4.

[30] *Studie* 56.

[31] *Harnack*, Studie 40, Anm. 2, Einführung 104, Anm. zu 1, 1; 105, Anm. zu 1, 2–2, 8; *Wrede* 55 (»Idealbild«), *Knopf*, Ausgabe 157 (»Idealbild«), Kommentar 41 (»der einst herrliche Zustand«), *Fischer* 3 (»Lob der früheren Zustände«).

[32] *Harnack*, Studie 58 (»Da wird regelrecht mit einer Laudatio begonnen, dann folgt das Thema ...«), hat es nicht so gesehen. Sonst allgemein; z. B. *Wrede* 55 (»grelles Gegenbild«), *Knopf*, Ausgabe 157 (»in sein Gegenteil verkehrt«), Kommentar 41 (»Die traurige Gegenwart«), *Fischer* 3 (»Tadel«), »Laudatio und Improbatio«, *Beyschlag* passim, z. B. 111, Anm. 1; 331.

eine Zäsur anzunehmen[33]. Ob diese Annahme dem Aufbau entspricht, kann erst entschieden werden, wenn die übrige Unterteilung des ersten Briefteiles durchsichtig gemacht ist.

Einsetzen wollen wir an einer Stelle, die seit geraumer Zeit in der Wissenschaft diskutiert wird, nämlich bei 7,1. Entgegen der alten Kapiteleinteilung will H. Thyen in diesem Vers den »typischen Schluß der Diatribe über den Zelos« entdeckt haben[34], so daß nach 7,1 – evtl. nach einer weiteren Überleitung – ein Einschnitt anzunehmen wäre. Von seinen traditionsgeschichtlichen Forschungen her widerspricht dem K. Beyschlag, indem er darauf hinweisen kann, daß einerseits die folgenden Verse zur Nuthesia von 7,1 dazugehören[35] und daß andererseits in der Didaskalie eine Überlieferung durchscheint, deren Umriß den Kapiteln 1–8 des Ersten Klemensbriefes ungefähr entspricht. So plädiert er dafür, daß »der erste Abschnitt« bis 8,5 reicht[36]. Eine Entscheidung in dieser Frage läßt sich nur aufgrund einer Analyse des Textes selbst gewinnen.

Soviel ist sicher, daß 7,1 – als Nuthesia an die doppelte Adresse von Empfängern und Absendern des Briefes – sich von seiner Umgebung abhebt. Insofern ist es gerechtfertigt, an dieser Stelle mit der Analyse zu beginnen. 7,2f setzt mit einem Hortativ ein ($\delta\iota\grave{o}$ $\dot{\alpha}\pi o\lambda\acute{\iota}\pi\omega\mu\epsilon\nu$) und bringt eine mehr allgemein gehaltene Paränese. Daran schließt sich mit 7,4 ein $\dot{\alpha}\tau\epsilon\nu\acute{\iota}\sigma\omega\mu\epsilon\nu$ (nämlich auf das Blut Christi) an, dem in 7,5 ein kerygmatischer Satz folgt, nämlich das Kerygma von der allgemein angebotenen Möglichkeit zur Metanoia. 7,6f bringt eine kurze Beispielreihe (Noach, Jona) für Metanoia, 8,1–5 Gottes Wort über die Metanoia.

9,1 setzt mit einem Hortativ ein ($\delta\iota\grave{o}$ $\dot{\upsilon}\pi\alpha\kappa o\acute{\upsilon}\sigma\omega\mu\epsilon\nu$) und bringt eine mehr allgemein gehaltene Paränese, die fast wie eine Variierung von 7,2f wirkt. Daran schließt sich mit 9,2 ein $\dot{\alpha}\tau\epsilon\nu\acute{\iota}\sigma\omega\mu\epsilon\nu$ (nämlich auf Gottes Diener) an, dem nun allerdings kein kerygmatischer Satz folgt. Dennoch ist die Parallelität zum Aufbau von c.7f auffällig. Denn 9,3–10,2 bringt eine Beispielreihe (Henoch, Noach, Abraham) für Gehorsamsdienst, 10,3–7 Gottes Wort (an Abraham), dem in 11,1–12,8 noch ausgeführte Beispiele (Lot und Rahab) angefügt sind.

13,1a findet sich wieder ein Hortativ ($\tau\alpha\pi\epsilon\iota\nu o\phi\rho o\nu\acute{\eta}\sigma\omega\mu\epsilon\nu$ $o\check{\upsilon}\nu$) und eine mehr allgemein gehaltene Paränese, eine neuerliche Variierung von 7,2f bzw. 9,1. Daran schließt sich allerdings sofort Gottes Wort über die Demut an (13,1b–15,7), worauf zwei ausgeführte Beispiele folgen: Christus (16,1–17) und David (18,1–17), getrennt durch eine Beispielreihe (Elija, Elischa, Ezechiel, Abraham, Ijob, Mose: 17,1–6).

19,1 ragt wieder aus seiner Umgebung heraus. Allerdings gehört der Vers eindeutig zum Vorausgehenden[37]. Er ist ein kerygmatischer Satz, nämlich das Kerygma, daß Demut und Gehorsam die Menschen zu besseren macht[38]. Das nach 9,2 bzw. 13,1a

---

[33] Für *Harnack*, Studie 40, Anm. 2 war die Zäsur nach der Laudatio; die Improbatio gehörte zum Folgenden.
[34] *H. Thyen* 91, Anm. 37.
[35] *Beyschlag* 44, Anm. 2.
[36] *Beyschlag* 131 mit Anm. 2.
[37] So auch *Knopf* in Ausgabe und Kommentar, sowie *Fischer* 4.
[38] Formal gesehen schließt 19,1 die Beispielreihe der $\mu\epsilon\mu\alpha\rho\tau\upsilon\rho\eta\mu\acute{\epsilon}\nu o\iota$ (17,1b–18,7) ab, inhaltlich ist es der Abschluß der beiden Abschnitte »Gehorsamsdienst« (9,1–12,8) und »Demut« (13,1 bis 19,1).

vermißte Kerygma wird also hier gleichsam nachgetragen[39], so daß der Eindruck eines Rahmens entsteht: 7,5 = das Kerygma von der Metanoia und 19,1 = das Kerygma von Demut und Gehorsam verklammern eine in sich kunstvoll gegliederte Unterteilung des ersten Briefteiles.

Danach setzt 19,2a wieder mit einem Hortativ ein ($\dot{\epsilon}\pi\alpha\nu\alpha\delta\varrho\acute{\alpha}\mu\omega\mu\epsilon\nu$), bringt allerdings nicht mehr eine allgemeine, sondern jetzt eine sehr spezielle Paränese, was darauf hinweist, daß hier eine neue Unterteilung beginnen könnte. Wie in 7,4 und 9,2 schließt sich ein $\dot{\alpha}\tau\epsilon\nu\acute{\iota}\sigma\omega\mu\epsilon\nu$ (nämlich auf den Vater) an[40]. Das nachfolgende Beispiel von der Schöpfungsordnung reicht bis 22,8.

23,1 ist ein Neueinsatz, den man mit 7,1 vergleichen könnte: Überleitung zu einer neuen größeren Unterteilung[41]. 23,2 setzt, wie gewohnt, mit einem Hortativ ein ($\delta\iota\grave{o}$ $\mu\grave{\eta}$ $\delta\iota\psi\upsilon\chi\tilde{\omega}\mu\epsilon\nu$)[42]. Damit ist der Anfang der letzten Unterteilung des ersten Briefteiles erreicht, so daß wir zum Briefanfang zurückkehren können.

Es war offen geblieben, ob nach der Improbatio (nach 3,4) eine Zäsur anzunehmen sei. 4,1 beginnt eine Beispielreihe zum Thema Eifersucht. Bei den drei folgenden Beispielreihen, auf die wir gestoßen sind (7,6f; 9,3–10,2 mit 11,1–12,8; 16,1–18,17), war es jeweils so, daß sie nicht abrupt, sondern erst nach einer Einführung begonnen haben. Es liegt nahe, daß es auch hier so ist, zumal diese Beispielreihe genau das illustriert, was die direkt davorstehende Improbatio vorzuwerfen hat: Eifersucht, Neid, Streit. Mag der Verfasser ein Schema Laudatio/Improbatio verwendet haben, das brauchte ihn nicht daran zu hindern, *vor* der Improbatio eine Zäsur zu machen und mit der Improbatio eine neue Unterteilung zu beginnen, die er mit einer Beispielreihe erweiterte. Mit der Feststellung des stilistischen Mittels Laudatio/Improbatio ist nur darauf hingewiesen, daß der Verfasser etwas Vorliegendes als Material verwendet hat, es ist aber nicht nachgewiesen, welche Form er diesem Material aufprägte. Schematisch dargestellt sieht das bisher Erarbeitete so aus, wie es die Tabelle auf S. 50 zeigt.

Damit ist noch nicht klar, ob der erste Briefteil schon mit 1,2 beginnt oder ob die Laudatio zum Eingang gehört. Nur soviel ist sicher, daß 4,1 nicht der Anfang des Briefcorpus sein kann[43]. Ebensowenig kann der »erste Abschnitt« bis 8,5 reichen[44], denn auf 7,2–8,5 folgen zwei weitere, diesem Abschnitt parallel aufgebaute Abschnitte, mit denen der erste zu einer Unterabteilung zusammengehört, die durch die Klammer der beiden Kerygmata 7,5 und 19,1 gerahmt ist. Da aber 7,1 nur ein relativer Neu-

---

[39] 7, 1–8, 5, das auch um der Paränese willen (»Tut Buße!«) geschrieben ist, beginnt dennoch mit einer kerygmatischen Formel (von der allgemeinen Bußmöglichkeit), deren Richtigkeit sogar bewiesen wird. Man dürfte also erwarten, daß auch den Paränesen »Gehorsamsdienst« und »Demut« kerygmatische Formeln vorgeschaltet und in ihrer Richtigkeit aus der Schrift bewiesen würden. Was der Verfasser am Anfang dieser Abschnitte, 9, 1 bzw. 13, 1, ausläßt, holt er jetzt, am Ende des zweiten Abschnitte, in 19, 1 nach, indem er verkündet, daß Demut und Gehorsam besagter Männer und die Geschlechter vor uns zu besseren Menschen gemacht habe, insofern wir die Worte Gottes rezipiert haben.

[40] Nur an diesen drei Stellen kommt die Form $\dot{\alpha}\tau\epsilon\nu\acute{\iota}\sigma\omega\mu\epsilon\nu$ in 1 Clem vor (*Kraft* 66, *Goodspeed*, Index patristicus 30), also jedesmal am Anfang eines neuen Abschnittes.

[41] In 19, 1 war dieser überleitende Neueinsatz entbehrlich, da das abschließende rahmende Kerygma seine Funktion übernahm. Der Abschnitt konnte daher sofort mit dem Hortativ beginnen.

[42] Dabei ist es bemerkenswert, daß $\delta\iota\acute{o}$ in 1 Clem nur an diesen drei Stellen (7, 2; 9, 1; 23, 2 *Kraft* 112, *Goodspeed* a. a. O. 54) vorkommt und jedesmal den Beginn eines Abschnittes bezeichnet.

[43] Wie *Knopf* im Kommentar und *Fischer* annehmen.

[44] Wie *Beyschlag* 131, Anm. 2 vermutet.

| Bezug | Einleitung | Hortativ / Paränese | ἀτενίσωμεν | Kerygma / Verfolgung | Beispielreihe | Gottes Wort | ausgeführte Beispiele | Beispielreihe Demut | ausgeführtes Beispiel |
|---|---|---|---|---|---|---|---|---|---|
| 1,2 — 2,8 | 1,2–2,8 Laudatio | | | | | | | | |
| 3,1 — 6,4 | 3,1–4 Improbatio | 4,1–13 Beispielreihe aus dem AT | | 5,1–6,4 Beispiele aus der Christenverfolgung | | | | | |
| 7,1–8,5 | 7,1 Neueinsatz und Überleitung | 7,2f Hortativ (διὸ ἀπολίπωμεν) allgemeine Paränese | 7,4 ἀτενίσωμεν (sc. auf das Blut Christi) | 7,5 Kerygma (Möglichkeit zur Metanoia) | 7,6f Beispielreihe für Metanoia (Noach, Jona) | 8,1–5 Gottes Wort über die Metanoia | — | — | — |
| 9,1–12,8 | — | 9,1 Hortativ (διὸ ὑπακούσωμεν) allgemeine Paränese | 9,2 ἀτενίσωμεν (sc. auf Gottes Diener) | — | 9,3–10,2 Beispielreihe für Gehorsamsdienst (Hen., Noach, Abraham) | 10,3–7 Gottes Wort (an Abraham) | 11,1–12,8 ausgeführte Beispiele (Lot, Rahab) | — | — |
| 13,1–19,1 | — | 13,1a Hortativ (ταπεινοφρονήσωμεν οὖν) allgemeine Paränese | — | — | — | 13,1b–15,7 Gottes Wort über die Demut | 16,1–17 ausgeführtes Beispiel: Christus | 17,1–6 Beispielreihe für Demut (Elija, (Elischa, Ezechiel) | 18,1–17 ausgeführtes Beispiel: David |
| 19,2–22,8 | — | 19,2a Hortativ (ἐπαναδράμωμεν) spezielle Paränese | 19,2b ἀτενίσωμεν (sc. auf den Vater) | 19,1 Kerygma (Besserung durch Demut und Gehorsam) | 19,3–22,8 Beispiel Schöpfungsordnung | — | | | |
| 23,1–39,9 | 23,1 Neueinsatz und Überleitung | 23,2 Hortativ (διὸ μὴ διψυχῶμεν) | | | | | | | |

(Klammer: 7,1–19,1)

einsatz ist, ist auch das Vorausliegende schon Bestandteil des ersten Briefteiles, das heißt, die Improbatio gehört nicht zum Eingang, sondern zum Corpus des Briefes. Das macht es hinreichend wahrscheinlich, daß auch schon die Laudatio dazugehört.

Die Analyse des ersten Teiles war deshalb besonders wichtig, weil man gerade ihm besondere Formlosigkeit vorgeworfen hat. Dem zweiten Teil hat ein solcher Vorwurf nie gegolten, ihm hat man immer bescheinigt, daß er beim Thema bleibe. Von daher mag es auch statthaft sein, der Gliederung des zweiten Teiles weniger vom Formalen und mehr vom Thematisch-Inhaltlichen her nachzuspüren. Der Neueinsatz in 40,1 führt sehr schnell über zu geschichtlichen Rückblicken. Auch der Jussiv in 41,1 aktualisiert nur die historisierenden Darlegungen, die mit 41,2 weitergehen und bis 44,2 reichen. Erst mit 44,3 ändert sich das Klima: Was in Korinth – nach Ansicht des Verfassers – geschehen ist, wird für unrechtmäßig erklärt. Die lobende Anrede in 45,1–3; die Aufmunterung in 46,1; die Frage in 47,2; das alles verschärft nur die im übrigen Text enthaltenen Vorhaltungen. Erst die Paränese von 48,1 nimmt Abschied vom Tadel und stellt die in 47,5 als verloren beklagte Bruderliebe neu als Ziel auf. Die Liebe bleibt Thema bis 50,7.

51,1 setzt wieder mit einer Paränese ein: Der Verfasser nennt die Schritte, die er für erforderlich hält, nämliche Schuldbekenntnis und Selbstopfer durch Exilierung. Das demonstriert er an Beispielen aus der Schrift und der Profangeschichte. 56,1, ein abermaliger paränetischer Einsatz, führt zum Thema der Paideia (Züchtigung) durch Gott, welches Thema in Kapitel 57 durch Unterordnung und Kapitel 58 durch Gehorsam weitergeführt wird: Themata, die den Willen der Betroffenen bewegen sollen, dem Geforderten nachzukommen. Das ist der Abschnitt, der ab 59,2b nahtlos in das sogenannte Allgemeine Gebet einmündet, welches mit 61,3 deutlich schließt. Kapitel 62 bis 65 gehören somit zum Abschluß des Briefes. Folgende Unterteilungen des zweiten Teiles haben sich also ergeben:

40,1 –44,2 geschichtlicher Rückblick zum Thema des Dienstes in der Gemeinde
44,3 –47,7 Tadel wegen der stattgehabten Absetzungen
48,1 –50,7 Die Liebe als Ideal
51,1 –55,6 Aufforderung zu Schuldbekenntnis und Exil
56,1 –59,2a Empfehlung von Paideia, Unterordnung und Gehorsam[45]
59,2b–61,3 Allgemeines Gebet als Fortsetzung des Vorigen.

### c) Die Entsprechung der Unterteilungen im ersten und zweiten Teil

Es springt in die Augen, daß in beiden Teilen eine Unterteilung »Tadel« aufscheint: 3,1–4,13 die Improbatio wegen Eifersucht, Neid, Streit und 44,3–47,7 der Tadel wegen der stattgehabten Absetzungen. Von da ausgehend entdeckt man, daß beide

---

[45] Es scheint mir, daß der Vers 59,2 anders abgeteilt und damit die Interpunktion geändert werden sollte. Das Kolon nach 59,1 (nach ἐνδήσουσιν) ist in ein Komma zu verwandeln, so daß 59,2a zu einem Teil des ὅτι-Satzes wird, der bis ἁμαρτίας reicht; nach diesem Wort ist ein Kolon zu setzen. 59,2b beginnt mit καὶ αἰτησόμεθα. In deutscher Übersetzung lautet dann 59,1f: »Wenn aber einige dem von ihm durch uns Gesagten nicht gehorchen, so mögen sie erkennen, daß sie sich in Verfehlung und nicht geringe Gefahr verstricken, wir aber unschuldig sein werden an dieser Sünde; und unter inständigem Bitten und Flehen werden wir darum beten, . . .«

Male ein Rückblick in die Vergangenheit vorausgeht: 1, 2–2, 8 Rückblick in die idealisierte Vergangenheit der Gemeinde und 40, 1–44, 2 Rückblick auf die Stiftung des Gemeindeamtes (der »Dienste« in der Gemeinde); beide Rückblicke sind Entwürfe einer idealen Ordnung, während die nachfolgenden Mißbilligungen jeweils eine gegenwärtig herrschende Unordnung aufdecken. Sollte sich solche Entsprechung durchgehend aufzeigen lassen, so wäre damit bewiesen, daß die Laudatio nicht zum Briefeingang gehört, sondern die erste Unterabteilung des ersten Briefteiles ist.

Einer Parallelisierung scheint sich aber schon gleich ein unübersteigbares Hindernis entgegenzustellen. Der eindringlichen Ermahnung in 48, 1, zur Liebe zurückzukehren – sie ist in eine Gebetsmahnung eingekleidet, Gott möge uns zum Lebenswandel in Bruderliebe zurückbringen –, entspricht im ersten Briefteil weder die Exhortatio zur Buße noch die zum Gehorsam noch die zur Demut. Erst mit der Ermahnung von 19, 2, zurückzukehren zu dem uns seit Anbeginn überlieferten Lebensziel des Friedens, taucht eine Formulierung auf, die sehr wohl der von 48, 1 vergleichbar ist [46]. An beiden Stellen geht es nämlich darum, daß ein Ziel, ein Ideal vor Augen gestellt wird – einmal die Liebe, das andere Mal der Friede –, das geeignet erscheint, die im voraufgehenden Rückblick aufgedeckte Unordnung wieder zu heilen. Dem Abschnitt über die Liebe im zweiten Teil folgt denn auch sofort die Angabe, wie das Ziel zu erreichen sei: die Aufforderung zu Schuldbekenntnis und Exil in 51, 1–55, 6.

Doch wieder muß man feststellen, daß dem im ersten Teil des Briefes nichts entspricht. Oder gibt es doch eine Entsprechung? Die eben genannten Exhortationen zu Buße, Gehorsam und Demut (7, 1–19, 1) haben die genau entsprechende Funktion, nämlich anzugeben, wie das Ziel zu erreichen ist. Der Aufdeckung der Unordnung (3, 1–6, 4) folgt also im ersten Teil zuerst die Angabe, welcher Weg jetzt einzuschlagen sei, der Weg der Buße, des Gehorsams und der Demut (7, 1–19, 1), und dann wird erst das Ziel genannt, Friede und Eintracht, zu dem dieser Weg hinführen soll (19, 2–22, 8). Im zweiten Teil folgt auf die Aufdeckung der Unordnung (44, 3–47, 7) zuerst die Angabe des zu erstrebenden Zieles, der Bruderliebe (48, 1–50, 7), und dann wird erst gesagt, welcher Weg dahin einzuschlagen ist (51, 1–55, 6). Die Unterabteilungen »Ziel« und »Weg« stehen sich also in den beiden Briefteilen chiastisch gegenüber.

Damit bleibt nur noch die Frage, ob auch die Abschnitte, die die jeweiligen Briefteile beschließen, korrespondieren. 56, 1–59, 2a ist eine Empfehlung der Haltungen von Bereitschaft, Züchtigung anzunehmen sowie Unterordnung und Gehorsam zu üben. Im Zusammenhang des zweiten Teiles hat das die Funktion, Motive zu geben für die Befolgung der vorher (51, 1–55, 6) ausgesprochenen Aufforderung zu Schuldbekenntnis und Exil. Das Allgemeine Gebet (59, 2b–61, 3) setzt diese Motivation auf seine Weise fort. Dieselbe gemeinsame Funktion haben nun aber auch die 23, 1–39, 9 aneinandergefügten Abschnitte: sämtlich bieten sie Motivierungen, die die Empfänger geneigt machen sollen, den Forderungen der Absender des Briefes nachzukommen. Die Motivierungen sind im einzelnen:

---

[46] Das ist allerdings erst sichtbar geworden, seit *U. Wickert*, Eine Fehlübersetzung zu I Clem 19, 2 S. 273 nachgewiesen hat, daß ἐπανατρέχειν in 19, 2 zurückkehren heißen muß. Damit ist nämlich das ἐπανατρέχειν, zurückkehren, von 19, 2 vergleichbar geworden dem ἀποκαθιστάναι, zurückführen, von 48, 1.

| | |
|---|---|
| 23,1–5 | Die Kürze der Zeit |
| 24,1–27,2 | Die künftige Auferstehung |
| 27,3–28,4 | Die Unentrinnbarkeit und das Gericht |
| 29,1–33,8 | Wir sind Erbteil Gottes |
| 34,1–35,12 | Der Lohn |
| 36,1–6 | Jesus Christus, unser Heil |
| 37,1–38,4 | Die Notwendigkeit des Sich-Einordnens |
| 39,1–9 | Die Abhängigkeit von Gott. |

### d) Das Schema des Aufbaus

Der parallele Aufbau der beiden Teile des Ersten Klemensbriefes ist im Vorigen aufgezeigt worden. Damit ist implizit nachgewiesen: Erstens, daß der zweite Briefteil mit 40,1 (und nicht früher) beginnt; zweitens, daß die Laudatio schon zum Briefcorpus gehört, d.h. daß der Eingang nur insc und 1,1 umfaßt. Verglichen damit ist der Abschluß des Briefes länger. Das Corpus schließt sicher mit 61,3 (Ende des Allgemeinen Gebetes), so daß alles vor dem Eschatokoll (65,2), also 62,1–65,1, dem Ausklang zuzurechnen ist. Das auf S. 54 gebotene Schema des Aufbaus macht die Parallelität der Briefteile sichtbar.

## B. Diskussion des Aufbaus

Die Erarbeitung des Aufbaus geschah zu dem Zweck, das Material für die Diskussion aufzubereiten. Es geht darum, die Probleme, die durch die einzelnen Entdeckungen (a bis d) aufgeworfen werden, zu sehen und für die Beantwortung der Frage nach der Form des Briefes fruchtbar zu machen.

Soviel hat sich schon gezeigt, daß der Erste Klemensbrief nicht nur nach seinem literarischen Stil ein »Kunstprodukt« ist[47], »wohl durchdacht« und »formell gründlich durchgearbeitet«[48], sondern daß dasselbe auch von seinem Aufbau gesagt werden muß. A. Harnack hatte das richtige Gespür, wenn er meinte, die Disposition als »straff« bezeichnen zu dürfen[49]. Allerdings kann ich ihm nicht beipflichten in seiner Ansicht, es sei nicht nötig, »eine ausführliche Disposition zu geben«[50]. Denn erst durch eine ausführliche Analyse konnte die Straffheit der Disposition aufgedeckt werden[51].

### a) Das Problem der Zweiteilung

Ganz unabhängig von der Frage, wie die beiden Hauptteile des Ersten Klemensbriefes einander zuzuordnen sind – ob sie einander gleichgeordnet sind oder der eine dem anderen untergeordnet, ob sie parallelgeschaltet sind oder einer dem anderen vorgeschaltet usw. – ganz unabhängig davon wird die Zweiteilung, sobald sie erkannt ist und soweit sie überhaupt in die Überlegungen einbezogen wird, als solche zum

---

[47] *Studie* 56; *Kommentar* 43.
[48] *Studie* 56.
[49] *Harnack*, Einführung 52, Anm. 1.
[50] *Harnack* a. a. O.
[51] Die allerdings mit der von *Harnack*, Studie 40, Anm. 2 angedeuteten kaum etwas gemein hat.

## EINGANG

insc – 1,1
Praescript
Prooemium

## BRIEFTEIL A

1,2–2,8
(1) Rückblick:
Entwurf einer Ordnung

3,1–6,4
(2) Tadel:
Aufdeckung der Unordnung

7,1–19,1
(3) Aufforderung:
Weg zur Neuordnung
[7,1– 8,5: Buße
9,1–12,8: Gehorsam
13,1–19,1: Demut]

19,2–22,8
(4) Zielangabe:
Eine neue Ordnung
[Frieden und Eintracht]

23,1–39,9
(5) Empfehlungen:
Motivationen für den Weg
[Vgl. Seite 53]

## BRIEFTEIL B

40,1–44,2
(1) Rückblick:
Entwurf einer Ordnung

44,3–47,7
(2) Tadel:
Aufdeckung der Unordnung

48,1–50,7
(3) Zielangabe:
Eine neue Ordnung
[Bruderliebe]

51,1–55,6
(4) Aufforderung:
Weg zur Neuordnung
[Schuldbekenntnis/Exil]

56,1–61,3
(5) Empfehlungen:
Motivationen für den Weg

## ABSCHLUSS

62,1–65,2
Ausklang
Eschatokoll

Problem. In der bisherigen Literatur hat man dieses Problem allerdings eindeutig, und damit wohl einseitig, zu einem Problem »des ersten Teiles« gemacht. Für R. Knopf liegt es auf der Hand, daß »viele seiner Ausführungen in gar keinem strengen Zusammenhang zu der Veranlassung des Briefes gebracht sind«[52]. Er beklagt es daher, daß der Brief nach seinem konkreten Beginn alsbald breit auseinanderfließt[53]; nur im zweiten Teil wird der Hauptzweck des Briefes fester im Auge behalten[54], während die »zerfahrenen Ausführungen« des ersten Teiles[55] – über die Mehrzahl der behandelten Gegenstände fehlt sogar jede Andeutung, warum sie behandelt werden[56] – nur einigermaßen zusammengehalten werden. So verwundert es nicht, wenn er dem Verfasser »umfangreiche Wortfülle«[57] und »Umständlichkeit«[58] vorwirft. W. Bauer übernimmt diese Ansicht und meint dazu, daß »der Hauptteil des Briefes mit dem von ihm deutlich ausgesprochenen Zweck wenig oder nichts gemein hat«[59]; der erste Teil diene wohl lediglich der »Steigerung der Masse«[60].

Das »Problem des ersten Teiles« spiegelt sich deutlich in der Schwierigkeit, die die Autoren haben, wenn sie diesem ersten Teil eine Überschrift geben wollen. Knopf verzichtet in der Ausgabe überhaupt auf eine Überschrift, im Kommentar wählt er: »Das gottesfürchtige Leben«, Fischer bleibt noch unverbindlicher mit: »Allgemeine Ausführungen«. Eine Verlegenheits-Überschrift löst jedoch das Problem nicht. Knopf schlägt als Lösung vor, daß der erste Teil aus einer Anzahl von unabhängigen, kleinen homiletischen Aufsätzen und Abhandlungen zusammengesetzt ist[61], was Lemarchand zu der These steigert, Teile einer Homilie seien in den ursprünglichen Text eingearbeitet worden! Bauer plädiert übrigens für Materialerweiterung aus taktischen Gründen[62].

Alle derartigen Versuche basieren auf der unangefochtenen Vormeinung, die einzige Veranlassung des Briefes und sein Hauptzweck seien im zweiten Teil zu finden[63]. Eine solche Vormeinung können wir jedoch keineswegs unbesehen übernehmen. Hier genügt es, darauf hingewiesen zu haben, daß in der Zweiteilung und in der gleichen oder verschiedenen Bewertung der beiden Teile ein Problem liegt. Der »Status quaestionis« ist damit deutlich genug herausgestellt, die Antwort muß im folgenden versucht werden.

---

[52] *Ausgabe* 160, vgl. 156 und *Kommentar* 42.
[53] *Ausgabe* 177.
[54] *Ausgabe* 158.
[55] *Ausgabe* 156, vgl. 158.
[56] *Ausgabe* 178.
[57] *Kommentar* 42.
[58] *Ausgabe* 160.
[59] *Bauer* 99.
[60] Ebd.
[61] *Ausgabe* 179; vgl. 187 (These). Ähnlich urteilen *W. Wrede, E. von der Goltz, W. Bousset, H. Fuchs, K. Bihlmeyer, J. Klevinghaus;* vgl. die Zusammenstellung bei *Beyschlag* 45, Anm. 1.
[62] *Bauer* 99.
[63] Wo man diesem Vorurteil etwas kritisch gegenübersteht, spielen die Interpolationshypothesen auch keine Rolle mehr. Vgl. etwa *A. Stuiber* 192 und *E. Peterson* mit ihren Versuchen einer Gattungsbestimmung. Allerdings scheinen sie auf die Problematik eher deshalb nicht gestoßen zu sein, weil sie die Zweiteilung des Briefes gar nicht für relevant halten. Das ist auch zu *A. Harnack* zu bemerken, der einerseits die Frage nach der Disposition für ungeklärt (*Einführung* 99), aber nicht so nötig hält (*Einführung* 52, Anm. 1), andererseits auf die Zweiteilung hinweist (a. a. O.), ohne ihr sonst Beachtung zu schenken (*Studie* 40, Anm. 2). Mutatis mutandis gilt das wohl auch für *K. Beyschlag.*

## b) Das Problem der gleitenden Übergänge

Bevor die Lösung des Problems der Zweiteilung angegangen wird, soll noch eine Frage wenigstens gestreift werden, die sich bei der Herausarbeitung der Unterteilungen der beiden Hauptteile ergeben hatte: Wie kommt es, daß in diesem Brief Zäsuren so schwer zu entdecken sind? Mag die Disposition des Briefes nun »straff« sein (so Harnack) oder »nicht sehr straff« (so Fischer), eines dürfte wohl feststehen: Sehr oft heben sich die einzelnen Abschnitte so wenig scharf voneinander ab, daß man den Eindruck hat, sie zerfließen ineinander.

Ein sehr deutliches Beispiel bieten c. 21/22. Der Grundgedanke von Frieden und Eintracht (19,2–22,8) ist noch einmal eingerahmt vom Motiv der Wohltaten Gottes (19,2 und 21,1), in 21,1 jedoch sofort mit dem Gerichtsmotiv verbunden. Dieses Gerichtsmotiv, zusammen mit dem Nähe-Motiv, das auch Kapitel 21 (V 3) auftaucht, wird erst viel später zum Hauptthema (27,3–28,4). Hier jedoch rahmt es (21,1 und 21,9) die Haustafel (21,6–8), die nach dem Schöpfungskapitel 20 die zweite Entfaltung des Grundgedankens »Frieden und Eintracht« darstellt. Sehr stark scheint das Gerichtsmotiv in Kapitel 22 auf (V 6., 8), wo es zum zentralen Friedensgedanken (V 5) scharf kontrastiert. Damit ergibt sich ein Motiv-Gewebe, wo man von einem Gedankenkomplex manchmal kaum merklich zum anderen geführt und erst nach geraumer Zeit inne wird, wo man inzwischen steht. Während das Muster sich schon geändert hat, werden einzelne Fäden noch weiter eingezogen und schon neue aufgenommen, die erst viel später gebraucht werden.

Das war es wohl, was A. Harnack veranlaßt hat zu sagen, kein einziger Abschnitt sei rasch und natürlich hingeworfen, sondern alles sei wohl durchdacht, formell gründlich durchgearbeitet und stilistisch gefeilt [64]. Mit »stilistisch« allein ist jedoch das Problem nicht gelöst. Sicher mag es der persönlichen Eigenart des Verfassers entsprochen haben. Aber wenn er alles wohl durchdacht und nichts rasch hingeworfen hat, so hat er auch dieses stilistische Mittel mehr oder weniger bewußt eingesetzt. Die in Frage stehende Angelegenheit mag so delikat gewesen sein, von ihrer guten Lösung so viel abgehangen haben, daß er sich mit großer Anstrengung jeder Schroffheit enthielt – was ganz allgemein anerkannt wird. Diese Haltung, die ihn alle Ecken und Kanten sorgfältig vermeiden ließ, hat sich bis in stilistische Einzelheiten hinein ausgewirkt, so daß er jeden neuen Gedanken und jedes neue Motiv frühzeitig ankündigte und langsam ausschwingen ließ.

## c) Das Problem der Entsprechung des ersten und zweiten Briefteiles

Wie oben dargelegt, hat sich das Problem der Zweiteilung, soweit es in den Blick kam, meist in ein Problem des ersten Teiles verwandelt. Zum Teil allerdings hat man es auch – was theoretisch genauso gut und genauso schlecht möglich ist – in ein Problem des zweiten Teiles umgemünzt. Warum sollte auch nicht, wenn man schon wählen mußte, das in Kapitel 62 als Zusammenfassung Dargebotene und im ersten Teil des Briefes Behandelte das Hauptanliegen ausmachen? Der »Fall Korinth« wäre dann

---

[64] *Studie* 56.

eben nur eine Einkleidung[65]! Eine solche Möglichkeit, entweder das eine oder das andere auszuwählen und dann nach Indizien für die Stützung der Hypothese zu forschen, ist uns verwehrt, sobald wir die Art der Zuordnung der beiden Teile entdeckt haben, wie sie im Werk selbst begründet ist, nämlich die Zuordnung der Entsprechung.

Wenn jeder der Teile, wie wir herausgearbeitet haben, im anderen Abschnitt für Abschnitt seine Entsprechung findet, dann ist es nicht mehr möglich, entweder den ersten als Vorspann des zweiten, oder den zweiten als Nachwort zum ersten zu verstehen, beide Teile stehen vielmehr von da an gleichwertig nebeneinander. Man kann nicht mehr den konkreten Anlaß gegen die weitschweifige Form[66], die korinthischen Vorfälle gegen die allgemeine Unterweisung[67] ausspielen und dann aus dem einen die klare Absicht des Verfassers ableiten, aus dem andern die Einnebelung seiner Position[68], im einen den wirklichen Brief erkennen[69], im andern die Sprengung der Form des echten Briefes[70]. Die »Doppelgesichtigkeit«[71] des Briefes kann und muß jetzt ganz neu bestimmt werden.

Es ist offenkundig geworden, daß nicht der eine Teil auf dem andern aufbaut[72], sondern daß beide Teile parallel nebeneinander stehen. Das kann aber nur heißen, daß aus der konkreten Situation, aus der heraus der Brief geschrieben wurde, sowohl der eine wie der andere Teil entstand, oder genauer: daß die Antwort auf die konkrete Situation die beiden in Entsprechung aufeinander bezogenen Briefteile verlangte. Und das heißt wieder: Es gab in der kirchlich-gemeindlichen Entwicklung eine Situation, in der die aufgekommene Problematik sich nicht »eindimensional« bewältigen ließ. Offensichtlich war es nicht möglich, eine in einer Gemeinde aufgetauchte Frage »einfach« zu beantworten, wie es der erste Korintherbrief des Paulus tut, so daß damit die Frage auch »ganz« gelöst gewesen wäre. Und ebenso offensichtlich war es nicht möglich, die Frage nach Art einer späteren Instruktion nur allgemein abzuhandeln. Der Briefaufbau spiegelt wider, daß sich dem Verfasser die zu behandelnde Frage »zweidimensional« darstellte.

Die eine selbe Frage erstreckt sich so in die Dimension des Einzelfalls *und* in die Dimension des Allgemeinen, daß weder mit der direkten Behandlung des Einzelfalls alles gesagt ist, noch mit einer direkten allgemeinen Antwort gedient werden kann. Vielmehr tritt jetzt an einem konkret gewordenen Einzelfall eine allgemeine, größere, hinter dem Einzelfall liegende Problematik ins Bewußtsein, die auch nur beispielhaft an dieser Konkretion gewußt und besprochen werden kann.

---

[65] Nach *M. Dibelius* geht es in 1 Clem 5/6 nicht um Korinth, sondern um das Problem Staat und Kirche. Für *C. Eggenberger* ist die ganze korinthische Angelegenheit eine reine Fiktion; *G. A. van den Bergh van Eysinga*, La littérature chrétienne primitive, Paris 1926, S. 181 sieht im »Brief« eine Fiktion.

[66] *Ausgabe* 166.

[67] »The incidents in Corinth« gegenüber »a general instruction« *van Unnik*, 1 Clem 20, 181.

[68] *Bauer* 100.

[69] *P. Wendland*, Die urchristlichen Literaturformen: Handbuch zum Neuen Testament. Hrsg. von H. Lietzmann I/3. Tübingen ².³1912, 378.

[70] *Kommentar* 43.

[71] *Knoch* 41.

[72] Die Ansicht *A. Harnacks*, daß den Korinthern erst in Erinnerung gerufen werden müsse, was Christentum sei, damit dann auf dieser Voraussetzung aufbauend der spezielle Anlaß behandelt werden kann (siehe Einführung 52f), ist so nicht akzeptabel. Zum richtigen Verständnis vgl. unten S. 152, Anm. 32.

Am Fall »Korinth« ist die Gesamtsituation zum Bewußtsein gekommen. Deshalb muß dieser »Fall Korinth« nun von der Gesamtsituation von Gemeinde, Kirche, Christentum her beurteilt und damit zum Paradigma, zum »Besonderen« gemacht werden. Damit – mit dem Paradigma, mit dem Besonderen – ist aber ein Gegenüber zu diesem Besonderen, ein Allgemeines geschaffen worden, eine Gesamtkirche als Anwendungsgebiet für den paradigmatischen, konkreten Fall. Die Zweiteilung, durch die ein »Allgemeines« und ein »Besonderes« geschaffen wird, signalisiert also eine ganz bestimmte historische Sachlage, nämlich die Notwendigkeit der Unterscheidung von Allgemeinem und Besonderem, von Anwendungsbereich und paradigmatischem Fall, was nur als »Schaffung« von Gesamtkirche und Einzelgemeinde interpretiert werden kann. Bewußtseinsmäßig tritt ein Umschwung ein in der Beurteilung der Einzelgemeinde: Von jetzt an wird sie als einem Gesamt, einer Gesamtkirche zugeordnet betrachtet.

Die historische Sachlage, daß der bewußtseinsmäßige Umschwung erst eintritt, erklärt das eigenartige Ineinander der Doppelantwort der beiden aufeinander bezogenen Briefteile, daß nämlich weder der erste Briefteil rein allgemein noch der zweite rein speziell ist[73], sondern daß in jeder der beiden Hälften der Doppelantwort Allgemeines und Besonderes ineinander verschränkt sind. Unter der Voraussetzung, daß dem Verfasser die Unterscheidung zwischen allgemeiner Problematik und besonderem Fall innerhalb des Glaubens noch nicht vorgegeben war, sondern daß die historische Situation erst ihm eine solche Unterscheidung abverlangte, wird auch diese Eigentümlichkeit des parallelen Aufbaus verständlich. Sie offenbart den Umschwung in der Bewertung der Ortsgemeinde.

---

[73] Weil dem Verfasser die Unterscheidung von allgemein und speziell in bezug auf Kirche und Gemeinde noch gar nicht vorgegeben war, ist die Beobachtung von *Wrede* 2, Anm. 1 sehr richtig, daß der Verfasser nicht die Absicht hatte, einen allgemeinen und einen speziellen Teil zu schreiben.

# DIE STATISTIK DES WORTGEBRAUCHS

Die Analyse des Aufbaus des Ersten Klemensbriefes konnte durch den Aufweis der strengen Zuordnung der Entsprechung zwischen den beiden Hauptteilen schon klarlegen, daß es dem Brief nicht – mindestens nicht ausschließlich – um einen Einzelfall geht, sondern daß das einzelne von vornherein verschränkt ist mit einem Gesamt. Worum es nun bei dieser neuen Zuordnung von Einzelfall und Gesamtsituation genauerhin geht, das zu erforschen bleibt weiterhin unsere Aufgabe.

An dieser Stelle darf man einige Hoffnung auf die Statistik des Wortgebrauchs setzen, die über die Eigenart des Stils und der Denkweise des Verfassers Aufschluß geben könnte. Nicht nur in der ntl. Wissenschaft, sondern in der Literaturwissenschaft allgemein hat sich die Erkenntnis durchgesetzt (und wird sich immer mehr durchsetzen), daß statistisch Nachweisbares auch statistisch nachgewiesen werden muß. Mit der Wortstatistik ist dem Interpreten ein Instrument der sogenannten »exakten« Wissenschaften an die Hand gegeben, mit dem er eine begrenzte Anzahl von Fragen auf relativ objektive Weise beantworten und damit eigene oder fremde Vermutungen bestätigen oder widerlegen kann.

## A. *Wortstatistisches Material*

Statistik ist nur insoweit von Interesse, als Gleiches mit Gleichem verglichen werden kann. Es gilt also einen Raum zu finden, wo der Erste Klemensbrief unter »Seinesgleichen« auftreten kann. Allgemein wird man diesen Raum nicht zu eng nehmen dürfen, also nicht etwa nur die »Apostolischen Väter« oder gar nur die Apostolischen Väter im engeren Sinn (etwa nach der Ausgabe von Fischer), sondern man wird eine breitere Basis suchen müssen, die dann »frühchristliche Schriften« zu nennen wäre. Auf jeden Fall wäre das gesamte NT mit einzubeziehen. Wo dann nach unten die Grenze gezogen wird, ist eine fast ausschließlich praktische Frage. Vielleicht wäre es wünschenswert gewesen, die griechischen Apologeten des 2. Jahrhunderts mit einzubeziehen. Doch schreiben sie so sehr in einem neuen literarischen Genus, daß ihre Einbeziehung ohne vorherige Untersuchung nicht ratsam gewesen wäre. Und eine solche Untersuchung hätte den Rahmen dieses Abschnittes völlig gesprengt[1]. So blieb nichts anderes übrig als eine Beschränkung auf jene Literatur, die wir mit NT und Apostolische Väter umgrenzen.

Leider existiert für die frühchristlichen Schriften insgesamt noch kein statistisches Vokabular. Es war daher nötig, einige statistische Tabellen von Grund auf neu zu erarbeiten. Als Hilfsmittel standen für die Apostolischen Väter die beiden neueren

---

[1] Der photomechanische Neudruck des einzigen Hilfsmittels: *Goodspeed*, Index apologeticus ist trotz neuen Funden wie z. B. Meliton, Perì Páscha, sehr zu begrüßen.

Wortkonkordanzen[2] zur Verfügung und dazu natürlich Morgenthaler, Statistik des ntl. Wortschatzes, die überhaupt einzige greifbare Wortstatistik.

## a) Die zwanzig häufigsten Wörter

Die erste Tabelle bietet eine Statistik jener 20 Wörter, die im Ersten Klemensbrief am häufigsten vorkommen. Da nun etwa ein Drittel seines Textes aus wörtlichen atl. Zitaten besteht und die stilistische Eigenart eines Schriftstellers weniger in den Zitaten, die er übernimmt, als im selbstverfaßten Text zum Ausdruck kommt, wurde eine doppelte Auszählung des Wortbestandes vorgenommen: Einmal die Zitate eingeschlossen, das andere Mal ohne die Zitate. Maßgebend war dabei, was Goodspeed als Zitat (»cit«) kennzeichnet[3]. Die Tabelle hat fünf Kolonnen. Die zweite Kolonne bietet die Ordnungszahlen von 1 bis 20 in der Reihenfolge, die sich ergibt, wenn man den Text des Ersten Klemensbriefes ohne seine atl. Zitate berücksichtigt. In der dritten Kolonne steht das dazugehörige Wort, in der vierten die entsprechende absolute Zahl, die angibt, wie oft das Wort (außerhalb der atl. Zitate) vorkommt. Die erste und fünfte Kolonne bieten Vergleichszahlen, und zwar die fünfte Kolonne die Häufigkeitszahl für das entsprechende Wort unter Einschluß aller Zitate; die erste Kolonne gibt die Ordnungszahl an, die das betreffende Wort erhielte, wenn man das NT und die AVV in einer Tabelle verarbeiten würde. Ein Strich (–) bedeutet, daß dieses Wort dort eine höhere Ordnungszahl als 20 trüge.

*Tabelle der 20 häufigsten Wörter*

| Stelle NT+AVV | Stelle 1 Clem ohne Zitate | Wort | Zahl 1 Clem ohne Zitate | Zahl 1 Clem mit Zitaten |
|---|---|---|---|---|
| (1) | 1 | ὁ, ἡ, τό | 1078 | (1410) |
| (2) | 2 | καί | 490 | (685) |
| (3) | 3 | αὐτός | 249 | (374) |
| (5) | 4 | ἐν | 149 | (189) |
| (—) | 5 | ἡμεῖς | 144 | (160) |
| (7) | 6 | εἰς | 99 | (115) |
| (14) | 7 | πᾶς | 95 | (107) |
| (12) | 8 | θεός | 89 | (109) |
| (—) | 9 | διά | 87 | (93) |
| (6) | 10 | εἶναι | 81 | (129) |
| (18) | 11 | γάρ | 77 | (94) |
| (—) | 12 | οὖν | 57 | (57) |
| (10) | 13 | οὗτος | 54 | (71) |
| (—) | 14 | ἐπί | 52 | (74) |
| (13) | 15 | ὅς | 49 | (67) |
| (—) | 16 | ποιεῖν | 45 | (64) |
| (11) | 17 | οὐ | 43 | (79) |
| (9) | 18 | ὑμεῖς | 42 | (65) |
| (—) | 19 | ἀπό | 38 | (70) |
| (—) | 20 | ἀλλά | 37 | (43) |
| (—) | 20 | ὑπό | 37 | (37) |

---

[2] *Goodspeed*, Index patristicus und *Kraft*, Clavis.
[3] *Goodspeed*, siehe Index patristicus VI, richtet sich dabei nach der Ausgabe von Gebhardt-Harnack-Zahn ³1900 mit den Berichtigungen von 1905.

## b) Die seltensten Wörter

Die Tabelle bietet nur Zahlen, und zwar die abgerundeten Vorkommenszahlen für jene Wörter, die sich im Ersten Klemensbrief weniger als zehnmal finden. Es kommt auf die zweite Kolonne an. In der ersten Zeile bietet sie die Anzahl der Hapaxlegomena (wohlgemerkt: Hapaxlegomena innerhalb des Briefes, nicht innerhalb der gesamten griechischen Literatur verstanden), in der zweiten die der Dislegomena, in der dritten die Anzahl der Wörter, die dreimal vorkommen usw. bis zur neunten Zeile. Die 10. Zeile gibt die Summe der Zeilen 1 bis 9 an, also die Anzahl insgesamt jener Wörter, die weniger als zehnmal vorkommen. Diese Zahl ist insofern interessant, als sie – erfahrungsgemäß mit einem Zuschlag von etwa 15% zu versehen – den Wortschatz der betreffenden Schrift angibt. Die letzte Zeile bietet, zu Vergleichsmöglichkeiten, die Zahl des Gesamtwortbestandes (nicht des Wortschatzes), d.h. der Erste Klemensbrief ist ein Schriftstück, das aus ungefähr 9800 Wörtern besteht (wenn man beim ersten Wort anfängt und bis zum letzten durchzählt). Alle übrigen Kolonnen sind aus Morgenthaler (abgerundet) übernommen und sollen Vergleichszwecken dienen. Da der Prozentsatz der seltenen Wörter sehr stark von der Länge eines Textes abhängt (man kann sich das sehr leicht daran klarmachen, daß in einer kurzen Mitteilung kein Wort zweimal vorkommt, die Mitteilung also zu 100% aus Hapaxlegomena besteht), kann man in diesem Fall zum Vergleich nur absolute Zahlen von Schriften heranziehen, die von einigermaßen gleicher Länge sind. Das sind im NT der nicht viel kürzere Römerbrief, die fast gleichlange Apokalypse, das kaum längere Markusevangelium, das anderhalbmal so lange Johannesevangelium, sowie Matthäus, Lukas und Apostelgeschichte, die jeweils etwa doppelt so lang sind wie der Erste Klemensbrief.

*Häufigkeitstabelle von Wörtern, die weniger als 10 mal vorkommen*

| Anzahl des Vorkommens | Anzahl der Wörter | Vergleichszahlen von | | | | | | |
|---|---|---|---|---|---|---|---|---|
| | | Mt | Mk | Lk | Joh | Apg | Röm | Offb |
| 1 | 800 | 670 | 630 | 970 | 380 | 940 | 580 | 310 |
| 2 | 260 | 280 | 220 | 350 | 150 | 340 | 160 | 170 |
| 3 | 140 | 170 | 110 | 170 | 90 | 180 | 80 | 100 |
| 4 | 90 | 90 | 70 | 110 | 65 | 95 | 45 | 50 |
| 5 | 50 | 70 | 50 | 55 | 35 | 80 | 30 | 35 |
| 6 | 30 | 55 | 35 | 50 | 30 | 40 | 30 | 30 |
| 7 | 20 | 60 | 20 | 40 | 15 | 35 | 15 | 30 |
| 8 | 15 | 30 | 25 | 20 | 20 | 40 | 10 | 30 |
| 9 | 15 | 25 | 15 | 25 | 15 | 20 | 15 | 15 |
| 1–9 | 1420 | 1450 | 1175 | 1790 | 800 | 1770 | 965 | 770 |
| Wortbestand | 9800 | 18300 | 11200 | 19400 | 15400 | 18400 | 7100 | 9800 |

## c) Vorzugswörter

Die Tabelle wurde in der Absicht angefertigt, jene Wörter herauszufinden, die der Erste Klemensbrief innerhalb der Literatur seines Umkreises bevorzugt verwendet und die etwas über seine Intention verraten. Solche Wörter sind wahrscheinlich nicht in der Tabelle der 20 häufigsten Wörter zu finden, da die kleinen Wörtchen, die am häufigsten vorkommen, inhaltlich nichts hergeben. Solche Wörter sind aber auch nicht unter den seltensten zu suchen, da eine Abweichung von der Norm wegen der ganz geringen Zahl statistisch nicht signifikant hervortreten kann. Deshalb können solche Wörter nur im Mittelfeld liegen.

Die Tabelle bringt jene Wörter, die im Ersten Klemensbrief zwischen zehn- und dreißigmal vorkommen. Das Problem war nun, womit verglichen werden soll. Prinzipiell sollte das ja die Literatur des NT und der Apostolischen Väter sein. Eine Statistik gibt es aber nur für das NT. Ist eine Beschränkung darauf möglich, ohne daß das Bild wesentlich verzerrt wird? Zur Beantwortung dieser Frage wurde ein statistischer Vergleich angestellt zwischen dem NT einerseits und dem NT zusammen mit den Apostolischen Vätern andererseits. Der Vergleich umfaßte die neunzehn häufigsten Wörter. Dabei ergab sich erstens, daß das in der kleineren (NT) wie in der größeren (NT + AVV) Gruppierung die gleichen 19 Wörter sind und zweitens, daß durch die Hinzunahme der Schriften der AVV die Reihenfolge der häufigsten Wörter sich nur ganz wenig, höchstens einmal um zwei Nummern, verschiebt. Wenn man von da her auf den Gesamt-Wortbestand extrapolieren darf, so heißt das, daß ein Vergleich mit nur dem NT, ohne die AVV einzubeziehen, bei der nötigen Vorsicht richtige Ergebnisse erbringen kann.

Um vergleichen zu können, braucht es in einer Statistik vergleichbare Zahlen. Die absoluten Vorkommenszahlen für ein Wort im Ersten Klemensbrief – einer Schrift von rund 9800 Wörtern Umfang – und ein Wort im NT – einer Schriftensammlung von rund 140000 Wörtern Umfang – lassen sich nicht schlechthin vergleichen. Es wurde deshalb in der Tabelle auf die absoluten Zahlen verzichtet zugunsten einer Verhältniszahl. In der dritten Spalte steht das Wort, links daneben – auf eine Kommastelle genau – die Zahl, die angibt, wie oft dieses Wort auf 1000 Wörter Text im Ersten Klemensbrief vorkommt (das zehnfache davon ist die absolute Vorkommenszahl). Zum Vergleich bringt die erste Spalte die entsprechende Zahl für das NT, d.h. diese Zahl gibt an, wie oft das Wort im NT durchschnittlich (ohne jede Berücksichtigung der manchmal gewaltigen Unterschiede von Schrift zu Schrift) vorkommt.

*Häufigkeitstabelle für die Wörter, die zwischen 10 mal und 30 mal vorkommen*
(Häufigkeit auf 1000 Wörter Text im Vergleich zum NT)

| auf 1000 Wörter NT | auf 1000 Wörter 1 Clem | | auf 1000 Wörter NT | auf 1000 Wörter 1 Clem | |
|---|---|---|---|---|---|
| (1,5) | 1,0 | δύναμαι | (0,6) | | στόμα |
| (0,3) | | εὐλογέω | (0,8) | | σῴζω |
| (0,2) | | θυσία | (0,3) | | φόβος |
| (0,7) | | καιρός | (0,8) | 1,1 | ἀλήθεια |
| (0,1) | | κολλάω | (0,9) | | ἀμήν |
| (2,2) | | λαλέω | (0,1) | | ἀνομία |
| (0,8) | | οἶκος | (0,3) | | γενεά |
| (0,8) | | ὅλος | (1,4) | | εἰσέρχομαι |
| (2,0) | | οὐρανός | (4,6) | | ἔρχομαι |
| (0,5) | | πιστός | (1,1) | | ἕως |

| auf 1000 Wörter NT | auf 1000 Wörter 1 Clem | | auf 1000 Wörter NT | auf 1000 Wörter 1 Clem | |
|---|---|---|---|---|---|
| (0,8) | | ἴδιος | (1,4) | | παρά |
| (0,4) | | μακάριος | (1,3) | 1,7 | εὑρίσκω |
| (0,8) | | πῶς | (1,7) | | ὄνομα |
| (0,1) | | ῥύομαι | (0,4) | 1,8 | ἀγαπητός |
| (0,0) | | ταπεινοφρονέω | (3,7) | | εἰ |
| (1,1) | | χάρις | (1,2) | | ἔργον |
| (1,2) | 1,2 | ἔθνος | (1,9) | | λαμβάνω |
| (0,2) | | ἐκλεκτός | (2,4) | | λόγος |
| (1,4) | | κόσμος | (3,0) | | πατήρ |
| (0,9) | | παραδίδωμι | (1,4) | 1,9 | γράφω |
| (0,1) | 1,3 | ἐπιτελέω | (1,2) | | καρδία |
| (1,5) | | θέλω | (1,8) | | πίστις |
| (4,9) | | ἵνα | (2,5) | 2,0 | ἀδελφός |
| (1,0) | | λαός | (0,7) | 2,1 | εἰρήνη |
| (0,7) | | μᾶλλον | (2,4) | | περί |
| (0,3) | | μικρός | (1,6) | 2,2 | ἀνήρ |
| (0,4) | | ὅπως | (1,2) | | δόξα |
| (1,7) | | οὐδείς | (0,1) | | ζῆλος |
| (0,7) | | ψυχή | (2,8) | | πνεῦμα |
| (0,7) | 1,4 | δικαιοσύνη | (0,6) | 2,3 | δίκαιος |
| (2,5) | | εἷς | (1,4) | | μέγας |
| (0,9) | | θάνατος | (1,3) | 2,4 | ἁμαρτία |
| (1,0) | | καλός | (4,0) | | ἄνθρωπος |
| (0,0) | | ὁμόνοια | (0,1) | | δεσπότης |
| (0,1) | | ὅσιος | (2,5) | 2,5 | ἐάν |
| (1,0) | | πάλιν | (1,0) | 2,6 | ἀγαθός |
| (0,5) | | πρόσωπον | (1,7) | 2,7 | ἅγιος |
| (0,5) | | ὑπάρχω | (6,6) | | Ἰησοῦς |
| (1,6) | 1,5 | γινώσκω | (0,9) | 2,8 | ἀγάπη |
| (5,2) | | ἔχω | (0,9) | | αἰών |
| (2,8) | | ἡμέρα | (3,7) | 2,9 | ὡς |
| (0,7) | | τόπος | (3,0) | 3,0 | πολύς |
| (0,5) | 1,6 | θέλημα | | | |

## d) Wortfelder

Mit Hilfe der reinen Wortstatistik kann man auf Vorzugswörter stoßen. Wechselt der Autor jedoch zwischen verschiedenen Formen desselben Wortes, d.h. benützt er nebeneinander Formen, die mit verschiedenen Vor- und Nachsilben gebildet sind, in ihrem Bedeutungsgehalt jedoch eng zusammengehören, so ist die Wortstatistik dafür völlig blind. Für diesen Fall muß sie ergänzt werden durch eine Statistik der Wortfelder. Das kann hier nur paradigmatisch geschehen. Vier Wortfelder sind subjektiv ausgewählt und wollen keinen Anspruch auf Vollständigkeit erheben. Doch dürfte es schwer sein, weitere ebenso wichtige Wortfelder im 1 Clem zu finden.

Zuerst wurden alle berücksichtigten Wörter des Wortfeldes aufgeführt und dann, entsprechend der vorigen Tabelle, zwei Zahlen genannt: Das Gesamtvorkommen der Summe der einzelnen Wörter dieses Wortfeldes auf je 1000 Wörter Text bei 1 Clem und im NT. Dabei wurden alle Wörter so gewertet, als ob sie ein und dasselbe wären, die Zahlen also das Promille-Vorkommen des Wortstammes angeben. Wo sich für den Wortstamm innerhalb des NT für eine Schrift oder Schriftengruppe (konkret in unserem Fall: Paulus oder einen Paulusbrief, denn für eine andere Schrift oder Schriftengruppe zeigte sich nichts) eine deutliche Bevorzugung ersehen ließ, wurde die betreffende Zahl als dritte oder vierte in Klammern beigefügt.

*Häufigkeitstabelle einiger Wortfelder*
(Häufigkeit auf 1000 Wörter Text im Vergleich zum NT)

1. Wortfeld zum Wortstamm *ὑπακο-*:

    *ὑπακοή, ὑπακούω, ὑπήκοος*
    Auf 1000 Wörter 1 Clem:     1,5
    Auf 1000 Wörter NT:        0,3
    (Auf 1000 Wörter Paulus:    0,8)

2. Wortfeld zum Wortstamm *ταπεινο-*:

    *ταπεινός, ταπεινοφρονέω, ταπεινοφροσύνη, ταπεινόφρων, ταπεινόω, ταπείνωσις*
    Auf 1000 Wörter 1 Clem:     2,9
    Auf 1000 Wörter NT:        0,2

3. Wortfeld zur Wurzel *-ταγ-*:

    *ἄτακτος, ἀτάκτως, διαταγή, διάταγμα, διάταξις, διατάσσω, ἐντάσσω, ἐπιτάσσω, πρόσταγμα, προστάσσω, ταγή, τάγμα, τακτός, τάξις, τάσσω, ὑποταγή, ὑποτάσσω, ὑποτεταγμένως*
    Auf 1000 Wörter 1 Clem:     3,8
    Auf 1000 Wörter NT:        0,7
    (Auf 1000 Wörter Paulus:    1,6)

4. Wortfeld zum Wortstamm *δικαιο-*:

    *δικαιοκρισία, δίκαιος, δικαιοσύνη, δικαιόω, δικαίωμα, δικαίως, δικαίωσις*
    Auf 1000 Wörter 1 Clem:     4,7
    Auf 1000 Wörter NT:        1,7
    (Auf 1000 Wörter Paulus:    2,9)
    (Auf 1000 Wörter Röm:       7,8)

### e) Begriffsfelder

Die vorige Statistik hat einige in ihrem Bedeutungsgehalt zusammenhängende Wörter berücksichtigt, soweit sie vom selben Wortstamm sind. Auf diese Weise können evtl. – als Ergänzung zu den Vorzugswörtern – auch Schlüsselwörter gefunden werden.

Oft jedoch äußert sich der Bedeutungszusammenhang gar nicht im gleichen Wortstamm. Synonyma können den verschiedensten Wortwurzeln angehören. Will man also nicht nur Schlüsselwörter, sondern auch Schlüsselbegriffe mit Hilfe einer Statistik nachweisen, so ist eine Tabelle für Begriffsfelder zu erstellen. Das kann hier nur ebenso auswahlhaft und subjektiv geschehen wie für die Wortfelder. Aber wieder dürfte es schwer sein, weitere ebenso bedeutungsvolle Begriffsfelder zu finden. Das Verfahren ist entsprechend das gleiche wie bei der vorigen Tabelle, nur daß nicht Wörter gleichen Stammes, sondern verwandter Bedeutung verrechnet werden.

## Häufigkeitstabelle einiger Begriffsfelder
(Häufigkeit auf 1000 Wörter Text im Vergleich zum NT)

1. Begriffsfeld »heilig«:

   ἁγιάζω, ἁγιασμός, ἁγιοπρεπής, ἅγιος, ἁγιοσύνη, ἁγιότης, ἁγνεία, ἁγνίζω, ἁγνισμός, ἁγνός, ἁγνότης, ὅσιος, ὁσιότης, πανάγιος
   Auf 1000 Wörter 1 Clem:    6,1
   Auf 1000 Wörter NT:        2,2

2. Begriffsfeld »Wille«:

   βουλή, βούλημα, βούλησις, βούλομαι, θέλημα, θέλησις, θέλω, πρόθεσις, προθυμία
   Auf 1000 Wörter 1 Clem:    5,4
   Auf 1000 Wörter NT:        2,5

3. Begriffsfeld »Güte, Milde, Langmut, Erbarmen«:

   γλυκύτης, ἐλεέω, ἐλεήμων, ἔλεος, ἐπιείκεια, ἐπιεικής, εὐεργεσία, εὐεργετέω, εὐεργέτης, εὐεργετικός, εὐσπλαγχνία, εὔσπλαγχνος, ἔχειν σπλάγχνα, ἠπίως, μακροθυμέω, μακροθυμία, μακρόθυμος, οἰκτιρμός, οἰκτίρμων, προσηνῶς, χρηστεύομαι, χρηστός, χρηστότης
   Auf 1000 Wörter 1 Clem:    5,0
   Auf 1000 Wörter NT:        1,1

4. Begriffsfeld »Krieg«:

   αἰχμαλωσία, αἰχμαλωτεύω, αἰχμαλωτίζω, ἀκαταστασία, διχοστασία, διωγμός, διώκω, ἐρίζω, ἔρις, μάχη, μάχομαι, πολεμέω, πόλεμος, στασιάζω, στασιαστής, στάσις
   Auf 1000 Wörter 1 Clem:    4,6
   Auf 1000 Wörter NT:        1,0

5. Begriffsfeld »Auserwählung«:

   ἐκλέγομαι, ἐκλεκτός, ἐκλογή, κληρονομέω, κληρονομία, κληρόνομος, κλῆρος, κληρόω, μερίς, περιούσιος
   Auf 1000 Wörter 1 Clem:    2,6
   Auf 1000 Wörter NT:        0,6

6. Begriffsfeld »Lebenswandel«:

> ἀγωγή, ἀναστρέφω, ἀναστροφή, βαδίζω, βίος, διευθύνω, πολιτεία, πολιτεύομαι, πορεία, πορεύομαι
> Auf 1000 Wörter 1 Clem:    1,9
> (Mit dem NT nicht vergleichbar)

7. Begriffsfeld »Lohn«:

> βραβεῖον, γέρας, μισθός, δῶρον, δωρεά, δώρημα (ἐπαγγελία, ἐπάγγελμα)
> Auf 1000 Wörter 1 Clem:    1,0 [ἐπαγγελ-: 0,4]
> Auf 1000 Wörter NT:    0,5 [ἐπαγγελ-: 0,4]

## B. Interpretation der Wort- und Begriffsstatistiken

Das bereits zum geflügelten Wort gewordene Mißtrauen: Mit Statistik läßt sich alles beweisen, mahnt nicht nur zur Sorgfalt, sondern weist auch darauf hin, daß eine Statistik erst durch Interpretation zum Sprechen gebracht werden muß. Wir müssen das ausgewählte und zusammengetragene Material lesen lernen, in eine Sprache übersetzen, die etwas zur Form des Ersten Klemensbriefes sagen kann, und dann auf seinen Aussagewert hin prüfen. Bezugnahme auf andere Autoren ist nicht möglich, da man sich mit der Frage auf unserem Gebiet noch gar nicht beschäftigt hat. Das ist aber nicht das größte Manko. Viel schmerzlicher empfinde ich den Mangel an einer Wortstatistik für ältere und jüngere griechische Literatur, die die möglichen Schwankungsbreiten innerhalb der Sprache, eines bestimmten Zeitraumes und eines einzelnen Schriftstellers sichtbar machen könnte. Solange uns diese Möglichkeit nicht zu Gebote steht, muß man immer darauf achten, daß man wortstatistische Phänomene in der Interpretierung ja nicht überzieht. Doch der noch herrschende Mangel verbietet uns nicht, einen Anfang zu machen.

### a) Stilistische Eigenheiten

Es geht um die Tabelle der 20 häufigsten Wörter. Die Spalte, die uns die ersten Hinweise für die Interpretation gibt, ist die erste. Denn da scheint die Übereinstimmung mit und die Abweichung von der Norm – wenn man das Durchschnittsvorkommen innerhalb des größeren Bereiches »Neues Testament plus Apostolische Väter« einmal als Norm bezeichnen darf – deutlich auf.

### aa) Koordinierende Partikeln (δέ, ἀλλά, καί, οὖν, γάρ)

Bei den drei häufigsten Wörtchen, dem Artikel, καί und αὐτός, herrscht Übereinstimmung (ein Hinweis, daß auf diese Weise Vergleichung möglich ist). Doch dann kommt schon eine Unterbrechung: die Nummer 4 gibt es in der ersten Spalte nicht, d. h. das in der Vergleichsgruppe (NT + AVV) vierthäufigste Wort scheint für den Text des 1 Clem, abzüglich der atl. Zitate, unter den 20 häufigsten Wörtern gar nicht auf!

Dieses Wort ist die Partikel δέ. Das ist auffällig. Während die Partikel innerhalb des aus dem AT übernommenen Textes noch den Platz des siebthäufigsten Wortes einnehmen würde, rutscht sie für den übrigen Text so weit herunter, daß sie in der verglichenen Literatur nur in dem Kolosserbrief, den Johannesbriefen und der Apokalypse noch seltener vorkommt. Einen gewissen Ausgleich dafür bietet wohl das am 20. Platz auftauchende ἀλλά, das in den übrigen Schriften sehr viel seltener ist. Nur noch in den Paulusbriefen (den Kolosserbrief ausgenommen: dort trägt es die Nummer 78!) nimmt es einen vergleichbaren, den 18. Rang ein, obgleich sich δέ dort auf dem 5. Platz behauptet und man von Kompensation nicht reden kann.

Trotz dem Ausgleich mit ἀλλά bleibt eine Abneigung gegen adversative Partikeln bestehen – denn δέ und ἀλλά zusammengenommen würden nur auf den 7. (bzw. für 1 Clem *mit* Zitaten auf den 12.) Platz vorrücken, den 4. also nicht erreichen –, woraus man entweder auf eine Mentalität schließen kann, die nicht in Gegensätzen denkt, oder auf ein Denken, das sich im konkreten Fall weigert, Gegensätzlichkeit zu akzeptieren. Der Autor gesteht dem δέ seine im Griechischen häufig kopulative Funktion nicht zu. Das kann man wohl sagen, auch wenn er καί nicht häufiger gebraucht als etwa das NT, nämlich 144mal auf 1000 Wörter Text (= genau wie das NT!). Das heißt nur, daß das Kopulative für ihn keine Alternative zum Adversativen darstellt. Diese muß anderswo gesucht werden. Sie zeigt sich m. E. in dem an 12. Stelle stehenden οὖν. In den atl. Zitaten kommt dieses Wörtchen überhaupt nicht vor. In vergleichbarer Häufigkeit verwendet es nur das Johannesevangelium (15. Stelle). Ganz offensichtlich ist es ein vom Verfasser des 1 Clem bevorzugtes Wort. Durch seinen häufigen Gebrauch verrät er, daß er nicht in Gegensätzen, sondern in Folgerungen denkt oder denken will. Er gebraucht daher adversative Partikeln ausnehmend selten, das konsekutive οὖν hingegen auffallend oft. Das scheint mir ganz klar auf die gar nicht didaktische, aber durch und durch paränetische Absicht des Verfassers hinzudeuten. Für diese These spricht aus den eben angeführten Gründen auch das etwas überdurchschnittliche Vorkommen der kausalen Partikel γάρ. Nur im Corpus paulinum (ausgenommen Epheser und Kolosser, aber eingeschlossen der Hebräer) kommt sie ebenso oft vor (11. Platz gegenüber dem 18. in der Gesamtliteratur).

## bb) Personalpronomina (ἡμεῖς, ὑμεῖς, ἐγώ, σύ)

Der erste Querstrich steht neben ἡμεῖς. Das fünfthäufigste Wort in 1 Clem taucht in der Vergleichsgruppe unter den 20 häufigsten Wörtern gar nicht auf. Mit ἡμεῖς verhält es sich also umgekehrt als mit δέ. Bei genauerer Nachprüfung der verglichenen Gesamtliteratur stellt sich heraus, daß ἡμεῖς, das im 1 Clem häufigste Personalpronomen (wir beschränken uns auf die 1. und 2. Person), dort das seltenste ist. Den gleichen Rang nimmt es nur bei Polykarp an die Philipper, bei 1.2 Thess und bei 2 Kor ein (wobei jedoch in den genannten Paulinen ὑμεῖς noch häufiger vorkommt). Damit ist der statistische Erweis dafür erbracht, daß der Erste Klemensbrief im kommunikativen Wir-Stil spricht. Das wird gestützt durch die relative Seltenheit von ὑμεῖς (18. statt 9. Platz), und die noch größere von ἐγώ und σύ, die in der verglichenen Literatur den 8. bzw. 16. Rang einnehmen, im 1 Clem jedoch unter den 20 häufigsten Wörtern längst nicht mehr zu finden sind und überhaupt nur in Zitaten bzw. in Zitaten und im Allgemeinen Gebet gebraucht werden. Mehr als Kuriosum sei noch auf πᾶς hingewiesen. Häufiger als in 1 Clem kommt es nur in Polykarp an die

Philipper (3. Platz), sowie im Epheser- (5. Platz) und Kolosserbrief (6. Platz) vor. Sein häufiger Gebrauch ist auf die persönliche Eigenart einer gewissen Überschwenglichkeit zurückzuführen.

### cc) Präpositionen (ἐν, εἰς, διά, ἐπί, ἀπό, ὑπό)

Während in der Vergleichsgruppe unter den ersten 20 Wörtern nur 2 Präpositionen, ἐν und εἰς aufscheinen, kommen im 1 Clem noch 4 weitere hinzu: διά, ἐπί, ἀπό, ὑπό. 1 Clem liebt offensichtlich präpositionale Wendungen. Der Grund für den überdurchschnittlich häufigen Gebrauch dürfte jedoch bei jeder Präposition wieder ein anderer sein. ᾽Εν und εἰς bleiben im Rahmen des üblichen, διά jedoch fällt stark aus der Rolle. Selbst wenn man alle Stellen, die »durch Christus« sagen, in Abzug brächte, würde es nur auf den 12. Platz hinunterrutschen, den Platz, den es nur noch in Röm, Hebr und 1 Petr einnimmt. Der Gebrauch ist durchweg instrumental (mit Genitiv) oder kausal (mit Akkusativ). Diese Beobachtung verbindet sich mit jener anderen, daß der Verfasser sich nicht adversativ, sondern folgernd und begründend ausdrückt. Nicht die Gegensätze will er hervorheben, sondern Mittel, Wege und Gründe aufzeigen, um seine Gedanken durchsichtig und annehmbar zu machen. Durch häufige solche Hinzufügungen wird der Stil etwas schwerfällig und die Gedankenfolge wirkt umständlich, erklärt sich aber aus dem ständigen Bemühen konsekutiv, kausal und instrumental zu verknüpfen.

Nicht so eindeutig wie διά, das in den LXX-Zitaten kaum vorkommt, bevorzugt der Verfasser ἐπί. Dieses verteilt seine Häufigkeit ungefähr gleichmäßig auf die Zitate und den übrigen Text. Die Apostelgeschichte gebraucht es ungefähr gleich oft (13. Stelle), die Apokalypse viel häufiger (fünfthäufigstes Wort!). Fast dasselbe ist zu ἀπό zu bemerken, nur daß dieses in keiner der verglichenen Schriften unter den häufiger gebrauchten Wörtern aufscheint. Sowohl ἐπί wie ἀπό weisen nur hin auf die Vorliebe des Verfassers für Präpositionen. Noch deutlicher zeigt sich das bei ὑπό, das sich mit ἀλλά in den 20. Platz teilt, und deshalb gerade noch auf unserer Liste steht. Es ist das auffälligste Wort der ganzen Tabelle. Innerhalb der Häufigkeitstabelle zum NT steht es erst an 73. Stelle. Im ersten Korintherbrief des Paulus kommt es noch am häufigsten vor, doch auch da nimmt es nur den 47. Platz ein. In den LXX-Zitaten des 1 Clem fehlt es ganz. Sein relativ häufiger Gebrauch weist auf die Bevorzugung passivischer Ausdrucksweise. Obwohl der Verfasser nicht ganz direkt werden will, möchte er doch auf die Nennung des logischen Subjektes nicht verzichten. Das zwingt ihn, häufig einen präpositionalen Ausdruck mit ὑπό zu bilden, was ebensosehr zur Sanftheit wie zur Umständlichkeit seines Stiles beiträgt.

### dd) Zusammengefaßt

Aus der Tabelle der 20 häufigsten Wörter kann man auf einen Verfasser schließen, der Härten vermeidet (selten adversative Partikeln, bevorzugt ὑπό und damit das Passiv) und durch konsekutive, kausale und instrumentale Verknüpfungen (οὖν, γάρ, διά) seine Ansicht durchsichtig und werbend (vgl. ἡμεῖς) formulieren will. Seine Vorsichtigkeit (Indirektheit durch Passiv mit ὑπό) muß er wohl mit einem gewissen überladenen Stil (viele präpositionale Ausdrücke) bezahlen. Vielleicht neigt er zu Übertreibung (πᾶς).

## b) Der Wortschatz

Aus der Tabelle, die die Anzahl jener Wörter anzeigt, die weniger als zehnmal vorkommen, läßt sich erst dann etwas entnehmen, wenn man die jeweiligen Zahlen mit denen anderer Schriften vergleicht. Dann aber fällt auf den ersten Blick auf, daß die Zahlen für 1 Clem – mindestens bis zur 5. Zeile – sehr hoch sind. Nicht nur der etwas kürzere Römerbrief hat weniger Hapaxlegomena aufzuweisen, sondern auch die etwa gleichlange Apokalypse, die etwas längeren Evangelien nach Markus und Johannes und der doppelt so lange Matthäus. Am auffälligsten jedoch ist, daß das lukanische Doppelwerk, d. h. die beiden ntl. Schriften, die den reichsten Wortschatz aufzuweisen haben und jeweils doppelt so lang sind wie 1 Clem, keine erheblich größeren Zahlen aufzuweisen haben. Und diese Feststellung gilt nicht allein für die Hapaxlegomena, sondern ebenso für die Dislogomena usw. bis hinunter zu den Wörtern, die fünfmal vorkommen.

Die zehnte Zeile bestätigt es: Verglichen mit der umliegenden Literatur hat 1 Clem einen unvergleichlich großen Wortschatz. A. Harnack glaubte ihn »buntscheckig« nennen zu sollen [4]. Man kann das dahingestellt sein lassen, wenn ich auch nicht ganz verstehe, was es bedeuten soll. Eindeutig falsch ist es aber, wenn er meinte, das Vokabular des Briefes sei »nicht sehr reichhaltig« [5]. Eine andere Frage ist, ob diese Reichhaltigkeit nur durch die vielen langen Zitate zustande kommt. Diese Frage braucht hier jedoch nicht gelöst zu werden. Es genügt die Feststellung, daß der Erste Klemensbrief als Werk-Einheit betrachtet einen reichhaltigeren Wortschatz hat als alle umliegende Literatur.

## c) Vorzugswörter

Die relative Häufigkeit eines Wortes auf 1000 Wörter Text sagt erst dann etwas, wenn sie vergleichbaren Schriften gegenüber auffällig hoch liegt. Um von Auffälligkeit reden zu können, wollen wir eine dreifache Häufigkeit als Mindestmaß ansetzen. Dadurch wird aus den 85 Wörtern, die in 1 Clem zwischen 10mal und 30mal vorkommen, eine Gruppe von 22 herausgehoben, die als Vorzugswörter in Frage kommen. Es sind die in der Tabelle unterstrichenen Wörter. Die doppelte Unterstreichung, die 10 von ihnen tragen, weist darauf hin, daß diese Wörter in 1 Clem mehr als fünfmal so häufig gebraucht werden wie in der verglichenen Literatur (d. h. bei dieser und den folgenden Tabellen: im NT). Denn auch der Umstand eines dreifach häufigeren Vorkommens – mag er in sich noch so groß sein [6] – ist in seiner Bedeutung um so vorsichtiger zu interpretieren, je niedriger die absolute Vorkommenszahl für das betreffende Wort ist. Deshalb ist bei den Wörtern am Anfang unserer Tabelle größere Vorsicht angebracht als bei den späteren. Bei einer Vorkommenszahl von nur 10, 20 oder 30 muß man überhaupt sehr genau zusehen, bevor man eine Abweichung als statistisch signifikant qualifiziert. Je größer die absolute Vorkommenszahl und je größer das

---

[4] *Einführung* 85.
[5] *Studie* 61, Anm. 1; *Einführung* 85, Anm. 1.
[6] Wie groß dieser Unterschied ist, zeigt ein Vergleich mit der Art, wie *Morgenthaler* vorgeht. Für ihn ist ein Vorzugswort schon dann gegeben, wenn die Häufigkeit seines Vorkommens nur um Bruchteile über dem Durchschnitt liegt. Dazu genügt ein Vorsprung von einem halben Promille, z. B. $\gamma\tilde{\eta}$: auf 1000 Wörter Mt: 2, 3; auf 1000 Wörter NT: 1,8.

Vielfache der verhältnismäßigen Häufigkeit gegenüber der Norm ist, desto sicherer ist eine Bevorzugung zu konstatieren. Das heißt ein doppelt unterstrichenes Wort gegen Ende der Tabelle, wie z. B. δεσπότης oder ζῆλος, ist mit ungleich größerer Wahrscheinlichkeit ein bedeutsames Vorzugswort als ein einfach unterstrichenes an deren Anfang, wie etwa εὐλογέω oder θυσία, φόβος oder γενεά.

Sehr deutlich zeigt der aufgeführte Ausschnitt aus dem Vokabular die religiöse Ausrichtung des Schreibens: Unverhältnismäßig viele Wörter sind religiösen Charakters! Die unterstrichenen Vorzugswörter bestätigen diesen Eindruck. Es sind alles religiöse oder doch religiös verwendbare Begriffe. Doch mit dieser Feststellung ist noch entschieden zu wenig gesagt. Denn der allgemeine Eindruck eines religiösen Vokabulars wird durch die Vorzugswörter in einer bestimmten Richtung spezifiziert. Sicher, zunächst geht es ganz allgemein um Segen (εὐλογέω), Auserwählung (ἐκλεκτός, wozu auch vorsichtig ἀγαπητός gerechnet werden kann) und Rettung (ῥύομαι). Aber die Spezifizierung tritt doch sofort ein: δεσπότης, deutlich Vorzugswort, heißt der herrscherliche Besitzer und steht als Name für Gott. Dazu paßt, daß θέλημα fast ausschließlich vom Gotteswillen und φόβος (samt φοβέομαι) fast ausschließlich von der Gottesfurcht gebraucht wird[7]. Das trifft zu, auch falls θέλημα und φόβος nicht als besonders hervorstechende Vorzugswörter zu betrachten sein sollten. Die Haltung der Gottesfurcht konkretisiert sich im Demütigsein (ταπεινοφρονέω, auch μικρός gehört hier in die Nähe) und findet im Kultopfer ihren Ausdruck, wenn θυσία wirklich als Vorzugswort gelten darf. Der mit Furcht zu beantwortende Wille des Herrschers geht auf ὁμόνοια (dieses im NT fehlende Wort begegnet in der umliegenden Literatur nur noch bei Ignatius und Hermas[8]), Eintracht, und εἰρήνη, Frieden. Eine nähere Bestimmung erhält die Eintracht durch die einzigen negativen Termini, die in der Liste aufscheinen, ἀνομία und ζῆλος. Die Bosheit, der entgegengewirkt werden soll, ist Eifersucht oder Neid. Daß es dabei irgendwie um ein universelles Anliegen geht, darauf mag schon der Gottesname »Herrscher« hingewiesen haben, das legt auch γενεά nahe: irgendwie betont wird das ganze Menschengeschlecht oder alle Geschlechter. Die Hervorhebung von δίκαιος, gerecht, kann in der gleichen Linie liegen. Keine Spezifizierung, sondern einen Hinweis auf die allgemeine Sakralisierung der Sprache erbringen ὅσιος (heilig) und αἰών (gebraucht in der Formel »von Ewigkeit zu Ewigkeit«; in vergleichbarer Häufigkeit, nämlich 2,5mal auf 1000 Wörter Text, kommt es nur noch in der Offenbarung des Johannes vor).

In welchem sprachlichen Genus diese ganze religiöse Sprache gebraucht wird, darauf weist κολλάω hin: es heißt soviel wie sich an bestimmte Vorbilder halten. Es wird also weniger um religiöse Lehre als um Paränese gehen. Hierher gehört ἀγάπη. Doch gleich melden sich Bedenken an, ob es überhaupt ein Vorzugswort sei. Denn über die Hälfte der Stellen, an denen es steht, finden sich in den beiden Kapiteln 49 und 50. Nimmt man c. 49/50 weg, dann kommt ἀγάπη im restlichen Brief 0,9mal auf 1000 Wörter vor, nicht öfter als durchschnittlich im NT. Dennoch kann man es wahrscheinlich machen, daß ἀγάπη für den Verfasser des 1 Clem ein Vorzugswort ist, und zwar aus einem Parallelfall innerhalb des NT, dem paulinischen ersten Korintherbrief und seinem 13. Kapitel. Läßt man c. 13 weg, dann kommt ἀγάπη im rest-

---

[7] Wenn man φόβος und φοβέομαι zusammennimmt, ist ihr Vorkommen kaum häufiger als durchschnittlich im NT (1,6mal auf 1000 Wörter gegenüber 1,0mal). Herausragend ist nur φόβος θεοῦ und φοβέομαι θεόν: in 13 von 16 Fällen!

[8] Vgl. *Kraft*, Clavis und *Bauer*, Wörterbuch s. v.

lichen 1 Kor 0,8 mal auf 1000 Wörter Text vor, also ungefähr so oft wie durchschnittlich im Gesamt-NT. Für 1 Kor mit c. 13 heißt die entsprechende Zahl jedoch 2,1 mal pro 1000 Wörter Text. Und diese Zahl ist nun ziemlich genau die durchschnittliche Zahl für die Paulusbriefe insgesamt! Bei Paulus kommt ἀγάπη 2,3 mal auf 1000 Wörter vor. Also nicht weniger oft als im ersten Korintherbrief samt seinem 13. Kapitel. Von daher kann man vorsichtig umgekehrt sagen: Im Ersten Klemensbrief samt seinen Kapiteln 49 und 50 kommt ἀγάπη vermutlich so oft und nicht öfter vor als es »Klemens« entspricht. Man darf und muß also gerechterweise ἀγάπη unter die Vorzugswörter des 1 Clem rechnen.

Für eine Deutung wenig ertragreich sind ὅπως und ἐπιτελέω. Mit ὅπως ist ein kleiner Ausgleich für das relativ seltene ἵνα gefunden. Die Häufigkeit des farblosen ἐπιτελέω, meist im Sinne des Hilfsverbs »machen« gebraucht, läßt auf eine gewisse Schwerfälligkeit des Verfassers im verbalen Ausdruck schließen. Diese Vermutung deckt sich mit der Beobachtung eines ebenfalls überdurchschnittlichen Gebrauchs von ποιεῖν, der aus der Tabelle der 20 häufigsten Wörter zu ersehen ist.

Aus der Häufigkeitstabelle für Einzelwörter läßt sich also auf die religiös-paränetische Behandlung eines »herrscherlichen«, von Demut (-Furcht-Wille?) geprägten und auf Eintracht-Frieden (-Liebe) ausgerichteten Themas schließen.

### d) Schlüsselwörter

Die zentrale Bedeutung, die ein Wort für einen Verfasser haben kann, drückt sich nicht notwendig in seiner häufigen Benutzung aus. Ein statistischer Hinweis auf die Schlüsselstellung eines solchen Wortes läßt sich durch Heranziehung sämtlicher Wörter vom gleichen Stamm oder der gleichen Wurzel finden. Die vier Wortfelder ὑπακο-, ταπεινο-, -ταγ- und δικαιο- weisen alle eine deutliche Vorzugsstellung auf gegenüber dem NT, ja auch noch gegenüber Paulus, insofern sie auch Paulus bevorzugt. (Einzig der Römerbrief, der ja *auch* eine Abhandlung über die Rechtfertigung ist, ist in der Verwendung des Wortstammes δικαιο- allen anderen Schriften und auch unserem 1 Clem weit überlegen.)

Aus diesen vier Wortfeldern entspringen vier Schlüsselwörter: Gehorsam, Demut, Ordnung, Recht. Da die nahe Verwandschaft dieser Wörter auf der Hand liegt, bedarf es keiner weiteren Interpretation. Allein ihre Zusammenstellung offenbart Mentalität und Anliegen des Verfassers. (Dabei ist der Gehorsam absolut gesehen mehr betont als das Wortfeld ὑπακο- zu erkennen gibt. Das kommt zum Vorschein, wenn man aus den Stämmen ὑπακο- und ὑποταγ- das Begriffsfeld »Gehorsam« darstellt. Es ergibt sich 2,6 maliges Vorkommen auf 1000 Wörter Text bei 1 Clem gegenüber 0,6 maligem im NT und 1,6 maligem bei Paulus.) Damit ist auch nicht mehr daran zu zweifeln, daß ταπεινοφρονέω und δίκαιος Vorzugswörter des Ersten Klemensbriefes sind.

### e) Schlüsselbegriffe

Unseren selbstgewählten Grundsatz zugrunde legend, nur bei einer wenigstens dreifachen Überlegenheit über das Vorkommen in der Vergleichsgruppe NT von Vorzugswörtern zu reden, und ihn auch auf die Schlüsselbegriffe anwendend, kann man »Wille« und »Lohn« zunächst einmal streichen. Wegen ihres geringeren Vorsprungs können sie allenfalls andere Beobachtungen stützen. Damit ist auch $\vartheta\acute{\epsilon}\lambda\eta\mu\alpha$ aus der Liste der eindeutigen Vorzugswörter zurückzustellen. Verdächtig nahe an die Grenze rückt jedoch »heilig« heran. Zusammen mit dem überdeutlichen Vorzugswort $\acute{o}\sigma\iota o\varsigma$ entspringt daraus die sichere Erkenntnis einer sakralisierten Sprache. Allerdings könnte die Sakralisierung wieder ein Teilphänomen der schon vermuteten Neigung zur Übertreibung sein und dann mit beitragen zu der schon festgestellten Überladung und Unbeholfenheit des Stils. Doch wenn auch diese Einordnung nicht stimmen sollte, so bleibt die Feststellung der Sakralisierung bestehen.

Am schwierigsten zu beurteilen ist das Begriffsfeld »Lebenswandel«. Und zwar sowohl wegen der absolut gesehen nicht besonders hohen Vorkommenszahl, was bedeutet, daß von den verwendeten Wörtern keines mehr als sechsmal, die meisten nur einmal gebraucht werden, wie wegen der kaum vorhandenen Vergleichsmöglichkeit. Die einzige Hilfe bietet Bauer, Wörterbuch. Daraus kann man, bei Vergleich der einzelnen Stichwörter in der Spezialbedeutung Lebenswandel, mit einiger Mühe entnehmen, daß die Vorkommenszahlen im NT, im 1 Clem und in der gesamten übrigen verglichenen Literatur eine jeweils ähnliche Größenordnung aufweisen, nämlich um etwa zwei Dutzend herum. Somit ist wenigstens soviel klar: Da die Einzelschrift Erster Klemensbrief für sich ungefähr ebensoviele Stellen buchen kann wie die Schriftenkomplexe NT einerseits und Apostolische Väter andererseits jeweils für sich, ist Lebenswandel ein wichtiger Begriff im Denken des Autors von 1 Clem.

Die Zahlenergebnisse zu den drei letzten Begriffsfeldern, nämlich »Güte«, »Krieg« und »Auserwählung«, erheben diese drei Begriffe deutlich zu Vorzugsbegriffen. Das ist auffällig. Denn wenigstens »Krieg« und »Güte« scheinen doch Gegensätze zu sein, und man sieht nicht gleich, warum der Verfasser beiden Begriffen eine Vorzugsstellung geben kann. Eine entsprechende Beobachtung war schon unter den Vorzugswörtern zu machen, unter denen sowohl die Liebe wie die Eifersucht zu finden sind. Das deutet auf eine Polarisierung der Sprache hin: Auf der einen Seite hätten wir Krieg mit Spaltung und Verfolgung, auf der anderen Frieden mit Eintracht und Güte; auf der einen Eifersucht mit Neid und Streit, auf der anderen Liebe und Bruderliebe. Und beide Extreme werden betont und im Wortgebrauch bevorzugt. Die Bevorzugung ist so auffallend – im Vergleich mit der umliegenden Literatur kommt ein entsprechendes Wort mehr als viermal sooft vor –, daß der Verdacht geweckt wird, der Verfasser überzeichne. Es fügt sich das in die schon früher angestellte Vermutung des Hanges zu Übertreibungen ein.

Allerdings gilt das nicht für den Begriff »Auserwählung«. Dieser gehört wohl in die Nähe des bevorzugten Begriffes »heilig« und trägt damit zur Sakralisierung der Sprache bei. Man kann noch weitere Polarisierungen finden; hingewiesen sei darauf, daß nicht nur Demut und Gehorsam bevorzugt gebraucht werden, sondern auch der Gegenpol Prahlerei und Hochmut (2,3 mal auf 1000 Wörter 1 Clem; 0,1 mal auf 1000 Wörter NT; 0,3 mal auf 1000 Wörter Paulus). Mit Güte ist sehr weitgehend die Güte und das Erbarmen Gottes gemeint, was den deutlichen Gegenpol bildet zu dem Hinweis auf ein vielleicht strenges Gottesbild (Gottesfurcht, Gott als $\delta\epsilon\sigma\pi\acute{o}\tau\eta\varsigma$ und $\pi\alpha\nu\tau o\kappa\varrho\acute{\alpha}\tau\omega\varrho$). Es ist nun nicht Sache der wortstatistischen Auswertung, zu entscheiden, wohin sich die Waagschale mehr neigt: zur Strenge oder zur Güte, zum Krieg oder zum Frieden. Was der Verfasser erreichen will, ist ohnehin klar. Ob die Mittel, die er eingesetzt hat, richtig sind, steht nicht zur Entscheidung an. Hier erhalten wir nur den Hinweis auf einige seiner sprachlichen Mittel. Und das Kapitel »Schlüsselbegriffe« erbrachte das Ergebnis, daß er sich einer polarisierenden, nach beiden Seiten hin übertreibenden Sprache bedient, dabei sakralisiert und mehr als andere auf den Lebenswandel abhebt.

### f) Koordinierende Auswertung

Der Brief hebt als einzige der vergleichbaren Schriften den Begriff »Lebenswandel« hervor. Als herausragende Schlüsselwörter reihen sich an: Gehorsam, Demut, Ordnung und Recht. Neben dem Ordnungs- und Unterordnungsgedanken steht aber auch das Vorzugswort Liebe.

Überhaupt bedient sich der Verfasser einer polarisierenden Sprache: Er betont sowohl Krieg wie Frieden, sowohl Eifersucht wie Liebe, sowohl Hochmut wie Demut. Das schlägt sich auch im Reden von Gott nieder: Er betont sowohl Herrschertum und Furcht Gottes wie seine Güte. Von daher ist etwas zu korrigieren. Der Verfasser meidet die Adversativ-Partikel δέ wohl nicht so sehr deshalb, weil er nicht in Gegensätzen denkt, sondern im Gegenteil, weil er »polarisierend« denkt. Er betont sowohl den einen wie den anderen zweier extremer Pole, ohne jeweils die eine der beiden Aussagen zugunsten der anderen abschwächen zu wollen. Er meidet also δέ, weil er sich nicht einschränkend und differenzierend, ausgleichend und abschwächend (mit »ja, aber...«) ausdrücken kann und will. Er läßt vielmehr seine Aussagen und Behauptungen einfach stehen und geht von da aus weiter, indem er sie noch einmal begründet mit nämlich (γάρ) oder weiterführend darauf aufbaut mit also, deswegen (οὖν, διά). Sein polarisierendes Denken mag ihn auch zu Übertreibungen veranlassen, was sich im Vorzugswort πᾶς andeutet.

Das sehr häufig vorkommende ἡμεῖς liefert den statistischen Beweis für den kommunikativen Wir-Stil. Der Verfasser schließt alle ein. Er sucht den Ausgleich nicht durch Differenzierung, sondern durch Umfangen. Daher wohl übt er eine gewisse Vorsicht im Ausdruck, was sich in einer übergroßen Anwendung des Passivs, der mehr indirekten Verbalform, niederschlägt, was sich aus der hohen Vorkommenszahl von ὑπό ergibt. Daß insgesamt Präpositionen und damit präpositionale Ausdrücke bevorzugt werden, läßt auf eine gewisse Schwerfälligkeit des Stils schließen. Dasselbe spricht aus dem überaus häufigen Gebrauch von ἐπιτελεῖν und ποιεῖν, was die verbale Ausdrucksfähigkeit betrifft. Denn im übrigen weist der Erste Klemensbrief einen ungeheuer reichhaltigen Wortschatz auf, was aber vermutlich nicht auf Rechnung eines differenzierenden, sondern eines alles umfangenden und miteinbeziehenden Denkens geht. Charakterisiert ist die Sprache insgesamt durch eine zunehmende Sakralisierung.

Die Beobachtungen weisen in eine bestimmte Richtung. Zunächst ist es klar, daß es um einen Aspekt des Gemeinschaftsproblems geht. Mit der Betonung von »Lebenswandel« ist das Problem der Gestaltung des Lebens in den Vordergrund gestellt. Beherrscht ist diese Gestaltung von den Fragen nach Recht und Ordnung, Gehorsam und Demut, also Fragen des Zusammenlebens, der Gemeinschaft. Damit sind die Umrisse des Problemkreises gezeigt, den der Verfasser mit seiner polarisierenden und damit übertreibenden, alles einbeziehenden Redeweise überschüttet. Übermäßig wird die Lage als Unordnung, Eifersucht, ja Krieg gezeichnet – dem ist wohl das Bild des herrschenden und zu fürchtenden Gottes zuzuordnen –, übermäßig wird die

Bereinigung der Lage im Sinne des Verfassers als Ordnung, Liebe und Friede herausgestellt – die Güte Gottes vor Augen geführt.

Die Sprache weist »manipulative« Züge auf. Zu solcher Sprache greift man, wenn notwendig gewordene Veränderungen durchgesetzt werden müssen. Recht, Ordnung, Gehorsam, Demut zeigen an, daß die im Gemeinschaftsproblem beheimatete Veränderung in der neu zu verstehenden autoritativen Unter- und Überordnung zu suchen ist, daß es also wohl in irgendeiner Weise um die Verteilung der gemeinschaftsspezifischen Machtbefugnisse geht. Die sprachliche Eigenheit der fortwährenden Begründungen und Folgerungen, die den Leser mitnehmen sollen, und die zunehmende Sakralisierung, die ihn in einen Raum höherer Weihe enthebt, fügen sich in diese Deutung ein.

## 3. ABSCHNITT

## DIE SCHRIFTBENUTZUNG IM ERSTEN KLEMENSBRIEF

Der zweigeteilte, in streng paralleler Zuordnung aufgebaute Brief behandelt in dem Einzelfall Korinth ein Gesamtproblem, bei dem es wohl in der Sicht des Verfassers grundsätzlich um Recht und Ordnung, Gehorsam und Demut geht. Wenn von Lebenswandel gesprochen wird, wo »wir« zwischen Krieg und Frieden, Streit und Liebe zu wählen haben, so ist damit die Neubestimmung des Autoritätsverständnisses gemeint. Soviel hat sich aus den beiden vorigen Untersuchungen zur Form des Briefes ergeben. Bei der Untersuchung zur Wortstatistik stießen wir jedoch schon auf das Problem der langen Schriftzitate. Daß dieses auffällige Faktum nicht belanglos sein kann für die Form, wurde schon lange erkannt, muß aber für unser Anliegen noch einmal neu untersucht werden.

1891 glaubte Wrede drei Verwendungsarten feststellen zu können: Erstens eine praktische[1]; zweitens eine solche, die den Weissagungscharakter des AT voraussetzt[2]; drittens die typologische[3]. Den Grund für den reichlichen Gebrauch des AT sieht Wrede in der »feierlichen, lehrhaften Art des ganzen Schreibens«: die »homiletische Arbeit« bedient sich »der höchsten zu Gebote stehenden Form religiöser Mitteilung«[4]. Erst 1950 wurde dieser Ansatz von E. Peterson weitergetrieben: Nicht der vielberufene homiletische Charakter wird für den ausgedehnten Schriftgebrauch verantwortlich gemacht, sondern das sei die literarische Form der Nuthesia[5]. Als Grundpfeiler dieser Verwendung wird die typologische Deutung genannt.

Verwendet 1 Clem jedoch die Schrift in diesem Sinne typologisch? Diese Frage kann erst aufgrund eines systematischen Durchgangs sämtlicher atl. Zitationen im Ersten Klemensbrief beantwortet werden. Ein solcher sytematischer Durchgang ermöglicht dann auch eine Stellungnahme zu dem Harnackschen Schlagwort vom AT als Quelle des clementinischen Christentums[6] und zu den Ergebnissen der Arbeit von J. Klevinghaus, der danach fragt, wie 1 Clem zur atl. Offenbarung stehe. Punkt A dieses Abschnittes wird also nichts anderes sein als der systematische Durchgang durch sämtliche atl. Zitationen im 1 Clem, Punkt B die zusammenfassende Darstellung der Ergebnisse dieses Durchgangs.

---

[1] »Der am stärksten im Klemensbriefe hervortretende Schriftgebrauch ist der *praktische* im allereinfachsten Sinne« *Wrede* 76. Mit »praktisch« ist die paränetische Anwendung von Worten und Beispielen der Schrift gemeint: »die Schrift ist das große *ethische Musterbuch*« a. a. O.

[2] »Doch auch diejenige Verwendung des Schriftworts begegnet deutlich genug, welche auf der Anschauung ruht, daß das A. T. *Weissagung* ist auf Christus und seine Gemeinde« *Wrede* 77.

[3] »C. 40f wird von der alttestamentlichen Kultusordnung gesprochen. Hier handelt es sich nicht um Weissagung, aber doch um eine typische Parallele« *Wrede* 77.

[4] *Wrede* 60.

[5] *Peterson* 356 mit Anm. 13.

[6] *Einführung* 66: »Das Christentum des Clemensbriefs erkennt seine von Gott gegebene vollständige und suffiziente Grundlage im A. T. und will daher nichts anderes sein als Religion dieses Buchs.« Damit glaubt *Harnack* »das letzte Wort« zu dieser Frage gesprochen zu haben!

## A. Systematischer Durchgang der alttestamentlichen Zitationen im Ersten Klemensbrief

Wrede, Harnack und Klevinghaus bringen wichtige und interessante Beiträge. Durch klare Unterscheidung bringt Wrede Licht in das zu seiner Zeit wuchernde Gestrüpp der Meinungen; Harnack äußert ein deutlich formuliertes Vorverständnis; Klevinghaus behandelt eingehend seine Spezialfrage von seinem Verständnis des klementinischen Christentums aus. Was aber allen diesen Arbeiten mangelt, ist die vollständige Erörterung der atl. Zitate an je ihrer Stelle innerhalb des Ersten Klemensbriefes. Nur eine solche vollständige Erörterung kann aber die Grundlage für eine objektive wissenschaftliche Weiterarbeit bilden, denn nur an Hand einer vollständigen Zusammenstellung lassen sich Schlußfolgerungen ziehen und beurteilen. Die Menge des zu erwartenden Materials darf vor dem Versuch nicht abschrecken.

*3, 1:* καὶ ἐπετελέσθη, und das Geschriebene wurde (wieder einmal) Wirklichkeit, bewahrheitete sich (wieder einmal). Das heißt: So wie wir lesen, daß es damals war, so ist es heute wieder. Dabei kommt es nicht auf das damalige Geschehen an, sondern auf das heutige: das heutige soll zum Ausdruck gebracht werden, und zwar mit Hilfe der im Geschriebenen bereitliegenden Worte. Weil es nicht auf das damalige Geschehen ankommt, können die Worte so umgestellt und uminterpretiert werden, daß nunmehr die jetzige Situation getroffen wird[7]. Durch das Zitat wird nichts bewiesen – schon gar nicht die Erfüllung einer Weissagung konstatiert –, sondern eine Behauptung mit Hilfe von Schriftworten zum Ausdruck gebracht und damit verstärkt: Schriftworte als Verstärker! Damit werden die Schriftworte zum Aufhänger weiterer Behauptungen, hier Vorwürfe[8]. Zunächst geschieht eine Beurteilung, die in der Schrift verankert und dadurch verstärkt zum Ausdruck gebracht wird. – Der Zeitfaktor damals/heute spielt eigentlich gar keine Rolle. Das Geschriebene »paßt« eben auf die Situation. Mehr will ἐπιτελεῖν nicht sagen. – Daß das zurechtgemodelte Zitat nur ein Aufhänger für die eigenen Gedanken des Verfassers ist, zeigt sich darin, daß die entscheidende Aussage des Zitates, nämlich ἀπελάκτισεν, nachher gar keine Rolle spielt, obwohl im folgenden Vers ζῆλος, φθόνος, ἔρις ... davon abgeleitet werden. Späterhin werden ζῆλος usw. nicht mehr begründet, sondern begründen ihrerseits das vom Verfasser Beanstandete; so schon 3, 4: durch Zelos kam der Tod.

*3, 4:* Das nicht als solches eingeführte Zitat aus Weish 2, 24 stellt eine neue, aber wiederum in der Schrift verankerte Behauptung auf. 3, 1 ist das Scharnier zwischen Laudatio und Improbatio und ermöglicht dem Verfasser auf sein Thema, Zelos usw., zu sprechen zu kommen. Die im uneingeführten Zitat 3, 4 enthaltene Behauptung gibt dem Verfasser die Möglichkeit, den Beweis für die ganze Gefährlichkeit des Zelos anzutreten.

*4, 1:* γέγραπται γάρ: Das eingeführte Zitat 4, 1–6 = Gen 4, 3–8 beweist die Behauptung von 3, 4, daß der Tod durch Zelos in die Welt kam. Die Genesiserzählung wird selbstverständlich als Historie referiert (γέγραπται = wir haben den historischen Bericht). Die Motive Kains werden 4, 7 ohne Reflexion als Eifersucht und Neid interpretiert. Das heißt aber: der Verfasser benutzt – hier nicht Worte, sondern – Erzählungen der Schrift, um seine eigene Ansicht darzustellen: der Schrift entnimmt er das Anschauungsmaterial, das er sich zurechtinterpretiert, bzw. der Verfasser liest und referiert die Schrift von seiner Theologie her.

*4, 8–10. 13:* Das Thema, daß durch Neid der Tod in die Welt kam, wird nicht weiter verfolgt: dem Verfasser geht es nicht speziell darum, sondern allgemein um die Folgen des Zelos. Der Beweis geschieht durch andeutende Referate atl. Erzählungen, wobei die Motive der gegnerischen Seite sofort als Zelos interpretiert werden. Einmal, 4, 10 = Ex 2, 14 soll mit Hilfe eines uneingeführten Zitates näher gezeigt werden, daß wirklich Zelos vorhanden war, gleichsam nur eine erweiterte Darstellung der Behauptung. 4, 11f verwenden die Schrift wie 4, 8–10. 13, nur werden nicht die »Objekte«, sondern die »Subjekte« von Zelos vorgestellt.

Von hier aus läßt sich zur Verwendung der Schrift in 1 Clem 4 einiges sagen. Als Thema des Verfassers hat sich das Zelos-Motiv herausgestellt. Der Verfasser sucht nun nicht nach Aussagen über den Zelos in der Schrift, sondern er »erinnert« sich[9] an Erzählungen und Schicksale, die in der Schrift berichtet sind und in denen seiner Interpreation nach der Zelos eine entscheidende, beispiel-

---

[7] Vgl. *Beyschlag* 137.

[8] Das jetzige Geschehen wird durch eine solche Beschreibung auch in ganz bestimmter Richtung beurteilt und somit eingeordnet. Eine Einordnung in den Herkunftszusammenhang des Zitates ist aber nicht anzunehmen, bevor sie bewiesen ist: Zunächst geschieht höchstens eine Einordnung in den von den ausdrücklich zitierten Worten angedeuteten Zusammenhang.

[9] Daß bei dieser »Erinnerung« eine vorgegebene Abel-Reihe, vgl. *Beyschlag* 67–134, Pate gestanden hat, ist damit nicht in Abrede gestellt.

haft-negative Rolle spielte. Diese seine Interpretation trägt er ein, indem er das Leidensschicksal der Betroffenen auf eigenen (Aaron, Mirjam, Datan, Abiram) oder fremden Zelos zurückführt. Die Schrift bietet also Anschauungsmaterial, unter Umständen zurechtgebogenes, für das Thema des Verfassers.

*6, 3:* τὸ ῥηθὲν ὑπὸ τοῦ πατρὸς ἡμῶν ᾿Αδάμ: Das als Ausspruch Adams, nicht als Schriftwort eingeführte Zitat wird als gültige Maxime verstanden, dergemäß man »wandeln« müsse. Wo die Verhältnisse andere sind, werden sie durch Anführung der Maxime als unrecht erwiesen. Das Zitat verstärkt also das ohnehin eindeutige Urteil des Verfassers. Dem ἐπετελέσθη von 3, 1 entspricht hier das ἠλλοίωσεν: Ein in der Schrift niedergelegtes Wort, das als Maxime verwirklicht werden müßte, wurde (leider wieder einmal) nicht Wirklichkeit, hat sich (leider wieder einmal) nicht bewahrheitet. Von daher zeigt sich, daß der Verfasser von 1 Clem nicht im Schema von Weissagung und Erfüllung denkt, wenn er die Schrift anführt, also auch das ἐπιτελεῖν von 3, 1 nicht so verstanden werden darf.

*7, 5:* Wenn μετανοίας τόπον ἔδωκεν als nicht eingeführtes Zitat aus Weish 12, 10 verstanden werden darf, dann hat der Verfasser an entscheidender Stelle seine Botschaft in der Schrift verankert. Anders als c. 4 wird nun in 7, 6f diese Botschaft nicht durch ein längeres Schriftzitat bewiesen, bzw. veranschaulicht, sondern nur mit interpretierenden Referaten von Gen 7 und Jon 3, entsprechend 4, 8–13.

*8, 2:* Nachdem 8, 1 die Bußpredigt der Diener als λαλῆσαι zusammengefaßt hat, führt 8, 2 ein Schriftzitat als λαλῆσαι des Despotes in derselben Sache ein. Erst dieses Zitat kann die umfassende Behauptung von 7, 5 (ἐν γενεᾷ καὶ γενεᾷ) beweisen, Noach und Jona (7, 6f) waren dafür nur historische Einzelbeispiele. Das Zitat 8, 2 (ebenso 8, 3f) ist also zu vergleichen den c. 5f im Verhältnis zu c. 4. Was dort die Ausweitung bis in die Gegenwart hinein ist, ist hier die Ausweitung auf alle Zeiten. Gottes Wort ist verstanden als gültig für alle Zeiten und alle Geschlechter (7, 5). Die Worte der Schrift sind also wieder gebraucht zum Beweis für eine Behauptung des Verfassers, die auch schon durch die Formulierung in der Schrift verankert worden sein kann (7, 5). 8, 3 ist eingeführt als die wohlwollende Absicht Gottes, 8, 4 als λέγειν Gottes »an einer Stelle«, was die Zitate als Buch- bzw. Schriftzitat kennzeichnen.

*8, 5* bekräftigt abschließend noch einmal die Aussage von 7, 5 und führt sie weiter: Gelegenheit (τόπος) heißt, daß Gottes gütiger Wille (βούλημα) die Kraft gibt (στηρίζειν). ᾿Αγαπητοί könnte als einschränkende Interpretation des Vorausgehenden verstanden werden, knüpft aber wohl eher an ἠγαπημένος von 3, 1 an. Die Gemeinde, und auf sie kommt es allein an, nicht auf irgendwie alle Menschen, hat über die Stränge geschlagen, sie hat auch von Gott die Kraft, Buße zu tun. Das ist das Kerygma des Verfassers, das er durch die Schriftworte beweisen und bekräftigen (verstärken) wollte. Entsprechend hatte auch der vorige Abschnitt über den ζῆλος in 6, 3f einen allgemein ausweitenden Abschluß gefunden.

*10, 3:* Das Zitat kommt innerhalb des Abschnittes über Gehorsamsdienst wiederum, wie im vorigen Abschnitt über die Buße, relativ spät. Voraus geht in 9, 1 die Einleitung und in 9, 2 das Thema des Abschnittes (entsprechend 7, 2f. 4 und 7, 5). Dann folgen in 9, 3; 9, 4 und 10, 1f interpretierte Kurzreferate über Henoch, Noach und Abraham (ähnliche Reihungen finden sich auch in Sir 44 und Hebr 11)[10]. Das mit λέγει γὰρ αὐτῷ, nämlich Gott dem Abraham, eingeführte Zitat 10, 3 soll den letzten Teil der Behauptung von 10, 2, Abraham solle die Verheißungen Gottes erben, beweisen. Das geschieht dadurch, daß der Verfasser den Auswanderungsbefehl und die Verheißung mit dem Wortlaut aus Gen 12, 1–3 anführt. Das Zitat 10, 4f, eingeführt mit εἶπεν αὐτῷ ὁ θεός, ganz parallel zum vorigen, führt dieses auch parallel weiter. Das mit subjektlosem λέγει, es heißt, eingeführte Zitat 10, 6 wiederholt noch einmal die Abrahamverheißung, nimmt aber noch das Urteil aus Gen 15, 6 hinzu, daß Abraham Gott glaubte und ihm dies zur Rechtfertigung angerechnet wurde. Das ist auch eindeutig Sinnspitze und Ziel der drei zusammengestellten Zitate, die sich als vorclementinisch erweisen, weil sie nicht die Behauptung von 10, 2, Abraham habe die Verheißung geerbt, beweisen, sondern nur, Abraham habe Verheißungen *empfangen*. Der letzte Satz des letzten Zitats von Abrahams Glauben und Rechtfertigung paßt also nicht zum Thema.

Erst der Abschluß der Zitatensammlung bringt den ursprünglichen Aspekt wieder herein. Das Isaak-Referat in 10, 7 erweist sich durch die διά-Interpretamente als vom Verfasser stammend, kehrt aber nicht ausdrücklich zu 10, 2b zurück, sondern bringt nur eine Entfaltung des in 9, 2 angegebenen Themas vom Dienst, das bewiesen bzw. veranschaulicht werden soll. »Dienst« erfährt durch φιλοξενία eine erweiternde Interpretation durch Beiziehung von Gen 18, 1–8. Das inter-

---

[10] *Wrede* 70–74.

pretierte Lot-Referat in 11, 1. 2 bleibt bei φιλοξενία und nimmt noch die εὐσέβεια hinzu. Das interpretierende Element ist hier sehr weitgehend und kann nur aus der Gesamt-Thematik heraus erklärt werden.

*12, 4. 5. 6:* Die Zitate, die nur wörtliche Rede der in der referierten Geschichte handelnden Personen umfassen, werden eben nur jeweils als wörtliche Rede der betreffenden Person, nicht aber als Schriftzitat eingeführt. Das ganze bewegt sich im Fluß der Erzählung, die Zitate spielen keine andere Rolle, als das Rahab-Referat zu beleben, eventuell die Behauptung von ihrer πίστις und φιλοξενία zu veranschaulichen. Eigenartig sind die Interpretamente 12, 7 b und 12, 8. Etwas Rotes hat Rahab das Leben gerettet. 12, 7 b deutet nun dieses rote Zeichen als Symbol für das Blut (wohl = die Sühnetat) Christi und sagt von den israelitischen Kundschaftern, daß sie durch ihren Befehl an Rahab diesen Sachverhalt offenbar gemacht hätten. Da die λύτρωσις als zukünftig ausgesagt ist, versteht der Verfasser das Rahab-Geschehen als symbolischen Hinweis, wenn man will, den roten Faden als τύπος für das Blut Christi. Eigenartig ist nun, daß in 12, 8 nicht die Kundschafter Prophetie haben, sondern die Rahab. Man könnte so verstehen: Sie hängte das Rote hinaus und ließ sich so durch das Symbol bzw. den Typus des Blutes Christi das Leben retten. Das läßt sich als Tatprophetie verstehen. Damit ist dem Thema von 9, 2 ein neues Licht aufgesteckt: Wer Gott in vollkommener Weise dient, hat nicht nur Glauben, Gehorsam, Gastfreundschaft und das Erbe der Verheißung, sondern auch Prophetie.

*13, 1:* Sein neues Thema, die Forderung der Demut, will der Verfasser mit einem Schriftzitat, das er ausdrücklich und doppelt einführt als τὸ γεγραμμένον und mit λέγει γὰρ τὸ πνεῦμα τὸ ἅγιον motivieren. Tun wir das Geschriebene = die Forderung wird als die der Schrift hingestellt; der heilige Geist = Gott selbst fordert die Demut. Was der Verfasser schon mit eigenen Worten verlangt hat, verlangt er noch einmal mit den Worten der Schrift (= des heiligen Geistes) und gibt dadurch seiner eigenen Forderung mehr Nachdruck, bzw. beweist dadurch deren Berechtigung. 13, 4 gibt eine weitere Motivation für die Demut: weil Gott – bzw. das hl. Wort – sagt, daß er auf den Demütigen schaut.

*14, 4 f:* Nach dem Exkurs von 14, 1 f in die korinthische Gegenwart fährt 14, 3 mit mehr allgemein gehaltener Paränese weiter. 14, 4, mit γέγραπται γάρ eingeleitet, erinnert an Stichwortkomposition (χρηστευσώμεθα-χρηστοί) und wiederholt die Forderung von 14, 3 in Form der Verheißung, motiviert somit 14, 3. Dasselbe ist 14, 5, καὶ πάλιν λέγει, zu sagen.

*15, 2–7:* 15, 1 ist in die Form der Paränese gekleidet, enthält aber in 15, 1 b einen schweren charakterisierenden Vorwurf an die Adresse der Korinther. Das Zitat von 15, 2 begründet denn auch nicht die Paränese, sondern verstärkt den Vorwurf. Das γάρ aus der Einführung des Zitats λέγει γὰρ που ist nicht leicht zu verstehen, wiederzugeben wohl mit: es heißt ja irgendwo, mit anderen Worten: Man kann diesen Vorwurf schon erheben, das liegt gar nicht so weit ab, es steht ja schon in der Schrift. Von daher könnte das Zitat nicht so sehr als Verstärker des Vorwurfs denn als Rechtfertigung und Entlastung des Verfassers verstanden werden. Daß 15, 3 und 15, 4 inhaltlich fast identische Zitate zugefügt werden, zeigt aber, daß es dem Verfasser um Rechtfertigung geht, sondern um Verstärkung des von ihm behaupteten Vorwurfs. Mit 15, 5 erlebt der Gedankengang innerhalb der Zitatenreihe einen Fortschritt: Übergang von der Anklage zur Drohung/Vergeltung, vom Vorwurf der Heuchelei zum Vorwurf der Prahlerei. Damit ist die Rückkehr zum Thema Demut vorbereitet.

*16, 3–14:* Nachdem 16, 1 die Zitatenreihe abgeschlossen und in apodiktischer Form die Paränese von 15, 1 wiederholt hat, bringt 16, 2 einen kerygmatischen Einschub: das Kerygma vom demütigen Christus. Die Richtigkeit dieser Christologie will der Verfasser sofort beweisen und fügt an, als Einleitung eines Zitats: »Wie der Hl. Geist von ihm gesprochen hat, er sagt nämlich.« Das Schriftwort ist also als Wort des Pneuma verstanden, in welchem dieses Pneuma über den Herrn Jesus Christus redet. Entscheidend aber erscheint mir, daß das ganze lange Zitat angeführt wird zum Beweis für die Richtigkeit des einen kerygmatischen Satzes 16, 2[11].

---

[11] Zweitens ist aber ebenso entscheidend, daß der kerygmatisch prägnante Satz 16, 2 zur Überschrift eines Schriftzitates wird, nicht zur Einleitung von Berichten über Ereignisse aus dem Leben Jesu. Das heißt, das christologische Kerygma wird gefüllt mit auf Christus gedeuteten Schriftstellen, nicht aber mit Berichten, wie sie die Evangelien erzählen. Es scheint also, daß für die Gemeinde nicht »Ereignisse« aus dem Leben des Jesus von Nazaret interessant sind, sondern die signifikanten Züge der Persönlichkeit des Herrn Jesus Christus und das über ihn Jesu. Anmerken möchte ich noch, daß im ganzen c. 16 kein einziges »Ereignis« aus dem Leben Jesu berichtet oder auch nur angedeutet ist, nicht einmal ein Sammelbericht des Lebens Jesu, der dem in Hebr 5, 7 f Gesagten vergleichbar wäre.

Mit καὶ πάλιν αὐτός φησιν ist 16, 15 eingeleitet als Fortsetzung des vorigen Zitats. Dieses αὐτός φησιν ist für das Schriftverständnis des 1 Clem von Bedeutung: Der Herr Jesus Christus »spricht selbst« in der Schrift wie z. B. auch David im Psalter spricht (siehe das αὐτὸς λέγει 18, 2). Damit ist die Schrift an eine Stelle gerückt, von der aus sie allen Zeiten gleich nah, also eigentlich außerhalb aller Zeit steht, ähnlich wie nach 16, 2 »der Herr Jesus Christus«, der von dort dann in einer ganz bestimmten Weise »kam«, obwohl er anders »gekonnt hätte«.

*17, 3: οὕτως γέγραπται*: Was 17, 3 mit einem eingeleiteten Zitat über Ijob sagt, das sagt 17, 2 a über Abraham und 17, 5 über Mose mit bloßen Anklängen bzw. knappem interpretiertem Referat. Das Schriftzitat ist hier also eine der möglichen Formen, mit deren Hilfe der Verfasser erzählend darstellt. Eine andere Form ist die freie Nacherzählung, in die wörtliche Anklänge einfließen können. Demgegenüber sind die als eine vorbildliche Haltung zum Ausdruck bringend hingestellten Aussprüche der μεμαρτνρημένοι zwar nicht als Schrift eingeführt, aber doch alle als wörtliche Rede der betreffenden Männer angeführt (in keinem der Fälle nur indirekt referiert – was auch von 18, 2–17 gilt). Vom Skopus des Kapitels her gesehen, nämlich Beispiele von Demütigkeit vorzustellen, steht das mit γέγραπται eingeführte Zitat nicht an zentraler Stelle: Die Demutsbekundungen der μεμαρ-τνρημένοι, um derentwillen das Kapitel geschrieben ist, sind ja gerade nicht als Worte der Schrift, sondern als Worte dieser μεμαρτνρημένοι eingeführt; meines Erachtens muß man daraus schließen, daß der Verfasser ein Zitat, das er als Wort eines aus der Schrift bekannten Mannes einführt, damit implizit als Schriftwort eingeführt wissen will. Es steht daher zu vermuten, daß γέγραπται – wofür ja auch das unpersönliche λέγει eintreten kann – nicht größere Autorität beansprucht als ein λέγει oder εἶπεν einer biblischen Figur. Diese Vermutung kann wohl auch ausgedehnt werden auf das von Gott gesagte εἶπεν. Zitate stehen hier im Dienste der Erzählung: Sie verlebendigen (Abwechslung in der Form, z. B. 17, 3 gegenüber 17, 2. 5) die Darstellung oder machen sie eindrücklicher (in wörtlicher Rede gebrachte Aussagen sind unwiderlegbar, z. B. eben den der Skopus von c. 17 in 17, 2 b. 4. 5; ebenso 18, 2–17)[12].

*18, 1: εἶπεν ὁ θεός*: Das Nötige ist schon oben gesagt. Das εἶπεν ὁ θεός entspricht dem γέγραπται von 17, 3; entsprechend ist auch 18, 2–17 (wie 17, 2 b. 4. 5) in wörtlicher Rede gehalten. Auffällig ist daran nur, verglichen mit den Zitaten in c. 17, die außergewöhnliche Länge; eine Entsprechung findet sich allerdings im Jes-Zitat des c. 16. Kann man daraus schließen, daß die Gottesknechtslieder und der Psalter[13] (oder nur Ps 50?) eine besondere Stellung in der Theologie des Verfassers, der Gemeinde, der Liturgie der Gemeinde . . . einnahmen?

*20, 7: εἶπεν γάρ*, er sagte ja. 20, 6 schildert die triviale Tatsache, daß das Meer seine Grenzen nicht überschreitet, und zwar in Befolgung göttlicher Anordnung. Diese angefügte Interpretation eines jedermann offenbaren Sachverhaltes soll nun in ihrer Richtigkeit bewiesen werden durch das als solches eingeführte Zitat in 20, 7. Die mit dem Interpretament »tut so, wie er ihm angeordnet hat« ausgesprochene Behauptung wird durch ein Schriftwort bewiesen (ohne daß man hier sagen könnte, die Behauptung würde mit Hilfe von Schriftworten noch einmal zum Ausdruck gebracht oder würde durch die Fassung in Schriftworte verstärkt: Zum Ausdruck gebracht wird sie nur im Nachsatz von V 6, und V 7 verstärkt nicht, sondern beweist einzig).

*21, 2: λέγει γάρ που* – es heißt ja irgendwo. 21, 1 spricht eine Drohung aus. Das nicht leicht ganz genau deutbare Zitat in 21, 2 scheint nun diese Drohung bzw. deren Berechtigung einsichtig machen zu sollen, indem es wohl die Unentrinnbarkeit im Gerichte veranschaulicht.

*22, 1 b: καὶ γὰρ αὐτὸς διὰ τοῦ πνεύματος τοῦ ἁγίου οὕτως προσκαλεῖται ἡμᾶς* ist eine auffällig lange und umständliche Einleitung. Es scheint, daß dem Verfasser zunächst einmal – wie die ganze Schrift – als vom Hl. Geist gesagt spontan vorschwebte. Er benötigte aber eine Aussage des Christus und mußte deshalb die Einführung des Zitats dazuhin umbiegen[14]. Die Behauptung des

---

[12] Vom oben festgestellten Skopus her gesehen bleibt 17, 1 etwas rätselhaft: es mutet wie ein unverdautes Traditionsstück an, das um des Wortes μιμηταί willen aufgenommen wurde, von dem aber sofort zu den μεμαρτνρημένοι übergeleitet werden muß.

[13] Reichlichen Gebrauch der Psalmen stellt schon *Wrede* 67 fest.

[14] Diese Einführung schließt direkt an 22, 1 a an: Dies alles befestigt der Glaube in Christus, wobei ἐν Χριστῷ in 1 Clem soviel wie »christlich« heißt und Glaube in erster Linie gläubigen Lebenswandel meint (πίστις ist die erste der Tugenden 64; 62, 1; in 62, 1 dem ἐνάρετος βίος untergeordnet): Ἡ ἐν Χριστῷ πίστις wäre also die christliche Art zu leben. Βεβαιοῦν dürfte dann so etwas Ähnliches wie »stabilisieren« bedeuten. Was wird nun durch christliche Lebensart, Lebensanschauung stabilisiert? Das heißt, worauf bezieht sich ταῦτα δὲ πάντα? c. 22 schließt die Kapitelfolge unter dem Thema Friedensziel ab. Ob das Zitat 22, 1 c–8 auf die ganze Kapitelfolge oder nur etwa auf deren letzten Teil zu beziehen ist, wird man wohl nur aus der Inhaltlichkeit dieses Zitates entnehmen kön-

Verfassers in 22, 1a: »All dies – nämlich die Haustafel-Gepflogenheiten 21, 6–8 – stabilisiert die christliche Art zu leben«, soll in 22, 1b–8 durch Worte der Schrift (bzw. des Christus durch den Hl. Geist), wenn nicht bewiesen, so doch erhärtet werden: Was der Verfasser schon mit eigenen bzw. Gemeindeworten gesagt hat, will er durch Schriftworte noch einmal sagen und seine Forderungen dadurch verstärken, wiederholen, eindringlicher machen, allgemeingültiger, allgemeiner akzeptabel darstellen.

*23, 3: ἡ γραφὴ αὕτη, ὅπου λέγει.* c. 23, das erste in der Reihe der motivierenden Kapitel, beginnt mit einer kerygmatischen Aussage von Gottes Wohltätigkeit in 23, 1. V 2 führt die Aussage paränetisch weiter, indem er vor Zweifel gegenüber Gottes Wohltätigkeit warnt. Diese Warnung vor Zweifel wird nun durch die in 23,3 angeführte Schriftstelle noch einmal ausgesprochen. Dieses Mal wird die Schriftstelle also nicht herangezogen, um eine Behauptung zu beweisen (verstärken), wohl aber, um eine Aufforderung zu bekräftigen bzw. die Berechtigung dieser Aufforderung aufzuweisen: nämlich dadurch, daß ihre Schriftgemäßheit aufgezeigt wird[15].

*23, 5: συνεπιμαρτυρούσης καὶ τῆς γραφῆς.* In 23, 5 kommt der Aspekt des göttlichen Willens hinzu. Was im Gleichnis von 23, 4 unter dem Bild der Reifung[16] dargestellt ist, wird nun als In-Erfüllung-Gehen des Willens Gottes interpretiert, womit die Zeitkomponente nicht aufgehoben, aber relativiert wird: Nicht die Vorausberechenbarkeit, sondern die Schnelligkeit des Eintreffens ist tertium comparationis. In 23, 5 sagt die Einführung schon, wie das Schriftzitat gebraucht ist: Es bezeugt, was vorher der Verfasser in eigenen Worten sagt: es beweist, bekräftigt, verstärkt.

*26, 2: λέγει γάρ που καὶ.* 26, 1 ist die kerygmische Zusammenfassung der Lehre, die in den Beispielen der Kap. 24 und 25 aufgezeigt wurde[17]. Daß dieses Kerygma schriftgemäß ist, zeigen die 26, 2. 3 gesammelten Stellen. Offensichtlich geht es um nichts anderes, als die Richtigkeit des Kerygmas von der Auferstehung aus der Schrift aufzuzeigen, zu beweisen, bzw. in Schriftworten darzustellen oder zu wiederholen[18].

*26, 3: καὶ πάλιν ᾽Ιὼβ λέγει:* Dadurch, daß das Zitat nicht als Schrift oder Ausspruch Gottes bzw. des Hl. Geistes oder mit λέγει, es heißt, eingeführt wird, sondern als Ausspruch eines Mannes der Schrift, verliert es gegenüber anderen (hier den vorausgehenden) Zitaten nicht an Gewicht[19].

*27, 5:* 27, 3 ist Überleitung und zugleich Überschrift zum neuen Abschnitt. 27, 4 bringt die erste Ausfaltung vom Gott-nahe-Sein, nämlich seine Allmacht, 27, 6 die zweite, nämlich die Allwissen-

nen. Damit klärt sich dann auch, was mit ταῦτα δὲ πάντα gemeint ist. Das Zitat ist Paränese: Wahrhaftigkeit, Gutestun, Frieden, abgeschlossen durch ein Droh- und Verheißungswort an die Missetäter/Sünder bzw. die Gerechten/die auf den Herrn hoffen. »Frieden«, der Skopus von 19 bis 22 ist zwar genannt, aber doch im Zusammenhang von Lebensregeln für das rechte Verhalten, so daß man sagen muß, die Paränese des Zitates 22, 1c–8 bezieht sich nicht zurück auf den paränetischen Satz in 19, 2 (der mit 19, 3 hinführt zu dem in 20, 11 gipfelnden kerygmatischen Kap. 20), sondern auf die Paränese in Kap. 21, besonders auf die Haustafel 21, 6–8. Ταῦτα δὲ πάντα sind also wohl die in der Haustafel enthaltenen Forderungen bzw. Gepflogenheiten. Und von diesen ist gesagt, daß sie durch christliche Art zu leben stabilisiert werden. Daß nun Christus es ist, der auf die Haustafel-Gepflogenheiten stabilisierend wirkt, soll durch das Zitat *bewiesen* bzw. *erhärtet* werden. Umgekehrt läßt sich daraus entnehmen, daß für den Verfasser die im Zitat enthaltenen Forderungen identisch sind mit denen in der Haustafel. Der Zweck des Zitates dürfte damit herausgearbeitet sein.

[15] Daß wir in Unkenntnis des clementinischen Kanons die Schriftstelle nicht verifizieren können, tut nichts zur Sache.

[16] Das Zitat in 23, 3 ist eindeutig eschatologisch, während V 1 und 2 – wenigstens für uns – diese Eindeutigkeit nicht besitzen, im Gegenteil prima vista eben gerade nicht eschatologisch ausgerichtet erscheinen. Insofern ist nicht ganz eindeutig zu sagen, daß das Zitat in 23, 3 nur die Paränese von 23, 2 bekräftigt. Das wäre nur dann eindeutig, wenn für den Verfasser nicht-eschatologische und eschatologische Gaben identisch wären oder wenn doch »eschatologisch« eine *vollständig* zeitfreie Dimension wäre. Letzteres ist nach 23, 4 auszuschließen, ersteres würde bedeuten, daß die Schöpfung schon auf eschatologische Gabe hinreifendes Geschenk ist, daß also alle göttlichen Gaben in dem Sinn eschatologisch sind, daß sie auf eschatologische Erfüllung hin gegeben sind. Und aufs ganze gesehen dürfte das die Auffassung des Verfassers sein. Das Zitat 23, 3 würde dann also inhaltlich nicht über 23, 2 hinausgehen, es würde nur den Aspekt des Reifens (bzw. des Immer-schon und des Noch-nicht), der jeder Gabe immanent ist, betonen. 23, 4 ist dann eine Ausfaltung dieses Aspektes.

[17] Ich halte 26, 1 nicht für einen Fragesatz.

[18] Es ist ähnlich wie bei 23, 3.

[19] Eine Zusammenstellung der Zitationsformeln bietet *H. Köster*, Synoptische Überlieferung bei den AVV 4–6. Vgl. auch *Wrede* 74f.

heit. Zu 27, 4 ist 27, 5 eine Weiterführung oder Amplifizierung mit Worten der Schrift (wie sie auch schon in 27, 4 anklingen). Zu 27, 7 ist dasselbe zu sagen wie zu 27, 5[20]. Der Sinn kann hier kein anderer sein als Weiterführung oder Amplifizierung des Grundgedankens mit Worten der Schrift.

*28, 3: λέγει γάρ που τὸ γραφεῖον.* 28, 1 zieht die paränetische Schlußfolgerung aus dem in 27, 4–7 enthaltenen Kerygma. 28, 2 amplifiziert durch rhetorische Fragen und nimmt so teilweise das Schriftzitat vorweg. Möglicherweise ist dem Verfasser im Anschluß an seine eigene Redeweise das Zitat durch Gedankenassoziation eingefallen, möglicherweise wollte er, seinem Stil entsprechend, mit 28, 2 eine sanfte Überleitung zum Zitat schaffen, dessen Anführung er schon im Auge hatte. Das Zitat beweist und bekräftigt jedenfalls die in den rhetorischen Fragen von 28, 2 enthaltene Behauptung des Verfassers, veranschaulicht und amplifiziert den Gedanken[21].

*29, 2: οὕτω γὰρ γέγραπται.* Die Paränese von 29, 1 mündet in einen (kausalen) Relativsatz, der ein Kerygma enthält: Der gütige und barmherzige Vater hat sich uns zu seinem auserwählten Teil gemacht. An diesen Relativsatz schließt nun mit οὕτω die Einführung für das Schriftzitat in 29, 2 an.

*29, 3: καὶ ἐν ἑτέρῳ τόπῳ λέγει.* Das Zitat hat dieselbe Funktion wie 29, 2: Die kerygmatische Aussage von 29, 1c soll durch Schriftworte als richtig aufgewiesen, bewiesen werden.

*30, 2: φησίν,* heißt es. 30, 1 nimmt nach c. 29 die Paränese wieder auf, indem er sie in einen Lasterkatalog überführt. 30, 2 fügt eine Motivation an mit Hilfe eines Schriftwortes, das eigenartigerweise durch das eingeschobene, absolut gebrauchte φησίν eingeleitet ist. Fazit: Ein Schriftwort wird zur Motivation und damit Begründung und Verstärkung einer paränetischen Aufforderung herangezogen.

*30, 4: λέγει γάρ,* es heißt ja. An die Paränese von 30, 3 ist ein begründender Partizipialausdruck angefügt (vgl. die Struktur von 29, 1): wir werden durch Werke gerechtfertigt, nicht durch Worte. Dieses »nicht durch Worte« soll nun durch ein Schriftzitat als richtig belegt werden: Schriftwort als Beleg für die Richtigkeit der Ansicht des Verfassers.

*31, 2ff:* Was c. 30 Heiligung hieß, heißt c. 31 Segen. Der Verfasser führt die Vorbildreihe Abraham-Isaak-Jakob an: knappe Hinweise auf Stellen des Buches Genesis werden mit knappen Interpretationen versehen. Dabei spricht nur der erste von Segen. Bei Isaak muß der Leser selber sich dazudenken, was ist: »Weg des Segens.« Bei Jakob ist der Segen Verleihung des Reiches.

*32,2: ἐπαγγειλαμένου τοῦ θεοῦ ὅτι.* c. 32 führt c. 31 weiter, 32, 1 schließt an das Jakob-Referat an, die »Gaben« nehmen das Thema von 23, 1f wieder auf. 32, 2 interpretiert die Gaben als »Größe in den Nachkommen« und verweist dafür auf die biblische Geschichte. Der letzte Punkt von »Größe in den Nachkommen«, nämlich (nach Priester, Herr Jesus und Königen) das Ansehen der übrigen Stämme, wird durch ein eigenes Schriftzitat – als Verheißungswort Gottes eingeführt – bekräftigt. Die Anwendung auf Jakob und die Jakobstämme ist dabei vom Verfasser, in der Schrift ist es zu Abraham und zu Isaak gesagt. Das Zitat ist eingeflochten zur Verlebendigung der Erzählung.

*33, 5: οὕτως γάρ φησιν ὁ θεός* sagt mit den Worten der Schrift, was der Verfasser in 33, 4 schon mit eigenen Worten gesagt hat, bekräftigt also seine Aussage; insofern darin eine wörtliche Rede enthalten ist, verlebendigt es auch die Beschreibung.

Dasselbe ist zu sagen von 33, 6, *καὶ εἶπεν,* welcher Vers den vorausgehenden fortsetzt.

*34, 3: προλέγει γὰρ ἡμῖν,* gibt er uns doch bekannt. Das Zitat präzisiert den gemeinten Gedanken: Schriftzitat zur Verdeutlichung[22].

*34, 6: λέγει γὰρ ἡ γραφή.* Das Schriftzitat 34, 6b motiviert ausnahmsweise nicht den voraufgehenden, sondern den erst folgenden Vers 34, 7a[23].

*34, 8: λέγει γάρ,* denn es heißt. Vom Engelmotiv her hat der Verfasser Gelegenheit gefunden, bzw. sich diese Gelegenheit geschaffen, sein Grundanliegen, den geordneten Gottesdienst mit dem Lohngedanken zu verknüpfen, der 34, 7b als Teilhabe an der Verheißung wiederkehrt. Daß eine solche Teilhabe in Aussicht steht, wird 34,8 durch ein Zitat belegt[24].

---

[20] Allerdings bleibt mir das einleitende εἰ rätselhaft. Meines Erachtens müßte man ἐπεί, ἐπειδή oder wenigstens εἴπερ bzw. εἴ γε (γοῦν) erwarten. Dann wäre das uneingeleitete Psalmenzitat Beweis oder Bekräftigung der Behauptung von 27, 4. Ein εἰ recitativum, absolut gebraucht im Sinne von »wie es heißt«, ist doch eine zu harte Interpretation.

[21] 28, 4 betont die disiunctio completa im Zitat.

[22] Vgl. unten S. 93.

[23] Vgl. unten S. 93.

[24] Daß das Zitat direkt aus 1 Kor 2, 9 entnommen ist, ist wegen des fehlenden ὁ θεός und der Variante ὑπομένουσιν statt ἀγαπῶσιν nicht anzunehmen, daß es aber einer gemeinsamen Quelle, etwa einer schriftlichen oder mündlichen Sammlung atl.-apokrypher Zitate entstammt, legt das gemeinsame ἀνθρώπου und ἡτοίμασεν nahe. Es zeigt sich hier auch, daß der Verfasser beim Lohn-

*35, 7: λέγει γὰρ ἡ γραφή.* Das Psalmenzitat enthält zum großen Teil eine Art Lasterkatalog, an den sich ein Drohwort, der eigentliche Beleg für die Richtigkeit von 35, 6, anschließt. Obwohl das Zitat selbst Paränese ist, wird es doch zum Beleg eines kerygmatischen Satzes verwendet.

*36, 3: γέγραπται γὰρ οὕτως.* Das Zitat soll zusammen mit den beiden folgenden die Behauptung aus 36, 2b belegen, daß Jesus Christus »erhabener« sei und einen »vorzüglicheren Namen« geerbt habe: Nach 36, 4, *οὕτως εἶπεν ὁ δεσπότης*, wird Jesus Christus – anders als die Engel und Diener – nicht zu Wind und Feuer gemacht (36, 3), sondern erhält die Völker und die Enden der Erde zu seinem Besitz; nach 36, 5, *καὶ πάλιν λέγει πρὸς αὐτόν*, werden ihm seine Feinde zu Füßen gelegt. Damit sind die Belege für 36, 2b abgeschlossen.

*39, 3: γέγραπται γάρ.* Das Zitat will die Ausfaltung des in der rhetorischen Frage von V 2 enthaltenen Kerygmas sein: Der Mensch ist aus sich unvermögend und kraftlos.

*In Kapitel 40/41* spricht der Verfasser ganz auf dem Hintergrund atl. Bestimmungen. Auffällig ist, daß er dabei nirgends die Schrift zitiert, sondern – wie es scheint – allgemein Bekanntes referiert, wie wir es zum Teil aus dem Pentateuch, zum Teil aus Philo wissen.

*42, 5: οὕτως γάρ που λέγει ἡ γραφή.* Bischofs- und Diakonenamt der dem Verfasser gegenwärtigen Zeit wird auf Einsetzung durch die Apostel zurückgeführt. Für diese behauptete Tatsache kann natürlich ein Schriftzitat nicht angeführt werden. Dennoch möchte der Verfasser seine Ansicht soweit wie möglich absichern. Für seine Mentalität ist ein wichtiger Gesichtspunkt, daß mit der Einsetzung von Bischöfen und Diakonen keine Neuerung eingeführt wurde. Deshalb ist ihm das zurechtstutzte Jes-Zitat gerade recht; denn wenn dort schon von Bischöfen und Diakonen die Rede ist, so ist die Einrichtung nicht nur nicht neu, sondern evident schriftgemäß. Nicht die Einsetzung durch die Apostel, wohl aber die Schriftgemäßheit von Bischofs- und Diakonenamt wird also gezeigt. Das ist sicher Redaktion des Verfassers, auch wenn ihm die apostolische Einsetzung schon vorgelegen haben sollte. Also: Schriftzitat zum Aufweis der Schriftgemäßheit einer Einrichtung der Gemeinde – das heißt aber gerade nicht: Ableitung dieser Einrichtung aus der Schrift.

*43, 2–5* bringt ein durch außer-atl. Züge erweitertes Referat der Geschichte vom Aaronsstab. Der Gedankengang ist eigentlich klar: Es soll eine atl. Parallele für die Legitimität der Einsetzung von Bischöfen und Diakonen (42, 4f) beigebracht werden. Die literarische Gedankenabfolge ist allerdings nicht ganz durchschaubar: in 43, 1 b ist statt von dem zu erwartenden »Einsetzen« von »Aufzeichnen« durch Mose die Rede. Wahrscheinlich wollte der Verfasser die Gelegenheit nicht vorübergehen lassen, auf die Anordnungen und die gesetzlichen Bestimmungen zu sprechen zu kommen. Das atl. Referat selbst trägt die redaktionellen Züge des Verfassers. Daß die Erhebung aus Num 16, 1ff bzw. das Murren aus Num 17, 6 ohne weiteres als Eifersucht qualifiziert wird, ist sicher Redaktion des Verfassers. Nach Num 16, 3 geht es um Ablehnung eines besonderen Priesterstammes, nach 1 Clem 43, 2 aber darum, welcher Stamm diesen ehrenvollen Namen erhält. Daß Mose alles vorauswußte (1 Clem 43, 6), ist implicite auch schon Num 17, 20a gesagt.

*45, 6. 7:* Mit 44, 3 hat der Abschnitt des Tadels im zweiten Teil des Briefes begonnen: Die Absetzung war keine kleine Sünde. c. 45: In der Schrift kommt das auch nicht vor, daß Gerechte von heiligen Männern abgesetzt bzw. verfolgt worden wären. Als Beispiele werden angeführt: Daniel in der Löwengrube und Hananja, Asarja, Mischael im Feuerofen.

*46, 2: γέγραπται γάρ.* Daß wir das Zitat nicht verifizieren können, ändert nichts daran, daß es für den Verfasser Schrift war; er las es wohl in seiner Zitatensammlung[25]. 46, 1 ist Paränese; 46, 2 sagt nur mit Worten der »Schrift«, was der Verfasser schon mit eigenen Worten gesagt hat: nur insofern das Zitat eine Verheißung enthält, geht es über V 1 hinaus.

*46, 3: καὶ πάλιν ἐν ἑτέρῳ τόπῳ λέγει.* Wie das Zitat verstanden werden soll, wird erst aus dem folgenden V 4 ersichtlich. Nach der üblichen Gepflogenheit des Verfassers sollte dieser Vers vor dem

---

gedanken nicht auf einen bestimmten Begriff festgelegt, sondern im Ausdruck sehr beweglich ist: was in 34, 7 *ἐπαγγελίαι* heißt, kann in 34, 8 mit einem Zitat, das von *ὅσα ἡτοίμασεν* spricht, belegt werden. Deshalb dürfte es auch gestattet sein, nach weiteren Synonymen Ausschau zu halten, etwa *ἄρτος τοῦ ἔργου* 34, 1, *μισθός* 34, 3, *δῶρα* 35, 1, *ἐπηγγελμέναι δωρεαί* 35, 4. Wenn ich das Zitat 34, 8 Beleg genannt habe, dann für den kerygmatischen Gehalt von 34, 7b: es gibt Teilhabe an Gottes Verheißungen. Allerdings führt das Zitat schon darüber hinaus, indem es die Unerhörtheit der Verheißungen betont. (Auch 34, 6 hatte schon über 34, 5c hinausgeführt!) Insofern braucht es in 35, 1ff eine »Nachbereitung«, wo nun der Verfasser das in 34, 8 enthaltene Kerygma von der Unerhörtheit des Verheißenen in eigenen Worten auszufalten versucht.

[25] »Das Vorhandensein von spätjüdischen bzw. christlich weitergeführten und umgeformten spätjüdischen Florilegien ist für Clemens sehr wahrscheinlich«, *Knoch* 52.

Zitat stehen: Er bringt die Meinung (Paränese) des Verfassers in seinen eigenen Worten zum Ausdruck, während der vorausgehende V 3 dasselbe in Schriftworten sagt. Allerdings geht das Zitat wieder über die Paränese hinaus, indem es eine Drohung enthält: »mit einem Verkehrten wirst du verkehrt handeln« = distanzieren wir uns von den Verkehrten!

*48, 2f: καθὼς γέγραπται.* Schon im Hinblick auf das Zitat in 48, 2 b nennt 48, 2 a den heiligen Wandel in der Bruderliebe ein Tor der Gerechtigkeit, geöffnet zum Leben. Die Fortsetzung des Zitates nennt dieses Tor »Tor des Herrn«. In Weiterführung des Gedankens setzt der Verfasser in 48, 4 für Tor des Herrn »Tor Christi«. Der ganze Gedankengang 48, 2 a—48, 4 ist also inspiriert vom Zitat 48, 2 b. 3 und rankt um den Begriff vom Tor. Hier ist es eindeutig, daß das Zitat sich nicht an eigene Worte des Verfassers anschließt, sondern daß das Zitat dem Verfasser zuerst vor Augen steht und seine eigenen Worte daraus erwachsen. Die Komplexe 48, 1; 48, 2–4; 48, 5 f stehen jedoch ziemlich unverbunden nebeneinander.

*50, 4: γέγραπται γάρ.* Die c. 49/50 haben die Liebe zum Thema. 50, 3 sagt, daß die in Liebe Vollendeten am Jüngsten Tage offenbar werden. Nur auf das letzte bezieht sich das Zitat, wenn es sagt, daß Gott auferwecken wird. Zum Hauptthema, der Liebe, ist ein Bezug nicht zu sehen. Das eschatologische Trostwort tritt gegenüber dem kerygmatischen Lob der Liebe stark in den Vordergrund. Daran zeigt sich, daß das Lied von der Liebe übernommen und eingebaut ist. Der Verfasser führt zwar den Gedanken der Liebe in c. 50 weiter, korrigiert ihn aber auch auf die von ihm intendierte Gerichts-(Vergeltungs)-Situation hin.

*·50, 6: γέγραπται γάρ.* Dieses Zitat ist ähnlich verwendet wie das vorige. V 5 sagt, daß uns durch die Liebe die Sünden nachgelassen werden. Daran knüpft das Zitat an, indem es sagt, daß Gott die Sünden nachläßt. Was vorhin ein eschatologisches Trostwort war, ist hier ein Makarismus. Der Ziel-Abschnitt endet also mit einem Heilszuspruch, der sicher insofern »redaktionell« ist, als er gegen das letzte Hauptthema »Liebe« vom Verfasser angefügt ist. Die Zitate (VV 4. 6) lassen die Korrektur des Verfassers deutlicher hervortreten als seine eigenen Formulierungen des jeweils selben Gedankens in den VV 3 und 5.

*51, 3 b. 4 und 51, 5:* Mit c. 51 beginnt im zweiten Teil des Briefes der Abschnitt über den zum vorgesteckten Ziel führenden Weg. 51, 1 enthält eine Doppelmahnung: V 1 a geht an die Gesamtgemeinde: sie soll um Verzeihung bitten; V 1 b geht an die »Anführer«: sie sollen das Gemeinwohl beachten. V 2 bezieht sich auf V 1 b und versucht, dessen Forderung in Form der Begründung zu präzisieren (Verurteilung ihrer selbst) und zu motivieren (Eintracht); was allerdings genau damit gemeint ist, wird erst in 54, 2 (Auswanderung) gesagt. Wie sich V 2 auf V 1 b bezieht, so V 3 a auf V 1 a; der Form nach ist der Satz wieder eine Begründung, dem Inhalt nach jedoch eine Präzisierung der Forderung (Fehltritte bekennen, nicht sich verhärten). Was Nichtbekenntnis bzw. Verhärtung heißt, dafür werden zwei atl. Beispiele frei referiert: in V 3 b. 4 das Schicksal der Rotte Korachs, in V 5 das Schicksal Pharaos und der Ägypter beim Auszug. Die Schriftreferate dienen also zur Veranschaulichung für den Ernst der Lage: An den Beispielen der Schrift kann man ablesen, was für ein Unglück Fehlhaltungen mit sich bringen.

*52, 2: φησὶν γὰρ ὁ ἐκλεκτὸς Δαυίδ.* 52, 1 schließt an 51, 1 a und 51, 3 a an: Verzeihung erbitten, Fehltritte bekennen, was hier heißt: bekennen (ἐξομολογεῖσθαι). Das Zitat weist auf David als Vorbild hin.

*52, 3. 4: καὶ πάλιν λέγει.* Das Zitat setzt das vorausgehende fort. An Stelle von »bekennen« heißt es hier: αἴνεσις, εὐχαί, zerknirschter Geist, ἐπικαλέσαι. Insofern das Zitat Gottes Antwort enthält (ἐξαιρεῖν), geht es über das vorausgehende hinaus. Doch gerade auch damit belegt es die Richtigkeit der Behauptung des Verfassers in 52, 1.

*53, 2: εἶπεν πρὸς αὐτὸν ὁ θεός.* Nachdem in c. 52 die erste der beiden Mahnungen aus 51,1 abgehandelt ist, wendet sich c. 53, anknüpfend an 51, 1 b. 2, der zweiten, an die Anführer gerichteten, zu. Es wird das Beispiel des Mose referiert, der sich als Opfer für das Volk anbietet. (Das ist eine Präzisierung des in 51, 2 b Gesagten.) Nur auf diesen Punkt kommt es dem Verfasser an, wie deutlich V 5 zeigt. Im übrigen ist das biblische Beispiel »seitenverkehrt«: das Volk hat gefehlt und der Anführer ist gerecht; um so nachahmenswerter ist sein Beispiel, da sogar er sich zum Opfer anbietet. Um wieviel mehr müssen das dann die korinthischen Anführer tun. In welcher Weise sie ihr Opfer bringen sollen, sagt 54, 2.

Die Zitate 53, 2; 53, 3 *καὶ εἶπεν κύριος πρὸς αὐτόν* und 53, 4 *καὶ εἶπεν Μωϋσῆς* sind nicht als Schrift eingeführt. Die Erzählung wird dadurch belebt und die Haltung des Mose tritt deutlicher hervor (vgl. das zu 12, 4 ff Bemerkte).

*54, 3b* = Ps 23 (24), 1. Das uneingeführte Zitat hat im Zusammenhang keinen besonderen Stellenwert. Es ist den vielen biblischen Anklängen zuzuordnen und als Verankerung der eigenen Worte im Schriftwort zu verstehen.

*56, 3:* οὕτως γάρ φησιν ὁ ἅγιος λόγος. 56, 2a schlägt das Thema für das bis 57, 1 reichende Paideia-Stück an. 56, 2b ist das dazugehörige Kerygma: Unsere gegenseitige Nouthetesis ist identisch mit der Züchtigung Gottes. Damit ist die Verbindung zum Thema Paideia Gottes hergestellt. Das Zitat 56, 3 belegt den Satzteil aus V 2a, daß niemand über Züchtigung aufgebracht sein kann.

*56, 5:* φησίν, heißt es, und 56, 6: καὶ πάλιν λέγει, und wiederum heißt es: Das ganze Paideia-Stück ist dargelegt an Hand von Schriftstellen. Aber im Anschluß an die Zitaten-Zusammenstellung sagt der Verfasser doch in eigenen Worten, was seine Absicht war: 56, 16 gibt die Zusammenfassung der Zitate in eigenen Worten, die eigentlich auch hätte voraufgehen können (56, 16b: als guter Vater züchtigt er, damit wir durch seine hl. Züchtigung Erbarmen finden).

*57, 3:* οὕτως γὰρ λέγει ἡ πανάρετος σοφία. 57, 2 fordert: Lernt Unterordnung. Zur Bekräftigung seiner Forderung führt der Verfasser die Drohrede der Weisheit aus Spr 1, 23–33 an. 58, 1 sagt noch einmal: Die Drohung geht gegen die Ungehorsamen, deshalb gehorsam sein! Die Schrift nimmt dem Verfasser den unangenehmen Teil seiner Pflicht ab. Sein Selbstbewußtsein ist groß: was *er* fordert, ist Forderung Gottes!

### B. Zusammenfassende Darstellung der Ergebnisse des systematischen Durchgangs

Das unter Punkt A ausgebreitete Material bedarf der Auswertung. Die festgestellten Verwendungsarten des Schriftwortes wollen geordnet und auf Gleichheit und Verschiedenheit hin untersucht werden, damit dann in Auseinandersetzung mit den Autoren erarbeitet werden kann, was vom Schriftgebrauch her zur Form des Briefes zu sagen ist.

Zur Gewinnung eines Überblicks über die differenzierte Verwendung der Bibel im Ersten Klemensbrief seien die vier Grundverwendungsarten, wie sie beim ersten Durchgehen des Materials in die Augen springen, folgendermaßen ausformuliert:

Schriftbenutzung zur Darstellung einer Ansicht[26]
                zur Verdeutlichung eines Gedankens[27]
                zum Beweis einer Behauptung[28]
                zur Motivierung einer Forderung[29]
des Verfassers.

Zur Darstellung seiner Ansicht greift der Verfasser einmal mehr auf das Wortmaterial der Schrift zurück[30], ein anderes Mal mehr auf das Bildmaterial durch andeutende Hinweise[31] bzw. mehr oder weniger ausführliche Nacherzählungen[32], in die dann die wörtlichen Reden der beteiligten Personen als Zitate zur Verlebendigung der Erzählung eingeschoben sein können[33]. An vielen Stellen dient das Material der

---

[26] 56, 5. 6–15.
[27] 21, 2; 34, 3.
[28] 4, 1; 8, 2–4; 16, 3–14; 16, 15–17; 20, 7; 30, 4f; 35, 7–12; 56, 3. 4.
[29] 13, 1. 4; 17, 2–18, 17; 30, 2; 57, 3–7·
[30] 3, 4; 7, 5; 48, 2b. 3; 54, 3b; 56,5–15; 57, 3–7, wozu noch die vielen Anklänge an biblische Worte kommen, allein im sogenannten Allgemeinen Gebet mindestens 40.
[31] 4, 8–13; 7, 6f; 9, 3f; 17, 1–18, 1; 31, 2–4.
[32] 4, 1–6; 10, 2–12, 7; 33, 3–6; 43, 2–5; 53, 2–4.
[33] 4, 10; 10, 3–6; 12, 4–6; 17, 1–18,1; 33, 5; 43, 4; 53, 2. 3. 4.

Schrift über die Darstellung hinaus zur Unterstreichung der Ansicht des Verfassers[34]. Die Verdeutlichung eines schon in eigenen Worten vorgebrachten Gedankens kann auch durch eine Weiterführung desselben mit Hilfe von Schriftworten geschehen[35]. Sowieso ist es im allgemeinen kaum möglich, ein Zitat eindeutig einer einzigen dieser angeführten Verwendungsarten zuzuweisen (doch diese »Unebenheit« würde sich bei jedem beliebigen anderen Einteilungsversuch ebenso und — wie ich meine – in noch größerem Maße ergeben).

Meistens werden zwei oder mehr Verwendungszwecke zusammenspielen. So können die Darstellung einer Ansicht und der Beweis einer Behauptung ineinandergreifen[36]. Mit dem Beweis einer kerygmatischen Behauptung können verschiedene andere Zwecke verbunden sein: etwa die Veranschaulichung[37], die Unterstreichung (23,5), die Weiterführung (34,8; 52,2–4), die Wiederholung (50,4.6). Überhaupt kommen fast alle denkbaren Kombinationen vor: Unterstreichung und Weiterführung (8,5), Amplifizierung und Weiterführung (27,5.7; 39,3–9), Wiederholung und Weiterführung (46,2), Wiederholung und Verlebendigung (33,5.6), Motivierung und Wiederholung (14,4f; 22,1b–8), Motivierung und Veranschaulichung (51,3b–5); besonders häufig findet sich innerhalb einer Motivierung eine erzählende Darstellung[38].

In allen bisher besprochenen Stellen – und das ist die Masse der vorkommenden Schriftzitate – wird die Schrift als höchste und letzte Berufungsinstanz behandelt: Was ihr gemäß ist, ist gültig und richtig, was ihr zuwiderläuft, wird verworfen und muß geändert werden. An einigen wenigen Stellen wird das vordringlich greifbar, daß der Verfasser die Schriftgemäßheit seiner Äußerungen belegen wollte: Einmal soll die Schriftgemäßheit einer kerygmatischen Behauptung aufgewiesen werden (26,2.3; 29,2.3); ein anderes Mal die Schriftgemäßheit (und damit Berechtigung!) einer paränetischen Forderung (23,3) oder einer bestehenden Gemeindeeinrichtung (42,5); es kommt auch vor, daß eine Forderung durch den Aufweis der Schriftwidrigkeit des gegenteiligen Verhaltens motiviert wird (45,6.7).

Für alle Verwendungsarten trifft nun gleicherweise die Beobachtung zu, daß die Schriftzitate erst auf die Ausführungen des Verfassers in eigenen Worten *folgen*. Die wenigen Ausnahmen, in denen das Bibelwort den vom Autor selbstformulierten Aussagen voransteht[39], bedürfen jeweils einer besonderen Erklärung, können aber die Hauptfeststellung nicht erschüttern, daß Schriftbenutzung für den Verfasser eindeutig Rückbesinnung und nicht Ableitung ist.

Das ist sicher auch zu sagen zu den Kapiteln 40/41, die innerhalb des Briefes einzigartig dastehen: Der Verfasser referiert frei Momente aus der biblischen Kultordnung. Was er damit *genau* sagen will, wird verschieden beurteilt. Geht es ihm »um die

---

[34] Z. B. 6, 3; 15, 2. 3. 4; 36, 3. 4. 5.

[35] 15, 5–7; 27, 5. 7; 39, 3–9; 46, 2.

[36] Ganz deutlich in c. 4, wo mit der Darstellung des Zelos der Beweis von 3, 4, durch Zelos sei der Tod in die Welt gekommen, verbunden ist.

[37] 7, 6f; 28, 3; 9, 3–12, 7.

[38] Meistens mit wörtlicher Rede verbunden: 17, 2. 3f. 5f und 18, 1–17; 32, 2; 53, 2–4; einmal auch reine wörtliche Rede: 31, 2–4.

[39] c. 43 vor c. 44; c. 53 vor c. 54; dann: 34, 6 vor 34, 7; 46, 3 vor 46, 4; 56, 5–15 vor 56, 16; hierzu sind auch 48, 2b und 3 zu rechnen: des Verfassers eigene Worte in 48, 2a und 4 rahmen zwar die Zitate ein, erwachsen aber ganz aus dem Schriftwort.

Ordnung in der Gemeinde überhaupt«[40] oder fordert er außer der allgemeinen Ordnung auch einen bestimmten Ort und bestimmte leitende Personen für den Gottesdienst[41]? Doch diese spezielle Frage kann wohl dahingestellt bleiben, denn über die allgemeine Absicht des Verfassers sind die Autoren fast gleicher Ansicht, daß es sich nämlich »im Grunde doch nur um eine Parallele, eine Analogie zwischen Alttestamentlichem und Christlichem handelt«[42], nicht aber um eine strenge Allegorisierung aller Einzelzüge[43]. So richtig diese Feststellung auch ist, für uns erhebt sich die Frage, ob mit Begriffen wie Typologie, Analogie oder Parallele die clementinische Benutzungsweise der Bibel an dieser Stelle für unseren Zusammenhang beantwortet ist. Wenn an allen anderen Stellen in verschiedenen Nuancierungen und Gewichtungen die Schrift benutzt wird zur Darstellung einer Ansicht, zur Verdeutlichung eines Gedankens, zum Beweis einer Behauptung, zur Motivierung einer Forderung, so ist ein ebensolcher *Haupt*verwendungszweck auch an unserer Stelle zu präsumieren.

Kapitel 40,1 bis 44,2 haben wir mit »Entwurf einer Ordnung« überschrieben[44], der – wie wir jetzt hinzufügen können – paränetisch gefärbt ist. In zwei »Formeln«[45] bringt der Verfasser sein Anliegen zum Ausdruck: 40,1: πάντα τάξει ποιεῖν ὀφείλομεν und 41,1: ἕκαστος ἐν τῷ ἰδίῳ τάγματι. Darin ist sowohl seine Ansicht wie seine Forderung enthalten. Wenn er es aber nicht mit den »Formeln« bewenden läßt, sondern auf biblisches Material zurückgreift, so deshalb, um seine eigenen Gedanken zu verdeutlichen und seine Forderungen (auch wenn er sie erst später formuliert) zu motivieren. Von dieser Feststellung aus kann man dann die Verwendungsweise des biblischen Anschauungsmaterials auch typologische Parallele oder Analogie nennen. Wichtig ist die Einsicht, daß es sich in der atl. Kultus- und Priesterordnung um Anschauungsmaterial, um ein Bild handelt, das den Gedanken einer notwendigen, in sich sinnvollen Ordnung illustriert[46].

Damit sind alle atl. Stellen im Ersten Klemensbrief besprochen und wir können vom Ergebnis her in die Diskussion mit den Autoren eintreten. Es hat sich für uns ergeben, daß die drei von Wrede aufgezählten Verwendungsarten[47] nicht nebeneinanderstehen. Der von ihm als »praktisch« bezeichnete Schriftgebrauch ist der durchgängige, nur daß er nicht rein paränetisch-praktisch, sondern ebenso auch kerygmatisch-praktisch ist. Daß der Verfasser dabei der Anschauung ist, die Bibel

---

[40] So *Wrede* 40f. Ähnlich *Knopf*, Ausgabe 174: »cc. 40f hat in seinem Zusammenhange nur eine ganz allgemeine Bedeutung, c. 20 und cc. 40f besagen zusammengenommen nichts weiter als dies: in der Schöpfung und im A. B. hat Gott eine feste Ordnung ausgeprägt, folglich müßt ihr in der Gemeinde auch eine feste Ordnung haben . . .« und Kommentar 114 zu 40, 5: »Clemens will nur von der Ordnung des A. B. reden . . .«

[41] So *Harnack*, Einführung 114f (gegen *Wrede*), *Klevinghaus* 64 und *Ellen Flesseman-van Leer* 235.

[42] So *Wrede* 92. Vgl. *Harnack*, Einführung 69, Anm. 1: ». . . sondern sie sollen als wichtige Beispiele betrachtet werden, nach denen man sich in Analogie zu richten hat . . .«; *Klevinghaus* 65: »Ihre Anwendung auf die christliche Ordnung kann von hier aus gesehen nur die des Analogieschlusses sein.« und *Bultmann* 114: »Sie dienen ihm als Analogie zu den christlichen Gemeindeordnungen (c. 40 und 41).«

[43] *Wrede* 40 lehnt eine bis ins einzelne durchgeführte Typologie ab; nach *Harnack*, Einführung 69, Anm. 1 begründen die Hinweise in c. 40f nicht die jetzt in der Kirche bestehenden Ordnungen; *Klevinghaus* 65 sieht für eine durchgehende Parallelität nur erst Ansätze.

[44] Siehe oben S. 52.

[45] *Klevinghaus* 58.

[46] Darum handelt es sich und um nichts mehr, möchte ich zu *Klevinghaus* 59 sagen!

[47] Siehe oben S. 75.

enthalte Weissagungen, ändert nichts an der Art seiner Schriftbenutzung. Ein Vorauswissen der Zukunft setzt er bei biblischen Personen voraus; niemals hebt er jedoch
darauf ab, das früher Geweissagte sei später in Erfüllung gegangen[48]. Die Schrift
so zu verwenden entspricht nicht seinem Denken[49]! Entsprechendes gilt von der
sogenannten »typischen« Verwertung der biblischen Gestalten und Geschichten. Mit
Recht bemerkt Wrede, daß das gar nichts spezifisch Christliches an sich habe[50],
also auch nichts dem Ersten Klemensbrief Spezifisches. Die Möglichkeit »typischer«
Verwendung wird vom Verfasser unreflex in den Dienst seines Verwendungszweckes
gestellt, nämlich seine Ansichten und Gedanken, Behauptungen und Forderungen
darzustellen und zu verdeutlichen, zu beweisen und zu motivieren. Nur innerhalb
dieses Verwendungszweckes gibt es für den Verfasser überhaupt atl. »Typen«[51].

Wrede ist also dahingehend zu korrigieren, daß der nach seinen Worten »praktische«
Schriftgebrauch nicht nur der am stärksten hervortretende, sondern sogar der aus-
schließliche ist. »Weissagende« und »typologische« Verwendung sind nur Nuancierungen der »praktischen«. Dieses Urteil bleibt auch gegen Harnack bestehen. Sein
»letztes Wort«[52] kann nicht für alle Zeiten das letzte sein. Man wird ihm auch
heute noch zustimmen, wenn er sagt: »Die ›Schrift‹, d.h. das A.T., ist selbst das Buch
der Gnade und Barmherzigkeit«[53], wenn er aber daraus folgert, daß deshalb das AT
»Fundament und Quelle der Kirche Gottes«[54] sei, so wird man ihm darin nicht
folgen können. Unsere Untersuchung hat gezeigt, daß der Verfasser des Ersten
Klemensbriefes seine Ansicht niemals aus dem AT ableitet. Durchgehend sagt er
zuerst seine Meinung, erhebt er zuerst seine Forderung, und dann erst, wenn er bereits
gesagt hat, was zu sagen ist, besinnt er sich auf die Schrift zurück[55], um mit Hilfe
dieser Autorität sich selber abzusichern. Damit ist aber die Schrift nicht die Quelle
für das, was er weiß, sondern sie ist Stütze für etwas, was er auch ohne sie und vor
ihr schon hat! Dieser Unterschied kann nicht deutlich genug betont werden.

[48] Im Hintergrund steht also nicht, wie *P. Meinhold* 94 meint, das Schema von Verheißung und
Erfüllung.

[49] Das bestätigt *Harnack*, Einführung 67f: »Daß das A.T. auch Weissagung enthält, tritt zurück,
fehlt aber nicht; nichts aber wäre im Sinne des Clemens unrichtiger als die Auffassung, das A.T. sei
das Buch der Weissagung zukünftiger Gnade und Erlösung und sein Gnadeninhalt werde erst durch
zukünftige Heilstatsachen (d. h. durch Christus) in Kraft treten.«

[50] *Wrede* 78.

[51] Wenn *Harnack*, Einführung 68, Anm. 1 sagt: »Im Vordergrund stehen dem Verfasser die
ATlichen Stellen, die als Typen, bzw. analogisch zu verwerten sind«, so kann ich dem nur im oben
angegebenen Rahmen zustimmen. Dasselbe sage ich zu *Knoch* 45: »Bei der Benützung des AT ist
Clemens, wie bereits gesagt, der Tradition der hellenistischen Synagoge verpflichtet. Auch ihm ist
das AT letztgültige Norm und autoritative Grundlage seines Beweisganges, die jeder Begründung
und Kritik enthoben ist. Methodisch bedient er sich dabei wie jene fast ausschließlich der typologischen Auslegung ...« Ich bin mir dabei bewußt, daß *Knoch* selbst seine Sätze anders versteht, was
sich etwa S. 236 zeigt: »Zunächst einmal fällt auf, daß Clemens aus der christlichen Tradition das
heilsgeschichtliche Schema von atl. Typus – christlichem Antitypus ... übernommen hat ...« Zu
welch »unclementinischer« Konzeption diese Auffassung führt, habe ich am Beispiel des
»Typus Noach« schon gezeigt (siehe oben S. 17f). *E. Flesseman-van Leer* 234 ist der Ansicht, daß
1 Clem nur einmal eine klare typologische Exegese biete, nämlich in 12, 7–8, ohne daß jedoch das
wirklich historische Ereignis verflüchtigt würde.

[52] *Harnack*, Einführung 66, vgl. oben S. 75, Anm. 6.

[53] *Einführung* 68.

[54] Ebd.

[55] Gegen *E. Flesseman-van Leer* 233f, Clemens Romanus knüpfe seine eigenen moralischen Ermahnungen an biblische Texte an.

Damit wird aber von der Schriftbenutzung des Ersten Klemensbriefes her einigermaßen fraglich, ob »dieses Christentum« »Religion des Spätjudentums« ist, wie Harnack urteilt[56]. Die ausgiebige Schriftbenutzung macht »dieses« Christentum nicht zum Spätjudentum, sie offenbart lediglich, daß unser Brief ein Dokument jener Entwicklungsstufe der Glaubensgeschichte ist, die eine Rückbesinnung auf das atl. Buch erforderte, näherhin eine Rückbesinnung auf – um mit Harnack zu sprechen[57] – die δικαιώματα καὶ προστάγματα τοῦ θεοῦ, d. h. eine Rückbesinnung auf vorgegebene Ordnung. Was im Ersten Klemensbrief durchbricht, ist ein Strukturdenken, das sich gegen die personalisierenden Tendenzen der christlichen Tradition auf die vorgegebenen Strukturen, wie sie (im Kosmos, in der Polis und vor allem) in den heiligen Schriften niedergelegt sind, beruft. Niedergelegt ist aber nur das Anschauungsmaterial, die Illustration, das Bild. Um zu erkennen, wie es auf die Sache selbst anzuwenden ist, bedarf es der γνῶσις als Interpretationsprinzip[58].

Die Bedenken, die dagegen bestehen, diese Verwendungsart »als typologische Deutung des AT« zu bezeichnen, wurden oben schon vorgebracht. Deshalb kann man E. Peterson nur mit großen Vorbehalten folgen, wenn er[59] auf der so charakterisierten Schriftverwendung eine Gattungsbestimmung aufbaut[60]. Seinem Ansatz folgend glaubt er, die ausgiebige Verwendung der Schrift gehe auf Rechnung des literarischen Genus, so daß man von daher nicht »auf die Eigenart des Christentums in Rom oder des Autors« zurückschließen könne[61]. Er verkennt dabei, daß das Genus litterarium nicht beliebig auswechselbar ist, sondern aus bestimmter Situation und Problematik sich notwendig ergibt[62].

J. Klevinghaus stellt fest, daß Klemens dem AT 1. Satzungen, 2. Tugendbeispiele, 3. die Priester- (Ämter-) und Kultordnung entnehme[63]. Die Hauptergebnisse seiner Untersuchung: die Identität von AT und NT (d. h. von Schrift und Christus); Offenbarung als Offenbarung des Offenbaren; Israel ist nur Israel der Schrift (nur Paradigma); das Christusgeschehen ist nicht Telos der atl. Offenbarungsgeschichte; das AT ist Gesetz- und ethisches Musterbuch[64], diese Ergebnisse sind als Ergänzung und Bestätigung der von uns erarbeiteten Schriftbenutzung im Ersten Klemensbrief zu betrachten.

Abschließend bleibt zu sagen: Die rein argumentierende und illustrierende Schriftbenutzung in 1 Clem ist von der Verwendung der Schrift nach dem Schema von Weissagung und Erfüllung wie von der typologischen Verwendung abzusetzen. Denn während Weissagungsbeweis und Typologie eine diskontinuierliche historisch-evolutive Deutung der Wirklichkeit implizieren[65], schließt die Art des 1 Clem eine

---

[56] *Einführung* 70. Diese Harnacksche Äußerung könnte allenfalls im Sinne *K. Beyschlags* richtig verstanden werden, der dem clementinisch-römischen Christentum eine den verschiedenen neutestamentlichen Theologien entsprechende Eigenständigkeit zubilligt.
[57] *Einführung* 70.
[58] Vgl. dazu *Wrede* 39 f; 81; 91; eventuell auch *Bultmann* 114.
[59] Und ihm folgend *A. Stuiber* 192.
[60] *Peterson* 356.
[61] *Peterson* 356, Anm. 13; ähnlich *A. Stuiber* 193.
[62] Vgl. oben S. 43 f.
[63] *Klevinghaus* 53.
[64] *Klevinghaus* 75–77.
[65] Auch die »Typologie« impliziert geschichtliches Denken, denn sie setzt die unterschiedliche Bewertung unterschiedener Zeiten voraus.

solche Betrachtungsweise geradezu aus. Es gibt keine »zwei Zeiten«, keinen Umbruch von Altem zu Neuem Testament: das Verhältnis Gottes zum Menschen, wie es in der Schrift begegnet, ist entgeschichtlicht, die Schrift selber, als der Bericht von diesem Verhältnis, der Zeit entnommen, »metaphysiziert«. Das in der Schrift dokumentierte »Handeln Gottes« ist keine Herausforderung für die bestehenden Verhältnisse, vielmehr werden mit Hilfe der als Sammlung von Argumenten und Illustrationen aufgefaßten Schrift die gegenwärtig vorhandenen Prozesse in das ewig Gültige, das Unveränderliche, in die Struktur schlechthin zurückgebunden. Damit ist die Schrift nicht nur in bezug auf Recht und Moral[66], sondern für das Leben als ganzes zum Buch der immergültigen Strukturen und Illustrationen geworden.

---

[66] »Gesetz- und Musterbuch« *Klevinghaus* 77, »das große ethische Musterbuch« *Wrede* 76.

# ZUR REDAKTIONSGESCHICHTE DES BRIEFES

Die Schwierigkeit, den Ersten Klemensbrief in allen seinen Teilen als Einheit zu erkennen, brachte es mit sich, daß man schon früh redaktionelle Einarbeitungen vermutete. Aus einer vorgefaßten Konzeption heraus von dem, was der Brief bringen dürfe und was nicht, schied man einzelne Teile als überflüssige Erweiterungen aus und wies sie früher entstandenen Lehrvorträgen, Predigten oder homiletischen Abhandlungen zu. Ein Unterschied bestand hauptsächlich nur darin, ob man die Einarbeitung der Stücke dem Verfasser selbst[1] oder einem späteren Redaktor[2] zuwies. Von ganz anderer Seite, nämlich von seiner »traditionsgeschichtlichen« Sicht her, stößt K. Beyschlag auf das redaktionsgeschichtliche Problem, wenn er glaubt entdeckt zu haben, daß »Klemens« verschiedene, in der ganzen übrigen Literatur nur unverbunden nebeneinanderstehende Traditionsstränge miteinander verquickt[3]. Hier soll nun versucht werden, die aus der Beschäftigung mit den »Geschichtsbüchern« Pentateuch und Synoptiker entwickelten redaktionsgeschichtlichen Methoden teilweise auf ein Werk der frühchristlichen Briefliteratur anzuwenden. Dabei geht es nicht darum, das anderweitig bekannte Traditionsmaterial, also die Schriftzitate oder Jesuslogien oder evtl. liturgischen Stücke *in sich* auf redaktionelle Umarbeitungen hin zu untersuchen. Es geht darum, bei der Lektüre des Textes als Ganzen – einschließlich des Traditionsmaterials – in der Satz- und Gedankenfolge auf Bruchstellen und Unebenheiten aufmerksam zu werden, um von da her an einigen ausgewählten Beispielen redaktionelle Eingriffe zu entdecken. Es braucht dann im einzelnen nicht entschieden zu werden, ob diese redaktionellen Eingriffe an einem schriftlich oder einem nur mündlich vorformulierten traditionellen Schema vorgenommen wurden.

## a) Kapitel 5/6

Alles in c. 4 Referierte wird 5,1 subsumiert unter ἀρχαῖα ὑποδείγματα. Es wäre aber zumindest voreilig, wollte man von hier aus das Vorausgehende interpretieren. Es scheint vielmehr, daß die Hypodeigmata überhaupt erst mit 5,1 beginnen: λάβωμεν τῆς γενεᾶς ἡμῶν τὰ γενναῖα ὑποδείγματα. 5,1a entpuppt sich damit als bloßer Über-

---

[1] Vgl. die oben S. 55, Anm. 61 genannten Forscher.

[2] So die Interpolationshypothese von *Lemarchand*.

[3] »Das schriftstellerische Format des Clemens Romanus zeigt sich also zwar nicht, wie man früher gern annahm, in freier Inspiration eines in Schrift (LXX) wie in Rede gleichermaßen versierten römischen Theologen, wohl aber in der gewandten Synthese und Interpretation einander nahestehender Überlieferungen zu neuer Gestalt. Clemens ist in erster Linie Redaktor, nicht freier ›Schriftsteller‹. Freilich kennzeichnet diese Form von ›Originalität‹ mehr oder weniger überhaupt den Durchschnitt der frühkirchlichen Autoren« *Beyschlag* 190.

gang (was für den Stil von 1 Clem bezeichnend ist, der jeden harten Schnitt meidet), ἀρχαῖα ὑποδείγματα als bloßes nachträgliches Etikett, das die Bedeutung des Vorigen zwar unter einen neuen Gesichtspunkt stellt, den in c. 4 vorherrschenden Aspekt, die unseligen Folgen des Zelos, aber nicht aufhebt. Der Aspekt der Hypodeigmata ist für c. 5 der natürliche, selbstverständliche, und daher wohl auch – wenn man einmal Benutzung einer Vorlage bzw. vorgegebenen Tradition⁴ als Hypothese nicht von vornherein ausschließt – ursprüngliche. Von seinem Thema her trägt aber der Verfasser auch in dieses Stück seinen Gesichtspunkt vom Zelos als aller Übel Anfang ein. Das Zelos-Motiv gibt sich *dadurch* als nachträglichen Zusatz zu erkennen, daß man es, im Gegensatz zu c. 4, in c. 5 ersatzlos streichen könnte: Der Bericht würde dadurch an Geschlossenheit gewinnen: Petrus und Paulus sind beispielhaft (ὑπόδειγμα, ὑπογραμμός) durch ihre Ausdauer (ὑπενέγκειν, ὑπομονή) und haben deshalb ihren Lohn erhalten (τόπος τῆς δόξης, ἅγιος τόπος)⁵. Das 5,1 b vorgegebene ὑπόδειγμα (wie 5,7 ὑπογραμμός) meint zweifellos ursprünglich die Vorbildhaftigkeit. In 5,1 a, wenn man unvoreingenommen herangeht, muß man Hypodeigma verstehen als Beispiel für die schlimmen Folgen des Zelos. Bei der kurzen Petrus-Notiz ist die Verbindung beider Motive noch einigermaßen nahtlos gelungen. Bei Paulus ist der Zelos-Auftakt nicht mehr in den Bericht integriert. Ebenso nachträglich wie in c 5 ist das Zelos-Motiv in 6,1; dort geht es um das συναθροίζεσθαι der παθόντες und zum ὑπόδειγμα Gewordenen. Daß 6,1 die in c. 5 Behandelten als ὁσίως πολιτευσά-μενοι bezeichnet, zeigt noch einmal, daß der in c. 5 verarbeitete Stoff die »Apostel« als *Vorbilder* hinstellt, nicht als Beispiele vom Neid Verfolgter. Auch 6,2 berichtet zunächst von Sieg und Lohn; das »διὰ ζῆλος διωχθεῖσαι« ist vorn angefügt. Erst 6,3.4 sind wieder ganz wie c. 4 vom Thema Zelos her konzipiert und erweisen sich so als nicht mehr zur Vorlage des in c. 5 f verarbeiteten »Märtyrer«-Berichts gehörig, sondern als vom Verfasser des 1 Clem angefügt.

## b) Kapitel 9–12

Die Zitate in 10,3–6 sollen den letzten Teil der Behauptung von 10,2 b, Abraham solle die Verheißungen Gottes erben, beweisen. Das Zitat von 10,6 nimmt noch das Urteil aus Gen 15,6 hinzu, daß Abraham Gott *glaubte* und ihm dies zur Recht-fertigung angerechnet wurde. (Das ist auch eindeutig Sinnspitze und Ziel der drei zusammengestellten Zitate, die sich deshalb als vorclementinisch erweisen, weil sie nicht die Behauptung von 10,2, Abraham habe das Verheißene *geerbt*, beweisen, sondern nur, Abraham habe Verheißungen *empfangen*.) Schaut man von hier auf 10,1 zurück, so wird man vermuten, daß der Aspekt des Glaubens im Abrahamreferat der in der Tradition vorgegebene war: weil Abraham glaubte, empfing er die Recht-fertigung oder die Verheißung oder evtl. das Erbe. Nun wird man auch für die Noach-Notiz 9,4 vermuten dürfen, daß sie ursprünglich Noachs Glauben pries, durch den

---

⁴ *O. Perler*, Das vierte Makkabäerbuch, Ignatius von Antiochien und die ältesten Martyrer-berichte 65 f und 70–72.

⁵ »Ganz deutlich ist auf den ersten Blick, daß das Leitthema des ›bösen Eifers‹ in dieser Märtyrer-Darstellung eine sehr geringe Rolle spielt. Seine beständige Betonung wirkt mehr wie ein Postulat . . . Was er aber an den Märtyrern wirklich hervorheben will, ist die Vorbildlichkeit ihrer Ausdauer« *Dibelius*, Botschaft 195.

der Welt Rettung gebracht wurde. Bei 9,3, Henoch, allerdings läßt nichts darauf schließen, daß einmal sein Glaube gepriesen wurde. Sein erstes Referat interpretiert der Verfasser ganz im Sinne seines Themas »Dienst und Gehorsam«. Wäre es denkbar, daß dem Verfasser die Reihe Henoch-Noach-Abraham . . ., etwa ähnlich wie Sir 44, aus der Predigt-Tradition als je formbares Material von Beispielen Gott wohlgefälliger Männer vorlag[6]? Hebr 11 hätte dieses Material dann streng als Glaubensbeispiele verwendet, wußte aber auch (vgl. Hebr 11,8 ὑπήκουσεν), daß die Verwendung als Gehorsamsbeispiel möglich ist. 1 Clem kommt es in 9–12 auf Gehorsam und Dienst an. Er betont beim ersten Beispiel, Henoch, den Gehorsam allein. Beim zweiten, Noach, läßt er πιστός stehen, interpretiert es aber durch Hinzufügung von διὰ τῆς λειτουργίας αὐτοῦ als treu im Dienst (wie 1 Kor 4,1f?). Dasselbe geschieht in 10,1: aus Glaube an Gottes Wort wird treu im Gehorsam gegenüber Gottes Wort. Sollte ursprünglich in 10,2 mit dem Verlassen von Heimat, Sippe und Familie der Glaube gepriesen werden, so verschiebt sich jetzt durch die interpretierende Einfügung von δι᾽ ὑπακοῆς die Perspektive: dem Gehorsam soll das Erbe der Verheißung gegenübergestellt werden. Um dieses Erbe der Verheißung um so größer erscheinen zu lassen, wird jetzt, in einer nachklappenden Wiederholung, der zu verlassende Besitz verkleinert: es war also ein durchaus ungleicher Tausch.

### c) Kapitel 33/34

34,3 beginnt mit der Einführung für ein Zitat, welche lautet: »Gibt er uns doch bekannt.« Auf der Suche nach dem Subjekt dieses kurzen Satzes – natürlich ist es der Kyrios – stößt man auf die Merkwürdigkeit, daß es im voraufgehenden Satz nur als Pronomen in einem obliquen Kasus (αὐτοῦ) enthalten ist und dort ganz unvermittelt auftaucht. Das weckt den Verdacht, ein ursprünglicher Zusammenhang könnte durch redaktionellen Eingriff gestört worden sein. Dieser Verdacht wird dadurch gestützt, daß 33,8 den Inhalt des voraufgehenden Kapitels 33 wegwischt und der Vergleich in 34,1 wie ein erratischer Block wirkt, dem man etwas hilflos gegenübersteht. Und wirklich, läßt man diese beiden Verse weg, so ergibt sich ein glatter Übergang von 33,7 nach 34,2–4: Die Paränese (34,2 es ist nötig, daß wir . . .) schließt an das Kerygma an (33,7 Gott hat sich ausgezeichnet); die ἀγαθοποιία (34,2) an die ἔργοι ἀγαθοί (33,7); das ἐξ αὐτοῦ (34,2) an ὁ κύριος (33,7); das »von ihm kommt alles« (34,2) an den Schöpfungsbericht in c. 33. Außerdem bleibt Vers 2 von c. 34 im Rahmen des 32,3–33,7 Dargelegten, indem er aufruft zur Bereitschaft, gute Werke zu tun, und nicht wie 33,8 dazu, das Werk der Rechtfertigung zu wirken. 34,4 nimmt dann noch einmal 33,1c auf und bringt somit den Abschnitt von der Notwendigkeit guter Werke zum Abschluß.

Der Verfasser hat nun vor 34,2 eine Zäsur gemacht, da er das in 34,3 anschließende Zitat für seinen neuen Gedanken vom Lohn in Gebrauch nehmen wollte. An 33,7 mußte er daher noch einen abschließenden Vers anhängen, der wieder zum Thema des ganzen Abschnittes (29,1–33,8), wie es in 30,1a ausgedrückt ist (ποιήσωμεν τὰ τοῦ ἁγιασμοῦ πάντα), zurückführt, nur daß er statt ἁγιασμός jetzt δικαιοσύνη sagt. Außerdem mußte er zur Eröffnung des neuen Abschnittes 34,2 einen Vers voraus-

---

[6] Vgl. die Zusammenstellung der Parallelen bei Wrede 70f.

schicken, der den Lohngedanken einführt. Er scheint es durch Anführung einer Spruchweisheit getan zu haben. Wie eben dargelegt ist der letzte Gedanke vom Verfasser hier eingebaut, während er für das Vorausgehende sich auf eine Vorlage gestützt haben dürfte.

Im jetzigen Zusammenhang ist das Zitat in 34,3 entscheidend für das Verständnis des Abschnittes. Sowohl 34,2 wie 34,4 enthalten den Lohngedanken nicht, sondern rufen nur auf zu »jedem guten Werk«. Daß dieser Aufruf noch einmal begründet wird durch den Lohngedanken, wird nur aus dem Zitat deutlich. In der Vorlage dürfte an dieser Stelle auch ein Zitat gestanden haben, aber ein geringfügig anderes, z.B. Jer 17,10. Das wird aus folgendem deutlich: Das Subjekt der Einführung προλέγει γὰρ ἡμῖν kann nur der Kyrios sein. Das Zitat, das die wörtliche Rede dieses Kyrios wiedergeben will, spricht aber über eben diesen Kyrios in der dritten Person! Diese redaktionelle Beobachtung verstärkt die Gewißheit, daß es dem Verfasser hier um die Einführung des Lohn- und Vergeltungsgedankens ging, auch wenn er im folgenden für diesen Gedanken keinen festen Begriff, sondern wechselnde Termini gebraucht.

### d) Kapitel 34/35

c. 34 trägt durchgehend paränetische Züge. Über allgemeine Ermahnungen in V 5a.b kommt der Verfasser in V 5c auf das Vorbild der Engel zu sprechen. 34,6 bringt nun aber mit Dan 7,10 nicht nur den Beleg für die Richtigkeit der Behauptung von 34,5c, daß ihm nämlich die Engel dienen, sondern darüber hinaus wird an das Zitat noch Jes 6,3 angehängt vom Rufen der Engel zu Gott, was von 34,5c wegführt. 34,7 münzt das verlängerte Zitat sofort in eine kultische Paränese um, an die dann in 34,7b der Lohngedanke angefügt wird, der sich schon an 34,5b sehr gut anschließen würde[7]. Ich möchte hier auch wieder einen Einschub in einen ursprünglichen Gedankengang entdecken. Der Verfasser hat gleichsam von hinten her, von V 7b her konstruiert: Lohn, Teilhabe an der Verheißung kommen uns aus der kultischen Begehung zu (V 7a). Diese kultische Begehung hat ihr Vorbild im Kult der Engel (V 6). Die Engel sind uns Vorbild im Dienst, in der Erfüllung des Willen Gottes (V 5b), welcher der Lohn zugesagt ist. So ist aus dem Kultmotiv, das dem Verfasser so wesentlich war, daß er es ziemlich gewaltsam einfügte (V 7a), das Engelmotiv erwachsen und vorn angefügt worden.

Während man folgende Ordnung erwarten würde: ».. . ordnen wir uns seinem Willen unter. Rufen wir . . . wie aus einem Munde zu ihm. Denken wir an die große Zahl seiner Engel, von denen die Schrift sagt: Und sie riefen: Heilig, heilig, heilig . . . Dann werden wir seiner großen und herrlichen Verheißungen teilhaftig

---

[7] W. C. van Unnik, 1 Clement 34 and the »Sanctus« möchte zwischen 34, 6 und 34, 7 einen Bruch sehen. Darin kann ich ihm nicht folgen; denn gerade die eine von ihm angeführte Parallele 32, 3f beweist, daß καὶ ἡμεῖς οὖν (32, 4) den vorausgehenden Vers aufnehmen kann. Sicher, die Parallele ist nicht das »Sanctus«, sondern das ἐν ὁμονοίᾳ (ebd. 228). Dafür bedarf es aber nicht der Behauptung: »Between vs. 6 and 7 there is a gap« (ebd. 245). Auch ich nehme einen Bruch im Text an, aber nicht zwischen V 6 und 7, sondern in der Einfügung des Kultmotivs, das von V 6b bis V 7a reicht; bzw. in der Einfügung des Kult- und Engelmotivs von V 5c bis V 7a, so daß die Brüche – nicht literarische, sondern gedankliche Brüche des Aufbaus – innerhalb der VV 5, 6 und 7 zu entdecken sind.

werden«, zieht der Verfasser den Gedanken von den Engeln vor und fordert dann erst auf, wie aus einem Munde zu »ihm« zu rufen.

Für den Teil »Motive« des Briefes (23,1–39,9) ist von Anfang an der Vergeltungs-gedanke maßgebend[8]. So treten auch in 35,4 die ἐπηγγελμέναι δωρεαί auf, zumal 34,1–35,12 der Lohn explizit als Motiv vorgestellt wird. 35,5 ist aber aus dem Lohngedanken heraus nicht verständlich, sondern nur, wenn man dazunimmt, daß der Lohngedanke innerhalb des Vergeltungsgedankens steht. Der Verfasser führt also hier den Lohngedanken wieder in den größeren Rahmen zurück. Das tut er zunächst dadurch, daß er den lange verfolgten und mit 34,4 verlassenen Gedanken von den Werken, zwar nicht begrifflich, aber doch inhaltlich, wieder aufnimmt, indem er in Katalogen die zu tuenden und die zu meidenden Werke aufzählt, ähnlich wie er es schon 30,1 getan hatte. Wie dort (30,2) ein abschließender kerygmatischer Satz folgt, so auch hier in 35,6; nur mit dem Unterschied, daß dort dieser Satz selbst schon Schriftzitat ist, während er hier, auch wenn er aus einer schriftlichen Vorlage oder gar aus dem Römerbrief des Paulus 1,32 stammen sollte, mindestens nicht als Zitat gekennzeichnet ist. Von diesem Satz 35,6 soll aber mit dem anschließenden Schriftzitat gezeigt werden, daß er richtig ist.

Den Abschluß des Psalmenzitats bildet 35,12, worin der Lohngedanke ab-schließend noch einmal wiederkehrt, wenn man σωτήριον zu den Synonyma für Lohn rechnen darf; sonst würde hier das Rechtfertigungs-Heiligungs-Segens (31,1 in Ver-bindung mit ὁδός)-Motiv der Kapitel 30–33 noch einmal aufscheinen.

### e) Kapitel 35/36

Der zum Lohngedanken (34,1–35,5.12) komplementäre Gerichtsgedanke (35,6–11) ist hauptsächlich in ein Psalmenzitat (35,7–10.11) gefaßt, das als Beleg für die Richtigkeit des sich an den Lasterkatalog in 35,5c anschließenden Drohwortes (35,6) anzusehen ist. Sehr auffällig ist, daß in 35,11, mitten in dem bis 35,12 reichenden Zitat, der Psalmvers eine Umformung erfährt: Während die ganze Stelle Gott eine direkte Rede in den Mund legt, spricht in V 11 unvermittelt der Verfasser des Briefes, um in V 12 wieder Gott ohne neue Einführung weiterreden zu lassen. Das sieht so aus, als hätte der Verfasser eine ihm schon für den Gerichtsgedanken vorgegebene und vorher bearbeitete Schriftstelle eingebaut. Der frühere Bearbeiter hätte dann das Psalmenzitat 35,7–11 (= Ps 49(50),16–21) unter Verwendung des nachfolgenden Psalmverses Ps 49(50),22 und unter Zu-Hilfe-Nahme von Ps 7,3 mit einem selbstformulierten Appell an die »Gottvergessenen« abgeschlossen. Da für den Verfasser von 1 Clem hier das Gerichtsmotiv aber nur die Schattenseite des Lohnmotivs ist, wollte er abschließend wieder zum Lohngedanken zurückkehren, was sich durch Anfügung des nächsten Psalmverses (Ps 49(50),23) leicht bewerk-stelligen ließ.

Eine Bestätigung dafür, daß der Verfasser den Gerichtsgedanken mit einem fertig bereitliegenden Stück eingefügt hat, könnte man in folgendem sehen: 36,1 (»Dies ist der Weg . . .«) schließt zwar formal gut an 35,12 (». . . der Weg, auf dem . . .«) an, inhaltlich würde es sich jedoch glatter an 35,5b (»Weg der Wahrheit«) anfügen, denn dort ist klarer zum Ausdruck gebracht, was mit »Weg« gemeint ist, als es

---

[8] 23,1 χάριτες, 23,2 δωρεαί, 27,1 ἐπαγγελίαι + κρίματα, 28,1 κρίματα.

das »Lobopfer« aus 35,12 sagen kann. Fest steht jedenfalls, daß c. 36 die Gedanken von Lohn und Heil (29,1 bzw. 34,1 bis 35,5b) und nicht die von Strafe und Unheil (35,5c–11) weiterführt: In der Person Jesu Christi wird das Heil konkret vorgestellt.

Diese Vorstellung geschieht mit Hilfe christologischer Hoheitsaussagen, die der Tradition entstammen, wie sie uns in Hebr 1 entgegentritt[9]. Von Interesse ist nicht so sehr der redaktionelle Einschub V 2a, der die Abfolge der Hoheitsaussagen unterbricht[10], sondern die Art und Weise, wie die Tradition verwertet wird. Deutlich ist das Zitat Ps 2,7f in 36,4 länger als in Hebr 1,5. Damit ist der Akzent verlagert: nämlich von der Sohnschaft auf die Herrschaft Jesu Christi über Völker und Erde (36,4b = Ps 2,8)[11]. Nun wird es verständlich, daß 36,4a schon in der Einleitung zum Psalmenzitat den Sohnestitel verwendet: im Unterschied zu Hebr geht es 1 Clem nicht um den Aufweis der Sohnschaft – die wird von ihm als selbstverständlich vorausgesetzt –, sondern um den Aufweis der dem Sohn verliehenen Macht. Der gegenüber den Engeln »vorzüglichere Name« (36,2; Hebr 1,4) ist nicht die von Gott stammende Sohnschaft, sondern die vom Despotes (36,2.4) verliehene Herrschaft. Folgerichtig wird durch 36,6a nicht das Sitzen zur Rechten, sondern der zweite Teil des Zitates aus V 5, die Unterwerfung der Feinde (Ps 109(110),1 = Hebr 1,13), unterstrichen.

Der Sinn der Komposition von c. 36 ist deutlich geworden: Christus, das Heil, ist die Lichtseite (vgl. φῶς V 2a) der Botschaft. Um sie eindrücklich herauszustellen, werden die Hoheitsaussagen (36,1.2b) um die διὰ τούτου-Aussagen (V 2a) erweitert. Dann aber muß auch die komplementäre Kehrseite dieser Botschaft verkündet werden, wozu eine bestimmte Überlieferung nach der Seite der herrscherlichen Macht hin neu akzentuiert wird. Der Gedankenführung von c. 35 entsprechend ist auch hier am Schluß (36,6b) das Gerichtsmotiv angetönt.

### f) Kapitel 38/39

Das Kapitel 39 beginnt mit einer leidenschaftlichen Klage des Verfassers, daß man von eingebildeten Gegnern verhöhnt wird. Die rhetorische Frage des V 2 führt den Gedankengang nur indirekt weiter. Man sollte erwarten: Was für ein Recht haben sie dazu, welchen Grund? Dagegen spricht V 2 von fehlendem Können und mangelnder Kraft und würde sich insofern besser an 38,2 anschließen, wo es heißt: »Ein anderer ist der Verleihende . . .«, und die Begründung dafür, daß dies bedacht werden soll, wäre dann die Ohnmacht des Menschen von 39,2. Dazu würde auch passen, daß innerhalb des Zitates in 39,4 und 5 die Unreinheit des Menschen an-

---

[9] Damit soll nicht eine direkte literarische Abhängigkeit zwischen Hebr und 1 Clem behauptet werden. Vgl. *Beyschlag* 30, Anm. 1, und *G. Theißen*, Untersuchungen zum Hebräerbrief (Studien zum Neuen Testament 2). Gütersloh 1969, 34–37.

[10] »A. v. Harnack, Einführung 113f, machte darauf aufmerksam, daß sich V 2b (der als Abglanz . . .) besser an V 1 anschließt als an V 2a; entfernt man V 2a, so liegt eine zusammenhängende Reproduktion aus dem Hebr. vor; dies legt die Vermutung nahe, daß V 2a dem Verfasser anderweitig überliefert war und von ihm eingeschoben wurde . . .« *Fischer* 71, Anm. 208.

[11] Daß die Hinzufügung von V 8 aus Ps 2 entscheidend ist, stellt auch *Jaubert*, Clément de Rome 44, Anm. 1 fest. Diese Hinzufügung geschieht jedoch nicht aus dem formalen Grund, die »comparaison militaire« von c. 37 einzuführen, sondern aus dem inhaltlichen, die Macht und Herrschaft Jesu Christi zu betonen.

gesprochen wird. Erst in der Weiterführung des Zitates kommt die Sprache auf das Thema von 39,1 unter dem Stichwort des Unverstandes in 39,6ff. Das an 38,2 + 39,2 angehängte Zitat hätte mit 39,5a (».. . die wir aus demselben Lehm sind«) geendet und wäre mit den Sätzen 38,3f weitergeführt und abgeschlossen worden. Dann würde die ὕλη von 38,3 nicht so unvermittelt auftauchen wie im jetzigen Zusammenhang, sondern den πηλός (Lehm) aus 39,5a aufnehmen. Für die Vermutung, daß 39,5a ursprünglich einmal der Schluß des Zitates war, spricht die Tatsache, daß gerade dieser Satz durch einen anderswoher (aus Ijob 15,15) genommenen Ausdruck – offensichtlich zum Zwecke seiner Verstärkung und Heraushebung – eingeleitet und so umgestaltet wird, daß der Vergleich mit der Motte keinen Platz mehr hat, sondern der Hinweis auf den Lehm betont an das Satzende zu stehen kommt. (Deshalb mußte der Verfasser, als er das Zitat weiterführte, mit diesem Vergleich – abweichend von LXX – einen neuen Satz beginnen.) Stimmt die Hypothese, dann hätte der Verfasser die Umstellung vorgenommen, um 39,1 einfügen und das Zitat um das Gerichtsmotiv verlängern zu können.

Im jetzigen Zusammenhang ist das Zitat eine Insultation der Gegner mit Worten der Schrift. Dadurch enden die Motiv-Kapitel (23–39), wie die Ziel-Kapitel (19–22), mit dem Gerichtsmotiv: einem apokalyptisch-eschatologischen Drohwort für die Gegner, die sich über den Kreis des Verfassers erheben wollen. 40,1 scheint noch einmal die oben vermutete Umstellung zu bestätigen. Wenigstens hat der Verfasser noch 38,4 im Ohr und bildet 40,1 in Analogie zu jenem Vers: an die Stelle des Von-ihm-Habens tritt das Offenbarsein der göttlichen Erkenntnis; an die Stelle des Dankes die Ordnungsgemäßheit des Tuns.

### g) Kapitel 43/44

43,1a knüpft mit κατέστησαν an die in 42,4 referierte und in 42,5 als schriftgemäß aufgewiesene Einsetzung von Gemeindebeamten an. Da die rhetorische Frage diese Einsetzung als selbstverständlich hinstellt, sollte man erwarten, daß der durch ὅπου (wo doch, zumal) eingeleitete Rekurs auf das AT in 43,1b auf einen parallelen Fall von Einsetzung hinweist. Überraschenderweise geht es aber in dem parallelen Fall gar nicht um Einsetzen, sondern das Aufzeichnen von Anordnungen in heiligen Büchern und um das Mitbezeugen der Gesetzgebung. Auch die 43,2–5 folgende Geschichte vom blühenden Aaronsstab handelt nicht von der Einsetzung, sondern von der Erwählung (43,4) für ein Amt. Erst 44,2 spricht wieder von Einsetzen.

44,1 ist vom AT zum NT zurückgekehrt und hat aus 43,6 das Motiv des Vorauswissens, aus 43,2 das des Streitens aufgenommen: Man ist auf eine Parallelisierung der Apostel mit Mose vorbereitet. Mit den ersten Worten von 44,2 (»aus diesem Grunde nun«) setzt der Verfasser auch zu einer solchen Parallelisierung an, bleibt aber nach dem ersten Halbsatz (»da sie vollkommenes Vorauswissen bekommen hatten«) stecken und nimmt unter ausdrücklichem Hinweis (»die Vorgenannten«) die in 42,3f referierte Tradition, sie weiterführend, wieder auf, ohne den Vergleich mit der Mosesgeschichte ausgewertet oder auch nur andeutungsweise aufgenommen zu haben. Die Geschichte vom blühenden Aaronsstab bleibt so sehr ohne Einfluß auf den Fortgang der Ausführungen, daß 43,1–44,2 wie ein Exkurs anmutet, den man ohne Schaden für die Gedankenführung herausstreichen könnte: Der Abschnitt »Rückblick: Entwurf einer Ordnung« könnte mit c. 42 enden; der folgende Abschnitt »Tadel: Aufdeckung der Unordnung«, der mit 44,3 beginnt, schlösse glatt an 42,4(5) an. Daß der Exkurs allerdings eine Vorlage gehabt hätte, dafür gibt es keinerlei Hinweis. Was redaktionsgeschichtlich so erstaunlich ist, liegt innerhalb des Exkurses: Die aufgezeigten gedanklichen Unebenheiten sind so groß, daß erst eine eingehende Exegese des Kapitels 44 Aufklärung bringen kann. Es wird sich dann zeigen müssen, ob sich die aus 43,1 zu vermutende Verschiebung von der faktischen zur juridisch geordneten Einsetzung bestätigt.

### h) Kapitel 49/50

Die Besprechung der atl. Zitate von 50,4 und 50,6 hat ergeben, daß der Verfasser mit ihnen eine Korrektur seiner vorangegangenen Aussagen über die Liebe vornimmt. Der ganze gedankliche Fortgang in c. 49 und 50 scheint von einer solchen ständigen Korrektur bestimmt zu sein. 50,3 (»aber die in Liebe Vollendeten gemäß der Gnade Gottes besitzen den Ort der Frommen«) nimmt noch einmal 49,5d auf (»in der Liebe Gottes sind alle Auserwählten vollendet«); während aber in 49,5d die Liebe selber schon die Vollendung ist, ist sie in 50,3 nur mehr das Mittel, um zur Vollendung, zum »Ort der Frommen« bzw. zur Auferweckung (50,4) zu kommen. Doch auch 49,5d scheint bereits die vorausgehende Aussage auffangen zu müssen. Offensichtlich ist 49,5 einer Tradition verpflichtet, die uns formal auch 1 Kor 13,4–7 entgegentritt. Inhaltlich ist diese Tradition jedoch erweitert. 49,5c lautet: »Liebe kennt keine Spaltung, Liebe macht keinen Aufruhr, Liebe tut alles in Eintracht«. Damit ist, mit einem heutigen Ausdruck gesagt, der »Gesellschaftsbezug« der Liebe ausgesprochen, der früher, etwa an der entsprechenden Stelle in 1 Kor 13, nicht gesehen worden war. Kaum aber hat der Verfasser diesen Gesellschaftsbezug hergestellt, bindet er in 49,5d.e durch einen Hinweis auf »alle Auserwählten« das Ganze in die Tradition zurück. Auch der in 50,2b (»damit wir in der Liebe erfunden werden, ohne menschliche Parteiung«) neuerlich hergestellte Gesellschaftsbezug wird in 50,3 durch den Hinweis auf »alle Geschlechter« sofort in die Tradition zurückgenommen.

Das Verhältnis von 50,3 zu c. 49 wiederholt sich mit 50,5: »Selig sind wir, Geliebte, wenn wir die Anordnungen Gottes in der Eintracht der Liebe getan haben, damit uns durch die Liebe die Sünden nachgelassen werden.« Dabei weisen die Anordnungen Gottes zurück auf 49,1 (»wer christliche Liebe hat, tue die Aufträge Christi«), die Eintracht der Liebe auf 49,5c (»Liebe tut alles in Eintracht«) und die Sündenvergebung auf 49,5a (»Liebe deckt eine Menge Sünden zu«). Während die Liebe aber nach 49,5a selbst schon Sündentilgung ist, ist sie nach 50,5 nur mehr der Grund der Vergebung. Allerdings ist dieser Grund nicht die Liebe schlechthin, sondern die »Eintracht der Liebe«, d.h. – nach 49,5c – die gesellschaftsbezogene Liebe. Diese – anscheinend kühne – Korrektur wird sofort wieder in die Tradition eingebunden: Auf den selbstformulierten Makarismus von 50,5 folgt in 50,6 ein der Schrift entnommener, von dem in 50,7 eigens betont werden muß, daß er für die Christen noch gilt.

Die ständigen Korrekturen scheinen darauf hinzuweisen, daß für den Verfasser »Liebe« etwas anderes bedeutet, als es bis auf ihn bedeutet hat. Die Verschiebung von

der Eigentlichkeit der Liebe zur Liebe als Mittel und Beweggrund ist wohl nur ein
Symptom für diese Veränderung. Die Veränderung selber dürfte in der Neuentdeckung des Gesellschaftsbezuges der Liebe bestehen. Die fortwährenden
redaktionellen Korrekturen waren aus zwei Gründen nötig: erstens um diese Veränderung in das traditionelle Kerygma von der Liebe einzubauen; und zweitens um
sie dann wieder als mit der Tradition in Übereinstimmung stehend aufzuweisen.

### i) Ergebnis

Jede der im eng begrenzten Rahmen durchgeführten redaktionsgeschichtlichen Beobachtungen hat ein deutliches Ergebnis gebracht. Immer war es eine bemerkbare
Verschiebung von einem ursprünglich vorhandenen Begriff oder Gedanken zu einem
anderen später betonten, die aus grammatikalischen oder logischen Unebenheiten
heraus aufgespürt werden konnte. Herausgekommen sind die Verschiebungen vom
Privatraum zur Öffentlichkeit (c. 49f), vom Faktischen zum Juridischen (c. 43f),
von seinshafter Unreinheit zu schuldhaftem Unverstand (c. 38f), von der Sohnschaft zur Herrschaft Christi (c. 35f), vom Dienst zum Kult (c. 34f), vom guten
Werk zum Lohn (c. 33f), vom Glauben zum Gehorsam und Dienst (c. 9–12) und
schließlich vom Vorbild zum Beispiel (c. 5f); außerdem hat sich der Zelos als das
zur Deutung der tradierten Beispielerzählungen herangezogene Stilelement gezeigt.
    Diese Einzelbeobachtungen sind nicht so disparat, wie es auf den ersten Anblick
vielleicht erscheinen möchte. Alle Verschiebungen lassen sich dem einen oder anderen
von zwei Zentren zuordnen: entweder dem »Gerichtsgedanken« oder dem »Öffentlichkeitscharakter«. Das Vergeltungsmotiv, das in c. 34, Verschiebung vom guten
Werk zum Lohn, durchbricht, enthält schon den Gerichtsgedanken. Genau dasselbe
gilt für die in c. 39 festgestellte Verschiebung von seinshafter Unreinheit zu schuldhaftem Unverstand. Die rechtliche Komponente des Gerichtsgedankens wird
gestützt von der Verschiebung in c. 43 vom faktischen Gemeindebrauch zur
kodifizierten Anordnung und Gesetzgebung. Dem entspricht die Verschiebung im
Christusbild von seiner Sohnschaft zu seiner Herrschaft in c. 36. Mit der Verlagerung
auf den Herrschaftsgedanken ist nicht allein auf Recht und Gericht abgehoben,
sondern auch auf den allem Rechtlichen innewohnenden Öffentlichkeitscharakter,
den bereits die in die Nähe des Herrschaftsgedankens zu rückende Verschiebung vom
Glauben zum Gehorsam und Dienst in c. 9–12 enthält, der aber ganz deutlich in
der weiteren Verschiebung vom Dienst zum Kult in c. 34 an den Tag kommt und
überdeutlich durch die Herstellung des Gesellschaftsbezugs der Liebe in c. 49f ins
Licht gerückt wird.
    Wenn man eine Zusammenschau dieser Elemente wagen darf, müßte man sagen:
Durch seine Redaktionen verrät der Verfasser, daß sein Anliegen von öffentlich-
rechtlicher Natur ist. Daher muß im Christusbild die Herrschaft betont werden und
entsprechend auf seiten des Menschen der Gehorsam und Dienst, der im Gericht
seinen Lohn findet. Auch der Kern der christlichen Tradition, die Liebe, wird diesem
Anliegen zugeordnet. Von Belang scheinen bei dieser Neuordnung nicht die Glaubensfrage (c. 9–12), wohl aber der Kult (c. 34) und das Gemeindeamt (c. 43) zu sein.
    Von den festgestellten Verschiebungen her wird auch die in c. 5f begegnende, dem
Brief eigentümliche Verwendung des Zelos-Begriffes verständlich. Die Verschiebung

vom Vorbild zum Beispiel, die sich in diesen Kapiteln bei der Verwendung des Traditionsmaterials gezeigt hat, fügt sich gut in die anhand der Schriftbenutzung gemachte Feststellung ein, daß der Verfasser die Tradition als illustrierende Beispielerzählung auswertet. Insofern diese zu Beispielerzählungen gewordene Tradition von »negativer« Vorbildlichkeit ist, wird sie nun mit Hilfe des Begriffes Zelos gedeutet. Gerade die Art, wie der Verfasser den Begriff Zelos verwendet[12], ist ein weiterer Hinweis auf den öffentlich-rechtlichen Charakter seines Anliegens: Der Zelos brachte allen Führergestalten von Abel über Jakob, Josef, Mose und David (c. 4) bis Petrus und Paulus die Todesgefahr oder den Tod selber; er trug ihren Gegnern die gerechte Strafe und den Tod ein (4, 11 f); er war die tödliche Bedrohung für alle öffentliche Ordnung (6, 3 f; 43, 2)[13]. Diesen rein negativen[14] und der Privatsphäre entzogenen Zelos gibt es also erst dort, wo es um »Ambitionen« geht. Solcher Zelos bringt den Tod (3, 4; 9, 1)[15].

---

[12] Daß das Zelos-Motiv schon vor 1 Clem fest mit der Abelreihe verbunden war, konnte und wollte *Beyschlag* 67–134 nicht stringent beweisen. Sein Ergebnis: »Clemens hat die unter das Leitmotiv von $\zeta\tilde{\eta}\lambda o\varsigma$ und $\varphi\vartheta\acute{o}\nu o\varsigma$ gestellte alttestamentliche Beispielreihe nicht selbst gebildet, sondern als Ganze aus der Tradition überkommen«, darf und soll wohl so verstanden werden, daß zwar die Abelreihe älter ist als 1 Clem, daß aber das Zelos-Motiv nicht durchkomponiert, sondern bloß als Überschrift in Form des Zitates Weish 2, 24 (= 1 Clem 3, 4) mitgegeben war.

[13] So gesehen sind die allgemeinen Schlußbeispiele 6, 3 f keineswegs »matt«, und ihre Anführung wirkt weder »sehr unvermittelt« noch »fast ein wenig komisch« wie *Dibelius*, Botschaft 195, meint. Diese Verse sind notwendiger Abschluß; durch sie wird der Zelos, die Aemulatio als das Ende aller öffentlichen Ordnung in Familie und Staat hingestellt.

[14] Eine so ausschließlich negative Verwendung des Begriffes $\zeta\tilde{\eta}\lambda o\varsigma$ begegnet außer im 1 Clem weder in der Profangräzität noch im Bibelgriechisch; vgl. *A. Stumpff*, Artikel »$\zeta\tilde{\eta}\lambda o\varsigma$«: ThW II 879–884.

[15] Jetzt wird es verständlich, warum 1 Clem in dem Zitat Weish 2, 24 (= 1 Clem 3, 4) den Teufel weggelassen hat im Unterschied zu allen anderen Quellen, wie *Beyschlag* 48–67, vgl. besonders 65 f, festgestellt hat. Nicht der Neid des *Teufels* bedeutet Ende und Tod, sondern der Zelos als solcher: Wo die eifersüchtigen, ehrgeizigen Ambitionen anfangen, dort fängt der Tod an.

## 5. ABSCHNITT

## DIE ADRESSATEN DES BRIEFES

Was oben das »Problem der Zweiteilung«[1] genannt worden ist, hat in der Vergangenheit zur Entwicklung von allerlei Redaktionshypothesen geführt[2], mit deren Hilfe man den »homilienartigen Charakter« und damit den Umfang und die Reichhaltigkeit des Briefes erklären wollte. Es ist immer schwergefallen, das Schreiben der römischen Gemeinde an die korinthische vorbehaltlos einen Brief zu nennen. So hat man es als »Kunstprodukt« bezeichnet[3] und ihm bescheinigt, daß es die Form des echten Briefes sprengt[4]. Von daher ist es nicht mehr weit, die Briefform als Einkleidung und Fiktion zu vermuten und die Adressaten ganz woanders als in Korinth zu suchen[5]. Konnten sich solche extreme Meinungen auch nicht durchsetzen, so blieb doch eine ziemliche Unentschiedenheit, die man mit einem Sowohl-als-auch zu überdecken sucht[6]. Nachdem wir aber unter der Überschrift »Das Problem der Entsprechung des ersten und zweiten Briefteiles«[7] eine solche Haltung als dem Briefe nicht entsprechend aufgewiesen haben, stellt sich die Frage der Adressaten für uns wieder. Wir müssen den Brief noch einmal nach Indizien durchsuchen, die uns verraten, wer denn nun die Adressaten waren, die dem Verfasser bei der Abfassung des Werkes vor Augen standen. Diese Frage kann nicht bedeutungslos sein für die Bestimmung der Form.

### a) Die Adressaten nach dem Prooemium 1 Clem 1,1

Der einleitende Satz 1 Clem 1,1 erinnere stark an ein literarisches Prooemium, meint K. Beyschlag[8]. Das ist vorsichtig ausgedrückt. Nach dem, was Beyschlag selbst über 1 Clem 1,1, das er ja mit Recht ohne Zögern »Einleitung«[9] und »Vorwort«[10] nennt, erarbeitet hat[11] und was sich uns bei der Erarbeitung des Aufbaus

---

[1] Siehe oben S. 53.

[2] Hierher gehören nicht nur die Interpolationshypothesen, die schon *Wrede* 6 für »mit Recht verschollen« erklärt, die aber knapp ein halbes Jahrhundert später in *L. Lemarchand* noch einen späten, allgemein abgelehnten Verfechter gefunden haben, sondern auch die verschiedensten Kompilationshypothesen, wie sie kurz *Beyschlag* 45, Anm. 1, aufzählt; siehe auch oben S. 55, Anm. 61.

[3] *Studie* 56; *Kommentar* 43.

[4] So *Knopf*, Kommentar 43. Schon *Harnack*, Studie 56, setzt »Brief« in Anführungszeichen!

[5] Vgl. oben S. 57, Anm. 65.

[6] So nennt *Knoch* 47 unter Hinweis auf *Thyen* 11 unser Schreiben einen wirklichen Brief, hält aber auf S. 48 mit *van Unnik* daran fest, daß es zugleich eine allgemeine Instruktion sei.

[7] Siehe oben S. 56.

[8] *Beyschlag* 166, Anm. 1.

[9] Ebd.

[10] *Beyschlag* 166; 331.

[11] Vgl. das Stellenregister zu 1 Clem 1, 1, *Beyschlag* 372.

ergeben hat, darf man eindeutig sagen, daß 1 Clem 1,1 das Prooemium des Briefes sei, nicht nur daß dieser Satz die Stelle des Prooemiums einnehme. Freilich gibt dieses Prooemium manche Rätsel auf, von denen Harnack schon eines, nämlich seine Unhöflichkeit angesprochen hat[12]. Beyschlag erwähnt »das Fehlen jeglicher Andeutung auf eine vorangehende Nachricht oder Anfrage aus Korinth, wie sie für ein Prooemium konventionell ist«[13]. Weiter: Was soll es bedeuten, die korinthische Angelegenheit gleich als στάσις zu bezeichnen? Was ist mit ὀλίγα πρόσωπα gemeint? Was sind die συμφοραί und περιπτώσεις, die plötzlich Schlag auf Schlag über die Absender gekommen sind? Was heißt das, man schreibe βράδιον? Den beiden letzten Fragen soll besonders nachgegangen werden, um dem Problem des oder der Adressaten näherzukommen.

### aa) συμφοραὶ καὶ περιπτώσεις

Ohne Umschweife spricht der Verfasser die Angelegenheiten, um die es in Korinth geht, als schmutzigen und unheiligen Aufruhr an, welche Ausdrucksweise er bis zum Ende des Briefes beibehält[14]. Solche drastische Ausdrucksweise konnte man als mehr oder weniger skurrile Eigenheit des Verfassers übergehen, bis K. Beyschlag seine Untersuchungen vorlegte. Jetzt wissen wir, daß der Verfasser sich wahrscheinlich einer schon zu seiner Zeit »konventionellen Redeweise« bedient, indem er »einer bereits vorgegebenen Überlieferung, die präzise von Schisma, Aufruhr, Verfolgung und Martyrium sprach«, folgt[15]. In 1 Clem 3,2 wird das Bild verschärft, wenn zu Aufruhr und Verfolgung noch Krieg und Gefangenschaft hinzugefügt werden. »Nach Dtn 32,15ff (= 1 Clem 3,1) betrachtet der Verfasser den Umschwung in Korinth nach dem Muster des Abfalles Israels zu den Götzen (Ex 32)«[16]. Damit ist der Rahmen gefunden, in den der Verfasser die korinthischen Ereignisse hineinstellt und innerhalb dessen er sie beurteilt.

Diesen Hintergrund zu skizzieren war nötig, um das uns Interessierende ansprechen zu können. Bevor das Prooemium vom Aufstand in Korinth spricht, nennt es συμφοραί und περιπτώσεις in Rom. Was ist damit gemeint? Man hat es immer als Andeutung einer stadtrömischen Christenverfolgung aufgefaßt und seit Harnack ist es beinahe Sententia communis, es sei die domitianische Verfolgung gemeint. Von der Wortbedeutung her ist der sprachliche Ausdruck so blaß wie nur möglich. Συμφοραὶ καὶ περιπτώσεις ist der sprachlichen Figur nach ein Hendiadyoin. Beide

---

[12] »Es ist ganz ungewöhnlich und wider alle Regeln des höflichen Stils, daß der Verfasser sofort das den Adressaten wenig ehrenvolle Thema seines Schreibens angibt«, *Einführung* 104, Anm. zu 1, 1.

[13] *Beyschlag* 166, Anm. 1.

[14] 2, 6; 3, 2; 14, 2; 46, 7. 9; 47, 6; 49, 5; 51, 1; 54, 2; 57, 1; 63, 1.

[15] *Beyschlag* 332 mit Hinweisen auf Didaskalie II 42f; 2 Clem 13; Hermas sim IX 22, 1f; Ignatius Trall 8, 2; Jak 2, 1 ff; Epistula apost 46–50; Tertullian Adv. Marc III 23; Eusebius hist. eccl. IV 2. 6, die alle von 1 Clem unabhängig dieselben Begriffe gebrauchen und damit – obwohl sie durchweg jünger sind als 1 Clem – auf eine gemeinsame ältere Tradition hinweisen. Siehe *Beyschlag* 172–193 vgl. vor allem auch die Zusammenfassungen 178 und 188ff.

[16] *Beyschlag* 330; vgl. auch *Beyschlag* 143: »Zusammengefaßt: Angesichts aller hier aufgezeigten Zusammenhänge wird man die These wohl vertreten können, daß Clemens auch mit der Vorstellung von πόλεμος καὶ αἰχμαλωσία in c. 3, 2 einer älteren . . . Überlieferung folgt, in welcher ursprünglich von Ungehorsam (bzw. Unglauben) Israels und seiner Bestrafung durch ›Krieg und Gefangenschaft‹ die Rede war.« Zum Vergleich wird hauptsächlich Ps-Clem Rec I 33–44 herangezogen, ein Abschnitt der pseudoclementinischen Grundschrift, den *G. Strecker* als Bestandteil der vorpseudoclementinischen AJ II-Quelle ausgewiesen hat (*Beyschlag* 139).

treffen sich in der Bedeutung Zufall, Ereignis [17]. Während aber συμφορά »besonders im schlimmen Sinne«, »selten von erfreulichen Begebnissen« gebraucht wird [18], ist περίπτωσις völlig farblos. Man kann also kaum mit »Unbilden und Mißgeschicken« (Harnack) und noch weniger mit »Heimsuchungen und Drangsale« (Fischer) übersetzen, sondern eher ganz unbestimmt mit »Ereignisse und Vorfälle«. Können damit aber noch Verfolgungen gemeint sein? Genügt es, auf die »loyale« Denkweise des Briefes hinzuweisen, der – um keinen Anstoß zu erregen – die gerade laufenden Verfolgungen bagatellisiert [19], indem er ein Wort, das meistens Unglücksfälle bedeutet, dadurch abschwächt, daß er es mit einem anderen zu einem Doppelausdruck verbindet, das ganz neutral »Vorfälle« heißt?

Die Untersuchungen K. Beyschlags weisen überraschend in eine andere Richtung: συμφοραί gehört »traditonsgeschichtlich« (im Sinne Beyschlags) in die Begriffsreihe Aufruhr, Verfolgung, Krieg, Gefangenschaft (vgl. 1 Clem 3,2) hinein [20]! Wenn das stimmt, liegt es nicht nur nahe, sondern ist bereits der Beweis geliefert, daß mit dem »Aufruhr« von Korinth und den »Ereignissen« von Rom Vergleichbares beschrieben ist. Man sage nun nicht, da der Verfasser nun schon einmal das korinthische Geschehen mit dem Vokabular blutiger Verfolgung beschreibe, könne es für ihn auch keine Schwierigkeit sein, im gleichen Atemzug damit die wirklich blutige Verfolgung in Rom zu nennen. Abgesehen davon, daß eine solche Kontamination unwahrscheinlich ist, spricht dagegen das an συμφοραί gleichsam epexegetisch angefügte περιπτώσεις. Wenn damit blutige Verfolgung gemeint gewesen wäre, dann wäre es zuviel der Abschwächung! Viel näher liegend ist es, daß die συμφοραί von Rom Vorgänge innerhalb der römischen Gemeinde sind, die denen korrespondieren, die der Verfasser in Korinth mit στάσις bezeichnet [21].

## bb) σκάμμα und ἀγών in 1 Clem 7,1

Es wäre gut, wenn die Verklammerung der römischen und korinthischen Gemeindeereignisse, wie sie aus dem Prooemium mit Hilfe von Textvergleichen gewonnen werden kann, auch direkt irgendwo im Text des Briefes ausgesprochen wäre. Genau das begegnet in der »kommunikativen Zusammenfassung« [22] des Verses 1 Clem 7,1 [23].

---

[17] Vgl. die Wörterbücher, z. B. *F. Passow*, Handwörterbuch der griechischen Sprache oder *W. Pape*, Griechisch-Deutsches Wörterbuch. *Bauer*, Wörterbuch läßt sich zu sehr von den Übersetzern und Kommentatoren des Ersten Klemensbriefes beeinflussen, was verständlich ist, da beide Wörter innerhalb der von ihm berücksichtigten Literatur nur an unserer Stelle vorkommen.

[18] So Pape a. a. O.

[19] So z. B. auch *Dibelius*, Botschaft 192f; 198.

[20] *Beyschlag* 151 (IV Makk 3, 21); 181f (Eusebius hist. eccl. IV 2, 1).

[21] Wenn *Beyschlag* 151, Anm. 3, sagt, das Wort συμφοραί in 1 Clem 1, 1 sei an Stelle von διωγμός unerwartet, so geht er stillschweigend davon aus, daß es im ersten Satz des Prooemiums wirklich um blutige Christenverfolgung geht. Das aber ist immer noch nicht bewiesen. Aus der gleichen Vormeinung kommt seine Bemerkung 182, Anm. 3, durch Aufnahme des vorgegebenen Ausdrucks συμφοραί in das Prooemium seien die römischen von den korinthischen Ereignissen abgetrennt worden. Im Gegenteil: Dadurch, daß beide Ereignisse mit Begriffen, die derselben Tradition entstammen, bezeichnet werden, sind sie nicht voneinander getrennt, sondern vielmehr miteinander verklammert worden!

[22] *Beyschlag* 300.

[23] Die Überlegungen, daß der Vers traditionell typischer Abschluß der Diatribe ist, innerhalb des Briefaufbaus jedoch als Neueinsatz für einen größeren Abschnitt verwendet wird, können hier beiseite gelassen werden.

Allerdings erhebt sich sofort die Frage: Ist der Vers mehr als eine Höflichkeit des mahnenden Predigers, der seinen Zuhörer dadurch geneigter machen will, die Forderungen zu erfüllen, daß er sich selbst mit ihm identifiziert? Will die römische Gemeinde im Ernst das Bekenntnis ablegen, sie habe mit demselben Problem zu ringen wie die korinthische?

Über den Begriff σκάμμα aus 7,1 geben die Untersuchungen Beyschlags wieder interessante Hinweise: Bei der Rede von ἀγών und σκάμμα haben wir es mit einer Vorstellung zu tun, die im westlichen Bereich der Kirche auf das Martyrium bezogen war[24]. Freilich bleibt auch weiterhin der Hinweis auf die zeitgeschichtliche Agonistik gültig[25], doch die Frage ist gerade, ob die agonistische Metapher direkt aus dem allgemeinen hellenistischen Sprachgebrauch übernommen wurde oder schon eine jüdisch-christliche »Traditonsgeschichte« hatte. Da die Nähe zur Sprache des Märtyrerberichtes gezeigt werden kann[26], ist mit σκάμμα und ἀγών in 7,1 noch einmal zu der Ausdrucksweise zurückgekehrt, die von 1,1 über 3,2 (und nicht zuletzt 5,2: verfolgt werden, kämpfen) die ersten Kapitel des Briefes beherrscht: Aufruhr, Verfolgung, Kampf und Krieg[27]. Nur möchte ich hier O. Perler folgend, der 7,1 richtig auf das Beispiel der Bekenner in der Verfolgung bezieht[28], von »Verfolgungstopos« und nicht von »Märtyrerbericht« sprechen[29].

Der Verfasser bringt also in 7,1 nicht nur irgendwie, sondern mit einem durchaus geprägten und »vorbelasteten« Vokabular zum Ausdruck, daß »wir«, d.h. die das Schreiben absendende Gemeinde von Rom, in ähnlicher »Verfolgungssituation« stehen wie die Empfängergemeinde in Korinth. Dadurch erhöht sich die Wahrscheinlichkeit für die oben für συμφοραί in 1,1 gegebene Deutung, daß nämlich der Verfasser dadurch die römischen mit den korinthischen Ereignissen verklammern wollte.

### cc) βράδιον

Gleichsam als Nachbemerkung soll noch ein Wort verloren werden zu βράδιον in 1,1. Im allgemeinen übersetzt man es im Sinne von ziemlich spät und faßt es als Entschuldigung auf, daß man nicht schon früher geschrieben hat. Doch das ist wohl nicht sehr entscheidend. Auch wenn es nicht eine Entschuldigung sein sollte, sondern vielleicht eine Erklärung für die Art des Schreibens, etwa seinen Umfang oder seine Eindringlichkeit, auf jeden Fall kommt in βράδιον zum Ausdruck, daß der Verfasser

---

[24] *Beyschlag* 305 mit Hinweis auf Tertullian, Ad mart 3, 4 und Hippolyt, Comm in Dan II 19, 8.
[25] *Fischer* 27, Anm. 18; *A. W. Ziegler*, Neue Studien zum ersten Klemensbrief 24–37.
[26] *Beyschlag* 345.
[27] Ἀγών in 2, 4 meint dann auch nicht etwa den tugendhaften Wettstreit bei der Sammlung von Verdiensten, sondern das Bestehen der durch den Verfolgungstopos charakterisierten Situation, wobei es um Heil oder Unheil geht: diese Sicht bestätigen die vielen soteriologischen Ausdrücke, die in diesem Vers zur Kennzeichnung des ἀγών angehäuft sind: ὑπέρ (mit dem Zusatz πάσης τῆς ἀδελφότητος an Stelle des gewohnten πάντων), σώζεσθαι, ὁ ἀριθμὸς τῶν ἐκλεκτῶν. Eine solche Deutung scheint mir wahrscheinlicher als die von *W. C. van Unnik*, Nombre des élus 239 vorgeschlagene, wo er ἀγών mit »prière ardente« übersetzt wissen will. Das Anliegen des Aufsatzes, den Ausdruck »die Zahl der Auserwählten« als aus der eschatologischen Tradition herkommend nachzuweisen (245), wird dadurch eher gestützt. (Zum Verständnis des Verses 2, 4 vgl. eventuell auch die Konjektur von *H. L. F. Drijepondt*: συναιδέσεως statt συνειδήσεως.)
[28] *O. Perler*, Ignatius von Antiochien und die römische Christengemeinde 439f.
[29] Vgl. oben S. 26, Anm. 176.

im Sinne der Absender der Ansicht ist, der Brief werde nicht gerade im günstigsten Augenblick abgeschickt. Auch wenn βράδιον nicht mit *zu* spät übersetzt werden darf (was sprachlich ja durchaus möglich wäre), so bringt es doch den verpaßten richtigen Zeitpunkt zum Ausdruck, und wir müssen zur Kenntnis nehmen, daß sich das Schreiben selbst mit Bezug auf Korinth für verspätet hält.

Dann aber ist die Frage gestattet: Wäre *dann* noch – wenn es ausschließlich und allein um Korinth gegangen wäre – ein so ausführliches und bis ins einzelne durchkomponiertes Schriftstück entstanden? Oder legt nicht schon das Geständnis βράδιον nahe, daß sich hinter »Korinth« ein weiter Horizont derer auftut, die – wenigstens indirekt – auch angesprochen werden wollen? Wo dieser am Horizont auftauchende Chor der Mit-Angesprochenen zu suchen ist, deuten 1,1 und 7,1 an, ohne allerdings neue »Adressaten« im eigentlichen Sinne zu nennen. Dennoch ist es wichtig festzustellen, daß der Brief selber verrät, daß sein »Problem« nicht in der Fremde, sondern in der Heimat liegt.

## b) Die Adressaten nach Präskript und Eschatokoll

Der erste und der letzte Satz des Briefes entsprechen sich als Einleitungs- und Schlußgruß, in denen traditionsgemäß die Empfänger direkt angesprochen werden. Läßt sich von daher die aus dem Prooemium gewonnene Vermutung stützen, daß der Empfängerkreis mit »Korinth« nicht exakt genug umschrieben ist, oder werden diese Stellen, die den Adressaten direkt nennen, die angestellten Überlegungen als Verirrung entlarven? Für die Beurteilung des Präskripts kann man auf andere Arbeiten zurückgreifen, Bemerkungen zum Eschatokoll sind in der Literatur bisher kaum vorhanden.

### aa) Die Form des Präskriptes

Die Zuschrift des Briefes sei sicher mit Absicht in Anlehnung an den ersten Korintherbrief des Paulus und – für den Gedanken der Fremdlingschaft und die Grußformel – an den ersten Petrusbrief formuliert worden, urteilt Knopf[30]. Dasselbe sagt Harnack[31]; und J. A. Fischer[32] neigt weiterhin mehr zu dieser Beurteilung, obwohl inzwischen E. Peterson die Ableitung vom jüdischen Diasporabrief versucht hat. A. Stuiber übernimmt diesen Versuch, O. Knoch folgt ihm in seinen Konsequenzen[33].

Was ist zu Petersons Entdeckung zu sagen? Er setzt beim Begriff »παροικοῦσα« an, den er mit der Bedeutung »Parözie« im jüdischen Brief, also mit »Diaspora« gleichsetzt[34]. Der Erste Klemensbrief wäre also ein Sendschreiben in die Diaspora, damit zur Gattung der »katholischen« Briefe gehörig und an die ganze Christenheit der Ökumene gerichtet. Peterson versucht zwar, mit Hilfe von Nuthesia, der Selbst-

---

[30] *Kommentar* 43 mit Hinweis auf die Benutzung von 1 Kor in 1 Clem 47, 1–3.
[31] *Einführung* 104, Anm. zur Adresse.
[32] *Fischer* 25, Anm. 1–4.
[33] Vgl. *Knoch* 47 f.
[34] *Peterson* 351.

bezeichnung, die sich der Brief gebe[35], seine These abzusichern, aber auch dann
noch bleibt mit Beyschlag[36] kritisch zu fragen, wie weit das Präskript und das Wort
Nuthesia die ihnen aufgebürdete Beweislast tragen können. Es sind wohl zwei Dinge
voneinander zu trennen: die »Formbestimmung« des Präskriptes und die »Gattungsbestimmung« des ganzen Briefes. Das Präskript auf ein jüdisches Formular zurückzuführen, ist Petersons gelungene Entdeckung. Dagegen darf man nicht ins Feld
führen, daß die christliche Fremdlingschaft in der Welt nicht die der jüdischen
Diaspora sei: Die Umdeutung des Inhaltes von Paroikia ändert nichts an der formgeschichtlichen Herkunft des Präskriptes! Eine ganz andere Frage ist es, ob es
Peterson auch gelungen ist, von daher eine Gattungsbestimmung des Briefes durch-
zuführen. Doch diese Frage kann hier zurückgestellt werden. Denn auch wenn sie
verneint werden muß, weil aus der Form der Zuschrift sich nicht die Form des
Briefes ableiten läßt, so bleibt davon die erste Entdeckung unberührt.

Angesichts der Kritik, die Peterson von Beyschlag erfahren hat[37], war es nötig,
zwei Fragen voneinander zu trennen, die nicht notwendig zusammenhängen, und zu
zeigen, daß die für unseren Zusammenhang interessante Formbestimmung des
Präskriptes durch Peterson durchaus wahrscheinlich und annehmbar ist. Auf unsere
Frage nach den Adressaten ist also zu antworten, daß es die im Präskript einzig
genannte Empfängerin, die Gemeinde zu Korinth, ist und bleibt. Interessant ist es
jedoch, daß sich dem Verfasser die Zuschrift in Anlehnung an den jüdischen
Diasporabrief formuliert. Es wird also nicht gleichsam ein »Privatbrief« von
Gemeinde zu Gemeinde eingeleitet, dessen Inhalt sonst niemand berühren würde.
Vielmehr erhebt sich hinter der Empfängergemeinde – wenn wir die Form des
Präskriptes ernst nehmen – die christliche Ökumene, an die – wenn auch un-
reflektiert – mitgedacht ist.

## bb) Textvergleiche zum Eschatokoll

Ein antikes Schriftstück kenne man nicht, wenn man seinen Schluß nicht kennt,
weil gerade dort das innere Ziel des Ganzen sichtbar werde, bemerkt ein Erforscher
der christlichen Frühgeschichte[38]. Der Schluß des Briefes ist das Eschatokoll, das
Grußwort in 65,2. Harnack merkt dazu an: »Am Schluß denken die römischen
Christen wieder an die Gesamtkirche«[39], ohne allerdings zu sagen, wo sie es vorher
schon getan hätten[40]. Das ist eben gerade das Auszeichnende dieses Eschatokolls,
daß sich in ihm der Brief ganz universal öffnet. Dafür ist nicht die abschließende
Doxologie bedeutungsvoll: eine solche findet sich schon am Ende des Römer-
briefes (und später des Judasbriefes). Bedeutungsvoll ist die Zweigliedrigkeit der
Grußformel. Der erste Teil dieser Grußformel stimmt wörtlich überein mit der
Formel am Ende von 1Thess. Man kann das den Grundstock des Schlußgrußes aller
Paulusbriefe und Paulinen mit Ausnahme des Epheserbriefes, aber einschließlich

---

[35] *Peterson* 354.
[36] *Beyschlag* 23, Anm. 3.
[37] Ebd.
[38] *E. Hirsch,* Frühgeschichte des Evangeliums I, ²1951, 182; erwähnt bei *W. Marxsen* 141.
[39] *Einführung* 121, Anm. zu 65, 2.
[40] *Stuiber* a. a. O. 192 führt dafür, daß die Gesamtkirche betroffen sei, 1, 1; 46, 9; 47, 7 an. Das
ist zwar implizit in diesen Stellen enthalten, explizit zur Sprache bringen tun sie es nicht.

des Briefes an die Hebräer nennen[41]. Bei keinem dieser Briefe wird nun an diese –
manchmal verkürzte, manchmal erweiterte – Grußformel mit *καί* ein zweites Glied
angefügt. Das gilt auch für die übrigen Briefe des NT und der AVV, die eine vergleichbare Grußformel verwenden, nämlich für 1Petr und den Barnabasbrief.

In diesem Punkt steht 1Clem einzig da. Er wünscht Gnade nicht nur den
Adressaten, sondern darüber hinaus *allen* von Gott durch Jesus Christus Berufenen
*allüberall*. Er erreicht das dadurch, daß er das »alle« nicht in die Grußformel ein-
bezieht, wie z.B. 2Kor, 2Thess, Tit und Hebr, und mit »euch« verbindet, sondern
es davon trennt und mit »und« anfügt, so daß es statt »mit euch allen« jetzt heißt:
»mit euch und mit allen«. Das »alle« wird sofort noch intensiviert durch ein »allüberall« und erläutert mit der Bemerkung, es seien die durch Gott in Jesus Christus
Berufenen gemeint. Damit ist auch die Grußformel von Eph 6,24 überboten, welche
Gnade wünscht »allen, die unseren Herrn lieben ...«. Zwar mag dieser Gruß
universalistisch klingen, da er an »alle« geht; dennoch sprengt er nicht den Rahmen
der Adressaten (auch wenn das, je nachdem wie die Zuschrift zu lesen und zu
interpretieren ist, die Gesamtchristenheit sein sollte), sondern bleibt durch seine
Eingliedrigkeit gerade innerhalb dieses Rahmens, wo mit »alle« eben alle die gemeint
sind, an die der Brief sich wendet.

Ähnliches ist zur Zuschrift des ersten Korintherbriefes, 1 Kor 1,2, zu sagen. Wohl
ist hier eine Zweigliedrigkeit festzustellen: Paulus grüßt die Gemeinde Gottes in
Korinth *mit* allen, die den Namen unseres Herrn Jesus Christus anrufen an jedem
Orte, bei ihnen und bei uns; doch das universalistische »an jedem Orte« wird sofort
näher bestimmt durch die Apposition »bei ihnen und bei uns«, so daß also mit »allen«
die Christen der *beiden* Orte gemeint sind, des Absendungsortes und des Bestimmungs-
ortes. Damit ist das für 1 Clem 65,2 Typische, daß nämlich über die Empfänger
hinaus der Blick sich weitet auf »alle allüberall«, hier so wenig gegeben wie an irgendeiner anderen vergleichbaren Stelle.

Ähnlich wie aus der Formbestimmung des Präskriptes ergibt sich also aus den
Textvergleichen zum Eschatokoll, daß sich hinter der einen Empfängergemeinde
von Korinth die ganze Christenheit versammelt: Am Schluß wird ihrer sogar explizit
gedacht!

### c) Abschließende Bemerkung zur Frage der Adressaten

Die Frage nach den Adressaten wollte sich nicht darum bemühen, ob etwas
Genaueres in Erfahrung zu bringen sei über die genannte Empfängerin des Schreibens,
die christliche Gemeinde in Korinth. Es ging nicht darum, etwa herauszufinden,

---

[41] Dieser Grundstock kommt verkürzt in Kol, den Past und Hebr vor, erweitert am Ende von
2 Kor. Der Grundstock lautet: ἡ χάρις (τοῦ κυρίου [ἡμῶν] Ἰησοῦ [Χριστοῦ])
   μεθ᾽ ὑμῶν
   μετὰ τοῦ πνεύματος ὑμῶν
   μετὰ πάντων ὑμῶν.
Die erste Grußformel im Römerbrief, Röm 15,33, hat statt ἡ χάρις: ὁ θεός τῆς εἰρήνης (εἰρήνη
wird von 1 Petr im Schlußgruß aufgegriffen). Der Grundstock ist auch noch in Barn zu erkennen,
der – ähnlich wie Röm 15,33 – κύριος zum Nomen regens macht und statt ἡ χάρις τοῦ κυρίου sagt:
ὁ κύριος τῆς δόξης καὶ πάσης χάριτος.
Vgl. *O. Roller*, Das Formular der paulinischen Briefe. Ein Beitrag zur Lehre vom antiken Briefe.
Stuttgart 1933, 114ff; 134–139.

ob diese Gemeinde als geschlossener Block angesprochen wird oder ob der Absender zwischen verschiedenen etwa vorhandenen Gruppen nuanciert oder so ähnliches anderes.

Es ging vielmehr darum, ob in der Meinung des Verfassers das angesprochene Problem eine ausschließlich korinthische Angelegenheit war (was es natürlich objektiv nicht war, denn sonst hätte man von Rom aus gar nicht eingreifen *können*; es geht hier um das subjektive Empfinden des Verfassers). Einige auffällige Spuren in der Ausdrucksweise des Briefes brachten uns zu der Erkenntnis, daß dem Verfasser die über Korinth hinausgreifende Bedeutsamkeit der »Vorgänge« mindestens unreflex bewußt war: Er gesteht ein, daß das Schreiben verspätet – aber dennoch – abgeschickt wird; er bekennt die Ähnlichkeit der Situation der Gemeinden von Rom und Korinth, die er durch seine Begriffswahl als Verfolgungssituation kennzeichnet[42]; er verklammert im Prooemium die römischen mit den korinthischen Ereignissen.

Schon das Präskript formt sich dem Verfasser so, als ob die ganze christliche »Paroikia« angesprochen werden sollte, und im Eschatokoll – in dem das Ziel des Ganzen sichtbar wird – ergeht ganz auffälligerweise ein Gruß an die Gesamtchristenheit. Wenn also auch die Christengemeinde von Korinth die einzige »offizielle« Empfängerin des Briefes ist, so ist in der behandelten Problematik nicht nur der Adressat, sondern darüber hinaus auch der Absender und die ganze christliche Ökumene mitgemeint.

Die Beobachtungen zur Adressatenfrage zusammengenommen heißt das, daß Korinth die »Verdichtung« des eigentlichen Adressaten, nämlich aller Ansprechbaren allüberall ist. Hier zeigt sich dasselbe Ergebnis wie bei der Frage nach dem Briefaufbau. Wie sich aus der eigenartigen Zweiteilung des Briefes erkennen läßt, daß der Brief ein Allgemeines, eine Gesamtkirche als Anwendungsgebiet für den paradigmatischen, konkreten Fall schafft, so ergibt sich aus der »Zweiteilung« der Adressaten (ihr *und* alle 65,2), daß durch den Brief neben der Einzelgemeinde die christliche Ökumene gemacht wird. Noch einmal zeigt sich: Der Brief steht an der historischen Stelle, wo ein Umschwung in der Bewertung der Einzelgemeinde eintritt: Die Ortsgemeinde wird zu einem unter die christliche Ökumene als »Oberbegriff« subsumierbaren Einzelfall (während sie bis dahin z.B. als je eigenständige Konkretion *der* Kirche Christi gesehen worden sein mag). Da es eine Situation der beginnenden Neubewertung ist, wird verständlich, daß in der Anrede Einzelgemeinde und Ökumene nicht scharf geschieden sind: Bloß die zum Einzelfall gewordene Gemeinde anzusprechen, genügt zwar nicht mehr; die Ökumene ist aber nicht anders erreichbar als gerade über diese Einzelgemeinde.

---

[42] *W. C. van Unnik*, Studies I, 40 betont, daß 1 Clem 7,1 die Ähnlichkeit der Situation in Rom und Korinth hervorhebt. Wenn er diese Ähnlichkeit dann aber beschreibt als ein tiefes Bewußtsein davon, im Stehen vor Gott in der Welt in derselben Lage zu sein, dann verflüchtigt er seine Erkenntnis wieder zu sehr ins Allgemeine.

# III. TEIL

# DIE GRUNDTHEMATIK DES ERSTEN KLEMENSBRIEFES

## *Die Aufgabe des III. Teiles*

1. Die vorliegende Arbeit geht für die Interpretation des Ersten Klemensbriefes davon aus, daß eine frühchristliche Schrift, die sich als Werk durchsetzen und so auf uns kommen konnte, eine ganz bestimmte Stufe in der Entwicklung der Glaubensgeschichte darstellt. Im vorigen Teil wurde die Einmaligkeit unseres Briefes mehr von der formalen Seite her angegangen. Die Ergebnisse der Einzeluntersuchungen geben zusammengenommen wohl schon den speziellen Ort, aber noch nicht die individuelle Einmaligkeit des Briefes an. Jetzt geht es um die inhaltliche Bestimmung der Grundthematik und in einem damit um die Bestimmung der individuellen Form des Briefes. Was der vorige Teil erbracht hat, wird zum Material, mit dessen Hilfe Grundthematik und Individualität bestimmt werden sollen.

2. Bei dieser Bestimmung geht es nun darum, das zur Ansicht zu bringen, was die Bedeutsamkeit des Ersten Klemensbriefes ausmacht. Von unserem Ansatz her bezieht ein Werk seine Bedeutsamkeit daraus, daß es eine bestimmte historische Situation zu bewältigen hatte, in die sich die Gemeinschaft, aus der das Werk erwuchs, gestellt sah. Will man die Bedeutsamkeit erkennen, so muß man demnach von der literarischen Seite des Werkes ausgehend weiterschreiten und versuchen, aus dem vorliegenden literarischen Material heraus die historische Situation, in der die Gemeinschaft stand, zu sehen. In diesem III. Teil ist also der Schritt in die hinter dem Brief stehende geschichtlich-gesellschaftliche Situation hinein ganz ausdrücklich zu tun. Im Ertasten und Herausarbeiten dieser Situation, der der Brief gegenüberstand und die er bewältigen mußte, erkennt man, welche Stufe der Glaubensgeschichte der Brief ausmacht, d. h. wie er Christentum, Gemeinde, Kirche veränderte. Erst wenn diese grundlegendste Frage, die an ein Werk gerichtet werden kann, beantwortet ist, ist durch ein neu gewonnenes Gesamtverständnis die Voraussetzung dafür geschaffen, daß auch auf Spezialfragen, wie sie die Forschung in großer Zahl an den Brief gerichtet hat, eine sachgerechte Antwort gefunden werden kann.

3. Als Weg für diesen III. Teil ist geplant, durch die Exegese des zentralen Kapitels 44 jenen Punkt zu finden, der auf das unverwechselbar Neue der Situation hinweist. Von da aus soll durch die Untersuchung der zentralen Begrifflichkeit dieses Neue genauer erfaßt und beschrieben werden. Damit dürfte dann der Weg geebnet sein für die abschließende Bestimmung der individuellen Form des Briefes, d. h. seiner Bedeutsamkeit in der Entwicklung der Glaubensgeschichte. Es wird danach zu fragen sein, was die theologische Mitte des Briefes und was seine Grundthematik ausmacht. Daraus müßte die Formbestimmung, gleichsam der »Name« des Briefes herausspringen.

# 1. ABSCHNITT

## 1 CLEM 44 UND DIE UNABSETZBARKEIT VOM AMT

Kapitel 44 ist für das Verständnis des Briefes deshalb so entscheidend[1], weil hier zum ersten und einzigen Male innerhalb des Briefes direkt gesagt wird, worum es bei den korinthischen Angelegenheiten (1,1) gegangen ist. Zuvor war nur in interpretierenden Umschreibungen davon gesprochen worden als von Streit (3,2; 9,1; 14,2), Aufruhr (1,1; 13,2; 14,2), Spaltung (2,6) und Krieg (3,2) – und so wird es nachher wieder getan werden (vgl. z. B. 46,5.9; 54,2). Hier aber wird offen gesagt, worum der Streit ging: nämlich um die Würde des Vorsteheramtes – wenn man ὄνομα τῆς ἐπισκοπῆς so übersetzen darf. Der letzte Vers des Kapitels trägt dann noch nach, daß es bei diesem Streit zu – einigen[2] – Absetzungen gekommen ist[3]. Sonst sagt der Verfasser nirgends mehr, daß es um die Absetzung geht; daß die Presbyter gemeint sind, erwähnt er nur noch 47,6 und 54,2. Das spricht für die Vermutung, daß an dieser Stelle die Umbruchssituation, in die der Brief hineinspricht, zum Durchbruch kommt. Das, was der Verfasser mit »Streit um die Würde des Vorsteheramtes« umschreibt, ist nicht ein traditionelles Motiv, dessen er sich durchgehend leicht bedienen könnte, sondern das ist die neue Lage, die ihm eine ursprüngliche Entscheidung abverlangt.

Das Kapitel gliedert sich in drei Teile: V 1–2; V 3–4; V 5–6. Vers 1–2 enthält die These des Verfassers, eingekleidet in eine historische Notiz. Aus dieser These wird in V 3f ein allgemeines Verbot abgeleitet, das sich von V 6 her als Tadel ausweist. Die abschließenden Verse 5 und 6 spielen die gute Vergangenheit gegen die schlimme Gegenwart aus. Daß hier Kapitel 44 als Einheit vorausgesetzt und ausgelegt wird, widerlegt nicht die früher[4] erarbeitete Einteilung, gemäß welcher mitten durch das Kapitel eine größere Zäsur geht. Es zeigt sich hier nur wieder, daß der Verfasser keine harten Neueinsätze bringt, sondern die gleitenden Übergänge vorzieht. Die Exegese wird jedoch zeigen, daß 44,1–2 mehr zum Vorhergehenden, 44,3ff aber zum Folgenden gehören[5].

*44,1 Auch unsere Apostel wußten durch unseren Herrn Jesus Christus, daß es Streit gibt um die Würde des Vorsteheramtes.*

Der Vers ist mit Kapitel 43 doppelt verknüpft[6]: Das Wissen der Apostel weist zurück auf das Vorauswissen des Mose in 43,6; der Streit um die Würde des Vorsteheramtes

---

[1] »Nun ist alles vorbereitet, und die entscheidende Darlegung kann gegeben werden«, *Einführung* 116, Anm. zu 44,1ff.

[2] »Diese kurze Notiz ist entscheidend« *Wrede* 37.

[3] »44,6 bringt eine für die Veranlassung des Schreibens sehr wichtige Mitteilung«, *Kommentar* 120.

[4] Vgl. oben S. 51f.

[5] Die Zusammengehörigkeit von 43,2–44,2 und damit die Zugehörigkeit von 44,1f zum voraufgehenden Stück vom blühenden Aaronstab hat *R. Seeberg*, Lehrbuch der Dogmengeschichte 1. Bd. Leipzig [3]1922; Darmstadt [5]1959, S. 243 richtig gefühlt.

[6] V 1 »knüpft an προῄδει 43,6 und an 43,2, Streit über den Namen des Priestertums, an« *Kommentar* 118.

auf den Neid wegen des Priesteramtes in 43,2[7]. Die doppelte Verknüpfung ist auffällig: sie ist ein zweifacher Zurückverweis auf das AT. Steht diese Entdeckung nicht gegen unsere frühere Behauptung, der Verfasser sage seine Ansicht zuerst in eigenen Worten, unabhängig vom Wort der Schrift, und besinne sich immer erst nachträglich auf die Bibel zurück[8]? Denn hier wird 43,2–6 zunächst von Mose berichtet und erst hinterher, in 44,1 kommt die Meinung des Verfassers in seinen eigenen Worten als Anwendung des biblischen Beispiels auf die christliche Gegenwart zum Ausdruck. Doch der Fall von c. 43 ist eine echte Ausnahme innerhalb des Briefes, die höchstens noch in der zweiten Mosesgeschichte von c. 53 eine Parallele findet. Das allgemeine Urteil kann dadurch nicht umgestoßen werden. Es bedarf vielmehr einer Erklärung für die Ausnahme.

Offensichtlich ist der Verfasser an einen Punkt gekommen, wo er nicht mehr vorgängig und unabhängig vom AT das sagen kann, was er sagen will. Er braucht das Bild aus dem AT. Daraus arbeitet er, wie aus einer Parabel, den Vergleichspunkt heraus, wodurch er dann fähig wird, sein Anliegen vorzubringen. Damit ist aber herausgestellt, daß er hier an die Stelle seines Schreibens gelangt ist, wo er Neues sagen muß, das ihm in der Tradition noch nicht so zu Gebote steht, wie er es zur Bewältigung seiner Situation braucht.

Als den intendierten Vergleichspunkt, dessentwegen er 43,2–5 erzählt hat, führt er in 44,1 den Streit um ein Amt an. Nimmt man 43,6 hinzu, so ist folgendes gesagt: Mose hatte ein Vorauswissen, und die Apostel hatten ein Vorauswissen. Mose wußte voraus, daß Gott den Stamm Aarons mit dem priesterlichen Dienst auszeichnen würde, die Apostel wußten voraus, daß es Streit geben würde um die Würde des Vorsteheramtes. Mose tat etwas, und die Apostel taten etwas. Mose inszenierte, um den drohenden Aufruhr im Volk zu vermeiden, trotz seinem Vorherwissen, das Gottesurteil des blühenden Aaronstabes. Die Apostel, ja, was taten sie eigentlich? Das führt uns zu Vers 2. Doch vorher ist noch auf die deutliche Unstimmigkeit hinzuweisen, die sich uns eben ergeben hat: Was in 44,1 als Vergleichspunkt genannt ist, nämlich das Vorauswissen um einen Streit, ist in 43,6 gar nicht als solcher herausgearbeitet! Nach diesem Vers müßte man annehmen, das Tertium comparationis sei irgendeine Tat (z.B. ein Gottesgericht) zur Vermeidung von Streit.

*44,2 Aus diesem Grunde nun setzten sie, da sie vollkommenes Vorauswissen bekommen hatten, die Vorgenannten ein und gaben später den Zusatz, daß, wenn sie entschliefen, andere erprobte Männer den Dienst übernähmen.*

Durch »die Vorgenannten« weist der Vers auf 42,4 zurück[9]: »Durch Lande und Städte verkündeten sie nun und setzten ihre Erstlinge, wenn sie sie im Geiste erprobt hatten, zu Episkopen und Diakonen der zukünftigen Gläubigen ein.« Die Vorgenannten sind

---

[7] Daß mit dem Wissen ($\gamma\nu\tilde{\omega}\nu\alpha\iota$) in 44,1 ein Vorauswissen gemeint ist, ist nicht nur aus dem Zusammenhang klar, sondern wird auch durch V 2 bestätigt, der das Wort Vorauswissen ($\pi\varrho\acute{o}\gamma\nu\omega\sigma\iota\varsigma$) gebraucht. Die Parallelität zu 43,6 wird dadurch nicht gestört, daß zwei verschiedene Verben (hier $\gamma\nu\tilde{\omega}\nu\alpha\iota$, dort $\epsilon\acute{\iota}\delta\acute{\epsilon}\nu\alpha\iota$) verwendet werden: beide sind streng synonym, und man darf nicht vermuten, das eine beziehe sich nur auf die atl., das andere auf die ntl. Personen. Das erhellt aus dem Gebrauch von $\gamma\iota\nu\acute{\omega}\sigma\kappa\epsilon\iota\nu$ in 31,3 für das Vorherwissen Isaaks ($\gamma\iota\nu\acute{\omega}\sigma\kappa\omega\nu$ $\tau\acute{o}$ $\mu\acute{\epsilon}\lambda\lambda o\nu$).

[8] Vgl. oben S. 85.

[9] *Kommentar z. St.*

also die von den Aposteln ins Vorsteheramt Eingesetzten. Damit kann die von V 1 offen gebliebene Frage beantwortet werden: Wenn die Tat des Mose die Hervorrufung eines Gottesurteils war, so war die Tat der Apostel die Einsetzung ins Vorsteheramt. Die oben festgestellte Unstimmigkeit setzt sich fort! Noch schwieriger wird das Verständnis, wenn man den den Vers einleitenden Ausdruck »aus diesem Grunde« hinzunimmt. Das heißt nämlich nichts anderes als dies: Aus keinem anderen Grunde, als weil sie sicher vorauswußten, daß es um das Vorsteheramt Streit geben würde, konstituierten die Apostel dieses Vorsteheramt. Offensichtlich eine wenig sinnvolle Aussage! Man ist geneigt, sich den Text zurechtzulesen und etwa mit Knopf[10] zu sagen: »Ähnlich haben auch die Apostel, da sie vorher wußten, daß des Amtes wegen Streit entstehen werde, eine feste Ordnung darüber gegeben.« Natürlich wäre eine solche oder ähnliche Aussage nach unserem Verständnis zu erwarten. Aber es steht nun einmal anders da. Und davon ist auszugehen[11].

Der erste Teil von c. 44, nämlich 44,1–2 möchte sagen, daß die Apostel, weil sie den Streit um das Vorsteheramt vorauswußten, die entsprechenden Vorkehrungen trafen, jedenfalls etwas taten. Was sie taten, kann der Verfasser nur aus der Tradition wissen. Deshalb weist er in V 2 auf die ihm vorgegebene und von ihm bereits angeführte Tradition zurück. Demnach bestand die Tat der Apostel in der Einsetzung von Vorstehern. Diese »Tat« ist nun aber so, wie sie überliefert ist, nicht genug für das, was der Verfasser sagen will. Deshalb versucht er auch in 43,1 durch eine Rückbesinnung auf die Schrift das in c. 42 aus der christlichen Tradition Referierte zu interpretieren. Er findet da nichts Außergewöhnliches an der Tatsache, daß die Apostel Vorsteher eingesetzt haben. So weit, so gut. Doch dann kommt die Interpretation: An dieser Tatsache ist deshalb nichts Außergewöhnliches, weil auch Mose alle ihm gegebenen Anordnungen in heiligen Büchern aufzeichnete. Das ist der deutliche, wenn auch wenig geglückte Versuch, das Traditionsstück von der apostolischen Einsetzung des Vorsteheramtes umzuinterpretieren zu einer festen apostolischen Ordnung über dieses Amt[12]. Der Verfasser hat das Ungenügen gespürt und bringt deshalb anschließend an seine Neuinterpretation – eben nicht die apostolische Ordnung über das Vorsteheramt, die er offensichtlich nicht hat, sondern (wie oben bemerkt das AT entgegen seiner Gepflogenheit vorwegnehmend) – die biblische Geschichte vom blühenden Aaronsstab. Von 43,1 her, nämlich von daher, daß er so etwas wie eine apostolische Ordnung des Vorsteheramtes anstrebt, wird es nun auch verständlich, warum

---

[10] *Kommentar* 117.

[11] Wenn *K. Beyschlag*, Kirchenrecht 12 hierzu sagt: »Auch sie, die Apostel, haben den Streit um das kirchliche Amt ›vorausgesehen‹ (44, 1; vgl. 43, 6 – Stichwortanschluß) und darum die jeweilige Nachwahl verstorbener Kleriker durch ἐλλόγιμοι ἄνδρες ›unter Akklamation der ganzen Gemeinde‹ (44, 3) verfügt«, so ist auch das eine Interpretation, die sich den Text genauso zurechtgelesen hat, wie die oben im Text zitierte von *Knopf*. Nach 44, 2a haben die Apostel »darum« nicht eine Nachwahl verfügt, sondern eine Einsetzung vorgenommen; das übrige folgt erst später (μεταξύ).

[12] Vgl. auch *v. Campenhausen* 97: »Damit ist Klemens an dem entscheidenden Punkt angelangt, und es folgt die berühmte Grundlegung des Rechtes der Bischöfe im Sinn einer von den Aposteln geschaffenen und für alle Zukunft gültigen Ordnung und Verfassung der Kirche« (folgt Zitat 1 Clem 44, 1–5). »Der 1 Cl transponiert also in die Geschichte, was die Gegenwart als Ideal fordert und was ihm in der Gegenwart für wahr gilt; er kleidet diese Forderungen in das apostolische Gewand, um ihnen apostolische Autorität beizulegen« *P. Meinhold* 123.

der Verfasser gerade diese Geschichte wählt und dabei all die oben festgestellten Un-stimmigkeiten in Kauf nimmt: Diese Geschichte schafft eine feste, unumstößliche Ordnung für das Amt, nämlich den »Amtsadel«, das Priesteramt durch Geburt[13]!

Unter dieser Voraussetzung sollen nun die Empfänger 44,2 lesen und den Rück-verweis auf die Einsetzungstradition hören. Für den Verfasser ist dieser Bericht von der Einsetzung unter der Hand schon zu einem Bericht von der Ordnung des Amtes geworden[14]. Er schreibt zwar korrekt der Tradition entsprechend: »Sie setzten ein«, meint aber: Sie gaben eine feste Ordnung. Nur so wird das einleitende »aus diesem Grunde« verständlich. Daß der Verfasser jedoch eine solche feste Ordnung nicht hat, zeigt die Fortsetzung von V 2.

Von den Aposteln her kommt noch etwas: Daß nämlich nach dem Tode der Einge-setzten andere erprobte Männer deren Dienst übernehmen sollten. Nicht nur daß der Ausdruck, andere erprobte Männer sollten den Dienst übernehmen, sehr im allge-meinen bleibt und einen Vergleich mit der mosaischen Einsetzung des aaronitischen Priestertums schwerlich aushält – was ist das eigentlich, was da von den Aposteln herkommt? Ein Wunsch, ein Brauch, ein Gesetz? Später gaben sie eine ἐπινομή, sagt der Text. Ein uns in solchem Zusammenhang unverständliches Wort. Die Textkritik hat aber nichts Besseres anzubieten und die Literarkritik weiß keinen Ausweg außer dem Hinweis, ἐπινομή müsse mit ἐπινέμω, ›zuteilen, zuweisen‹ in Zusammenhang ge-bracht werden[15]. Harnack setzt es mit ἐπινομίς (= Zusatz zum Gesetz) gleich, Knopf weist darauf hin, daß es im Sinne von ›Anordnung‹ nicht zu belegen ist[16]. Warum wählt der Verfasser ein so seltenes, merkwürdiges Wort? Seine Verschwommenheit wird begreiflich, wenn man annimmt, daß er auf der Suche ist nach einer Sache, die wir hypothetisch ›apostolische Ordnung für das Amt‹ genannt haben, die er aber noch nicht hat und deshalb auch noch nicht benennen kann, vor allem nicht mit gängigen Ausdrücken, da er sonst gleich wieder mißverstanden würde.

---

[13] Es ist sehr bezeichnend, daß der Verfasser die Geschichte etwas abändert: Nach Num 16, 3 geht es um die Ablehnung eines besonderen Priesterstammes überhaupt. Diese Frage, nämlich all-gemeines Priestertum oder Amtspriestertum, versteht 1 Clem gar nicht. Für ihn ist die Notwendigkeit des Amtes beschlossene Sache; es kann nur noch darum gehen, wer es übertragen erhält. Darum referiert er in 43, 2 die Geschichte aus Numeri so, als ob man sich dort darum gerissen hätte, welcher Stamm der Priesterstamm, der »Kultadel« sein dürfe. Wenn *Bultmann* 462 dazu sagt: »Nicht etwa die Unabsetzbarkeit des Kultusleiters an sich ist ein Symptom für die Entstehung des göttlichen Kirchenrechts, sondern ihre Begründung aus der priesterlichen Gesetzgebung des AT (1. Klem 43)«, so ist damit die hinter 1 Clem 43/44 stehende historisch-gesellschaftliche Problematik nur sehr verkürzt und einigermaßen verschoben gesehen.

[14] Natürlich geschah das »unter der Hand«, d. h. der Verfasser hat nie und nimmer die Intention gehabt, etwas zu ändern. *O. Knoch*, Die Ausführungen des 1. Clemensbriefes über die kirchliche Verfassung 403 hat völlig recht, wenn er von Klemens sagt, »daß er in einer neuen geschichtlichen Situation das Gewordene als legitim Gewordenes versteht und theologisch deutet, um damit die apostolischen Verfassungsgrundlagen im korinthischen Aufstand zu verteidigen . . .« Daß aber tatsächlich »Clemens nichts Neues schafft«, dürfte doch eine zu weitgehende Behauptung sein, selbst mit der Einschränkung, es sei so zu verstehen, daß er »keine Wesensveränderung des Rechts und der Verfassung im Sinne der Klerikalisierung grundlegt und einleitet«. Denn alles Neue birgt Gefahren in sich. Und die Stärkung des kirchlichen Amtes, wie sie der Erste Klemensbrief anstrebt, bringt nun einmal die Gefahr der Klerikalisierung mit sich. Auch diese Gefährdung gehört zu dem »›naturnotwendigen‹ Prozeß« (a. a. O. 405).

[15] *Kommentar* z. St.

[16] *Harnack*, Einführung 116, Anm. zu 44, 2 und *Knopf* a. a. O.

*44,3　Die nun eingesetzt wurden von jenen oder später von anderen angesehenen Männern unter Zustimmung der ganzen Gemeinde und die untadelig der Herde Christi dienten in Demut, friedvoll und weitherzig, durch lange Zeit hindurch von allen mit einem guten Zeugnis ausgestattet, diese, meinen wir, werden nicht zu Recht vom Dienste abgesetzt.*

Erst am Ende, als Abschluß einer weitausholenden Hinführung bringt 44,3 seine Hauptaussage, Absetzung geschehe zu Unrecht. Zunächst wird V 2 weitergeführt und der dort unklar gebliebene Ausdruck von der Übernahme des Dienstes präzisiert: Die Übernahme geschieht, wie es nach 42,4; 44,2a zur Zeit der Apostel geschah, auch weiterhin durch Einsetzung. Oder unterscheidet sich die spätere Einsetzung doch von der früheren? Sie geschieht unter Zustimmung der ganzen Gemeinde. Diese Erwähnung ist sehr merkwürdig. Denn schon in seiner apostolischen Tradition von der Einsetzung, wie sie der Verfasser in 42,4 zitiert, kommt die Gemeinde gar nicht vor. Dort werden ja, vorgängig zu jeder Gemeindegründung, die Erstbekehrten zu Episkopen und Diakonen eingesetzt. Daß es die Erstbekehrten vor der Gemeindegründung waren, wird durch das angefügte »der zukünftigen Gläubigen« unterstrichen[17].

Damit ist im Traditionsstück sachlich gar kein Platz für die Mitwirkung der Gemeinde bei der Einsetzung von Gemeindeautorität. Wenn der Verfasser in 44,3 auf die Gemeinde dennoch zu sprechen kommt, so deshalb, weil er offensichtlich an der Tatsache, daß die Gemeinde bei der Einsetzung eine wirkliche Rolle spielte, nicht vorbeigehen konnte. Allerdings wird diese Rolle – und von 42,4 her kann es gar nicht anders sein – dahingehend bestimmt, daß sie lediglich in der Zustimmung besteht und so mit der eigentlichen Einsetzung nichts zu tun hat[18]. Die ist nach V 2 erprobten Männern, nach V 3 angesehenen Männern vorbehalten. Die »erprobten« Männer weisen noch zurück auf 42,4, die Erprobung im Geiste durch die Apostel, so daß man verstehen kann, auch die späteren müßten im Geist erprobt worden sein.

Warum wird das aber in V 3 mit dem nichtssagenden Ausdruck »angesehen« wieder aufgenommen[19]? Das wird wieder verständlich aus der oben beschriebenen Umbruchs-

---

[17] Der Begriff der »Erstlinge« für die zuerst Bekehrten lag in den Paulusbriefen bereit (Röm 16, 5; 1 Kor 16, 15). Von daher mögen die Erstbekehrten auch schon in der frühen Tradition eine gewisse Rolle gespielt haben, vgl. *v. Campenhausen* 72 f. Bis aus ihnen jedoch die den Gemeinden vorgängigen Autoritätsträger wurden, bedurfte es der »Traditionsverarbeitung«, die jedoch so, wie sie in 42, 4 vorliegt, schon vor 1 Clem als echte Traditionsbildung, d. h. Ausformulierung des Glaubens mit Hilfe tradierten Materials, geleistet war. Hätte der Verfasser sich zum Beweise seiner These von der Unabsetzbarkeit ein »Überlieferungsstück« selber bilden können, so wäre er gewiß nicht zu der Formulierung von 42, 4 gelangt, von der aus er es doch so schwer hatte, zu dem zu kommen, was ihm als notwendig vorschwebte. Doch künstliche Traditionsbildung am Schreibtisch war für ihn keine Möglichkeit, sondern nur Verwendung der allgemein akzeptierten Tradition, wie er sie in c. 42 aufschrieb.

[18] »Über die Art, wie sich die Gemeinde beteiligte . . ., erfahren wir lediglich nichts. Die Worte vertragen sich also völlig mit der Annahme, daß das Beamtenkolleg sich selbst ergänzte und dabei die Stimme der Gemeinde hörte. Andererseits lassen sie es offen, daß die Gemeinde die ihr vorgeschlagenen Beamten selbst förmlich wählte und daß diese dann nachher von den Presbytern rite eingesetzt wurden« *Wrede* 22 f.

[19] Die Ansicht von *M. M. Giraudo*, die ἐλλόγιμοι ἄνδρες seien Bischöfe mit Weihevollmacht gewesen (S. 43), denen gegenüber die Episkopen-Presbyter im Ersten Klemensbrief nur einfache Priester ohne Weihevollmacht waren (S. 38), dürfte mehr von einer vorgegebenen Dogmatik als aus dem Text abgeleitet worden sein. Kaum anders ist es um die Hypothese von *A. M. Javierre* bestellt. Er stellt die Gleichung auf: ellogimoi = diadochoi (S. 105), obwohl er zugeben muß, daß ἐλλόγιμος

situation des Verfassers, in der er die Tradition von der apostolischen Einsetzung der Vorsteher als apostolische Ordnung für das Amt verwenden muß. Die Einsetzungstradition reflektiert nicht auf Weitergabe. Der Verfasser jedoch, der diese Tradition als »Ordnung« verwendet, ist gezwungen, darauf zu reflektieren und die Weitergebenden erstmalig zu benennen. Da es noch keinen geprägten Titel gibt, wählt er den unspezifischen Ausdruck »angesehene Männer«, was ihn davor bewahrt, durch den Gebrauch einer der gängigen Bezeichnungen Presbyter, Episkop oder Diakon mißverständlich zu werden.

Obwohl nun aber die so bezeichneten »angesehenen Männer« als Garanten der postulierten apostolischen Ordnung des Vorsteheramtes eingeführt werden – sie scheinen für den Verfasser doch nur bei der Amtsweitergabe in Funktion zu treten; wenigstens sind sie sonst im Brief einfach nicht vorhanden. Es gibt im ganzen Brief niemand, der über die Ordnung des Amtes wachte, außer eben dem Absender, wenn er etwa in 57, 1 den Befehl gibt: Ihr also, die ihr den Grund zum Aufruhr gelegt habt, ordnet euch den Presbytern unter . . .! und außer – man höre und staune – eben doch wieder der Gemeinde, deren Bestimmungen die Anführer (51, 1 b) des »Aufstandes« folgen sollen (54, 2).

Da die absendende Gemeinde keine andere Autorität ansprechen konnte als die Empfängergemeinde, konnte der Verfasser wohl nicht umhin, in 44, 3 die Funktion dieser Gemeinde anläßlich der Einsetzung von Vorstehern zu erwähnen – fast gegen seine Absicht und ohne von seiner Tradition (42, 4) dazu genötigt zu sein –, um sie von daher in 54, 2 an ihre Wächterfunktion erinnern zu können[20]. Die Zwiespältigkeit, die sich darin zeigt, deutet wieder auf die Umbruchssituation hin, in der man etwas Neues braucht, ohne es schon zu haben. Das heißt von hinterher, von uns aus, kann man leicht erkennen, daß man die ἐλλόγιμοι ἄνδρες als Institution gebraucht hätte, in Ermangelung dieser Institution aber auf jene Gesamtgemeinde zurückgreifen mußte, die man in 47, 6 des Aufstandes gegen das Amt bezichtigt hatte, das sie nun in 54, 2 wieder ordnen soll.

Daß der Aufstand gegen die Presbyter von 47, 6 in Absetzungen bestand, sagt 44, 3. Die Qualifikation, die diesem Tun verliehen wird, ist sprachlich ziemlich schillernd. »Nicht zu Recht«, ist gesagt. Soll damit die Absetzung als eine Ungehörigkeit oder als ein Rechtsbruch gebrandmarkt werden? Der Satz ist von einem νομίζομεν abhängig. Soll damit die Aussage abgeschwächt, also: wie wir meinen, oder aber verstärkt werden: so ist es unser Urteil? Der Text will sich nicht festlegen lassen, so daß er sowohl heißen kann: »Diese vom Dienste abzusetzen ist nach unserer Meinung ungehörig«, wie auch: »Diese vom Dienste abzusetzen ist nach unserem Urteil ein Unrecht«. Die hier zum Vorschein kommende Dialektik zwischen Sitte und Gesetz, zwischen Moral und Recht ist bemerkenswert.

---

nirgends synonym zu διάδοχος gebraucht wird (S. 77 f). Er kann deshalb bei aller Akribie auch nicht mehr nachweisen, als daß beide Begriffe einander nicht widersprechen (S. 88 ff. 105). Aufs Ganze gesehen bestätigt die Arbeit nur unsere Exegese, daß der Verfasser hier einen »unscharfen« Ausdruck gebraucht. Von Javierre ist *B. Maggioni* abhängig, wenn er Klemens nur im Hinblick auf den apostolischen Sukzessionsgedanken eine gewisse Neuheit zubilligt (S. 27).

[20] »Übrigens wird . . . die Gemeinde nicht deshalb genannt, weil Klemens das Einsetzungsverfahren erschöpfend beschreiben, sondern weil er damit ein Argument gegen die ›Aufrührer‹ aussprechen will . . . Dieselben Männer, die ihr einst willkommen hießt, wollt ihr jetzt entfernen! das wäre die richtige Umschreibung der Worte« *Wrede* 23.

*44,4 Eine nicht kleine Sünde nämlich wird es für uns sein, wenn wir die, die untadelig und heilig die Gaben darbrachten, vom Vorsteheramt absetzen.*

Grammatikalisch haben wir es mit einem klassischen eventualen Bedingungssatz zu tun (im Hauptsatz Futur, im Nebensatz ἐάν mit Konjunktiv), jener Form, die zum Ausdruck allgemeingültiger Gedanken verwendet wird und in der Sprache des kasuistischen Rechtes üblich ist. Dadurch wird die unscharfe Aussage von 44,3 auf eine juristische Ebene gehoben und damit verdeutlicht: Die Beurteilung will mehr sein als eine Unmutsäußerung wegen Mißachtung einer Konvention. Das Ergebnis ist aber – trotz der äußeren Form – gerade kein Rechtssatz, denn ein solcher müßte in irgendeiner Form ein Strafmaß enthalten. An der Stelle des Strafmaßes bringt unser Satz die moralische Qualifikation: »Eine nicht kleine Sünde«! Das ist nun äußerst aufschlußreich: offenbar ist der Verfasser gar nicht in der Lage, eine Strafe auszusprechen, weil er die »Tat« zuerst einmal als Vergehen moralisch qualifizieren muß: So etwas ist nicht nur ein leichtes Vergehen, sondern Sünde (betont an den Satzanfang gestellt!), und eine nicht kleine Sünde. Es mußte also der anstehende Vorfall erst einmal – und das heißt erstmalig! – zur Sünde erklärt werden. Wir haben damit weiterhin, wie in 44,3, die Dialektik zwischen Moral und Recht[21]: 44,4 schafft kein Recht, aber es bietet die Voraussetzung, auf der Recht entstehen kann. Die Situation einer »Grundgesetzschöpfung« scheint gegeben zu sein.

Man erkennt diese Situation auch daraus, daß der »Fall«, den der Brief behandelt, nämlich Absetzung von Gemeindevorstehern, im »Moralkodex« des Verfassers (noch) nicht enthalten war. Das zeigt sich nämlich deutlich an der Stelle des Schreibens, wo das Urteil über die zu Gegnern Erklärten gesprochen werden muß. Der Verfasser muß da in Kapitel 53/54 etwas sagen, was er einfach nicht »hat«. Es wiederholt sich die Struktur von c. 43/44. Dort mußte der Verfasser seine Tradition von der Einsetzung auf die Unabsetzbarkeit anwenden und konnte das nur auf dem Weg über die biblische Geschichte von Mose und dem blühenden Aaronsstab. In 53/54 muß er erstmals das Strafmaß für die 44,4 zur Sünde erklärte Absetzung festsetzen und kann das nur über die Geschichte vom Verhalten des Mose beim Tanz des Volkes um das goldene Kalb. Da findet er in der Tradition das Beispiel von dem sich selbst zum Opfer anbietenden Führer des Volkes (53,2–4), um für die Menge Verzeihung zu erwirken (53,5). Jetzt kann er das Selbstopfer in Form des freiwilligen Exils fordern (54,2). In Ermangelung einer Instanz geht das jedoch nur auf dem Wege eines indirekten Appells an die Menge (54,2), d.h. an die Gemeinde, sie möge in Analogie zu Mose das »Selbstopfer« ihrer neuen Führer annehmen, indem sie deren Exilierung dekretiert und die eingesetzten Presbyter zurückholt. Dann wird die in 44,1 beschworene Streitsituation dem Frieden weichen: Es geht um die Existenz der Gemeinde, wie es bei Mose um die Existenz des Volkes ging.

Der mittlere Teil von Kapitel 44 (V 3–4) hat die Aufgabe, aus dem ersten Teil (V 1–2), dem historischen Rückblick, die Folgerung zu ziehen und das Verbot der Absetzung vom Dienst auszusprechen. In dem Bemühen, dieses Verbot nun auch zu

---

[21] Es ist also nicht der »Vorsicht« des Verfassers von 1 Clem zuzuschreiben, wenn er sich »lediglich auf das moralische Empfinden der Korinther« beruft; und ebensowenig darf man sein Vorgehen »vorsichtig« nennen, weil er das ἁμαρτία οὐ μικρά durch ein οὐ δικαίως νομίζομεν vorbereitet. Beides entspringt nicht der Vorsicht, wie wir gesehen haben, sondern der situationsbedingten Unfähigkeit, es anders zu sagen: gegen *Gerke* 92.

begründen, gerät der mittlere Teil mit seiner Argumentationsweise in arge Spannung zum ersten Teil. Wir haben nachgewiesen, daß 44,1–2 die Tradition von der apostolischen Einsetzung der Gemeindeleiter als Tradition von einer apostolischen Ordnung des Gemeindeamtes benutzt. Darin, daß die »Erstlinge« zu Vorstehern eingesetzt wurden, kommt die clementinische Tradition solcher Neuverwendung sehr entgegen und man ist geneigt, in 44,2 den Akzent auf »die Vorgenannten« zu legen und ὅπως nicht als Konjunktion, sondern als Relativadverb aufzufassen, so daß man übersetzen könnte: Aus eben dem Grunde, weil sie vollkommenes Vorauswissen darüber erhalten hatten, daß es Streit geben würde um das Vorsteheramt, setzten die Apostel nicht irgendwen, sondern gerade ihre Erstbekehrten zu Vorstehern ein und entzogen damit das Amt der Willkür des einzelnen zukünftigen Gläubigen und der ganzen Gemeinden; später gaben sie noch zusätzliche Anweisung, auf welche Weise nach ihrem Tode andere erprobte Männer den Dienst übernehmen sollten.

Von der Verwendung der Mosestradition vom blühenden Aaronsstab her blieb uns kein Zweifel, daß der Verfasser den Satz so verstanden wissen wollte, auch wenn er selbst noch nicht fähig war, die Weiterverwendung seiner Tradition so pointiert zu formulieren; darin kommt zum Vorschein, daß man vor ihm die Einsetzungstradition nicht als Ordnungstradition verwendete und zu verwenden brauchte. Dennoch zeugt sein ganzes Bemühen davon, daß für ihn die Einsetzungstradition faktisch eine Ordnungstradition ist und damit das Gemeindeamt ebenso gesichert ist wie die aaronitische Priesterschaft. Das heißt aber nichts anderes als Unabsetzbarkeit des eingesetzten Gemeindeleiters aufgrund von Institution[22], die dem Zugriff des einzelnen und der Gemeinde entzogen ist[23].

Zu diesem Traditionsargument tritt nun die Argumentationsweise des mittleren Teiles (V 3—4) in arge Spannung. Sowohl V 4 wie V 3 begründet die Unabsetzbarkeit mit der Tadellosigkeit des Amtsträgers, mit der er den Dienst versehen hat, wozu V 3 noch hinzufügt, daß diese Tadellosigkeit von allen bescheinigt worden ist. Dem Traditionsargument von V 1–2 tritt also anscheinend das reine Sachargument gegenüber. Daraus folgt nun unmittelbar, daß dem Verfasser in dem Moment, wo er nach Argumenten suchte, um sein Urteil zu stützen, keine anderen zur Hand waren als eben die von ihm benutzten Sachargumente: In seiner Tradition gibt es gegen die Amtsenthebung nur Sachargumente.

Allerdings ist es klar, daß für ihn diese Sachargumente, oder besser gesagt: die einzigen Argumente, auf die er zurückgreifen kann, von ihm in den Dienst dessen gestellt werden, was er eigentlich beweisen will, die Unabsetzbarkeit aufgrund von Einsetzung, von Institution. Die lobenden Partizipien – die Sachargumente – sind für den Verfasser zusätzliche Argumente für das, was er in V 1–2 gesagt hat: An der Tatsache, daß die Vorsteher ihr Amt tadellos versehen haben und daß dies von allen bescheinigt

---

[22] »Es geht nicht mehr um einmal erwählte Einzelpersonen, denen die Apostel eine Funktion oder Aufgabe in der Gemeinde übertragen haben, sondern es geht um eine Institution, die als solche gewahrt und in ihren Trägern geachtet werden muß«, v. *Campenhausen* 99 f.

[23] Man kann also nicht mit *Gerke* 41 sagen: »Rom bekämpft ja nur eine Absetzung ohne Grund«, sondern muß den Satz umkehren: Für 1 Clem ist Absetzung immer eine »Absetzung ohne Grund«. Er bekämpft die Absetzung als solche! v. *Campenhausen*, der in diesem Punkt der Sache nach dieselbe Ansicht vertritt wie *Gerke*, relativiert jedoch seine Meinung, wenn er S. 101 den Satz anfügt: »Es mag sein, daß die wahre Bedeutung der korinthischen Vorgänge in dieser Beleuchtung nicht ganz zu ihrem Recht kommt . . .«

wird, erkenne man doch, daß auch sie »Erstlinge« sind, die dem Zugriff der »zukünftigen Gläubigen« entzogen sind[24]. So dienen auch die Sachargumente dazu, die Leser zu überzeugen, daß es Institution, d.h. Unabsetzbarkeit aufgrund von Einsetzung geben muß[25].

Die Spannung in der Argumentationsweise zeigt wieder, daß der Verfasser sich in einer Umbruchssituation befindet. Er steht an der Schwelle von der reinen Sachautorität zur Institution. Zur Rettung der Autorität in der Gemeinde begreift er die Einsetzungstradition als Ordnungstradition und verwendet zur Stützung dieses neuen (aber in seinen Augen alten) Verständnisses auch die traditionellen Argumente, die Sachargumente sind[26].

*44,5 Selig die Presbyter, die den Lebensweg vorangegangen sind, deren Heimgang ertragreich und vollkommen gewesen ist; denn sie müssen nicht fürchten, es könnte sie jemand von dem für sie errichteten Platz entfernen.*

Dem Wortlaut nach gilt der Makarismus jenen Presbytern, die im Amt verstorben sind, da sie nicht mehr um ihren Posten zu bangen brauchen, dem Sinne nach gilt er jedoch der Zeit, als sie noch lebten. Es ist ein Lob der »guten alten Zeit«, eine Verherrlichung der Vergangenheit. Laudator temporis acti ist der Verfasser nicht erst an dieser Stelle: mit einer Laudatio (1,2–2,8) eröffnet er den ersten Teil des Briefes, um in dieser Form des Rückblicks ein Ordnungsideal entwerfen zu können, zu dem die Aufdeckung der Unordnung, die nachfolgende Improbatio (3,1–6,4) als Vorwurf um so schärfer kontrastiert. Durch die Glorifizierung der eigenen Vergangenheit will er schockieren und dadurch ein Umdenken hervorrufen. Das »nun aber bedenkt« von 47,5 könnte auch zwischen Kapitel 2 und 3 stehen. Verurteilung der Gegenwart durch Verherrlichung der Vergangenheit zeigt deutlich die Umbruchssituation, in der der Verfasser steht. Seine Intention geht bewußt auf Restauration – was aber de facto weder bei ihm noch bei anderen zu einer Wiederherstellung der früheren Zustände, sondern zu traditionsgeleiteter Neuschöpfung führt.

---

[24] »Wenn man nicht unter ›Recht‹ etwas versteht, was in jener Zeit überhaupt nicht in Betracht gezogen werden kann, so bleibt es dabei, daß der Gemeinde das Recht der Absetzung bestritten wird« *Wrede* 24.

[25] Deshalb kann man aus der Argumentation mit Sachargumenten nicht mit *Gerke* 58 schließen: »Rom rügt offenbar den Mißbrauch eines alten Gemeinderechtes.« Was »Rom« rügt ist nicht ein Mißbrauch, sondern eine Anmaßung. In den Augen des Verfassers von 1 Clem hat sich die korinthische Gemeinde angemaßt, gegen apostolische Normen zu verstoßen, denen gemäß Absetzung unmöglich ist. Wenn er trotzdem noch das Sachargument von der Unschuld der Abgesetzten anfügt, so als Verstärkung: Wenn schon Absetzung als solche unmöglich ist, dann erst recht die Absetzung Unschuldiger!

[26] Man kann also nicht mit *Harnack*, Einführung 96 sagen: ». . . noch wird die Unabsetzbarkeit der Gemeindebeamten lediglich dadurch motiviert, daß sie ihr Amt untadelig viele Jahre hindurch geführt haben . . .« Das würde nur gelten, wenn 44, 3–4 allein dastünden und 43, 1–44, 2 nicht gegeben wären. Es stimmt auch nicht, daß Clemens die Konsequenz für die Unabsetzbarkeit »bedingt« zieht. Wir haben gesehen, daß die in Partizipien gefaßten Sachargumente für ihn keine Bedingungen (mehr) sind. Darin allerdings kann man *Harnack* zustimmen, »daß keine gesetzliche Bestimmung über die Unabsetzbarkeit der Beamten existierte (ebd. Anm. 1). Sie kann noch gar nicht existiert haben, da der Brief erst die Voraussetzungen schafft, aus denen gesetzliche Bestimmungen erwachsen können.

Daß die Laudatio der Vergangenheit in c. 44 wieder aufklingt, ist ein weiterer Hinweis für dessen zentrale Bedeutung. Der Verfasser bekennt, daß in und mit der Frage über die Absetzbarkeit von Amtsträgern eine neue Zeit angebrochen ist: heute muß man fürchten, abgesetzt zu werden, das mußte man früher nicht, weil es so etwas einfach nicht gab. Das zeichnet die Situation, in der er selber steht: Für ihn gibt es jetzt dieses Problem, und er muß es bewältigen; und da es früher dieses Problem nicht gegeben hat, gibt es auch keine von früher überlieferten Regeln zu seiner Bewältigung; d.h. er muß es bewältigen ohne solche früher schon entwickelten und von dort überkommenen Regeln, es ist für ihn ein originales Problem, das er erstmalig lösen muß. Er tut das durch Neu- und Weiterverwendung seiner apostolischen Einsetzungstradition und durch Einordnung der Absetzung in den Verfolgungstopos mit Hilfe von Qualifizierungen wie Neid, Streit, Aufruhr, Krieg, Gefangenschaft.

Wenn er also von Anführern des Aufstandes spricht, so meint er damit jene, die die Absetzung betrieben haben, ohne ihnen damit noch einen anderen Fehler vorzuwerfen. Man hat das dahingehend ausgelegt, daß diese »Anführer« sonst tadellose Christen gewesen seien, denen man kein moralisches Vergehen vorzuwerfen wußte. Das mag ja so gewesen sein. Aber selbst wenn man ihnen viel hätte vorwerfen können – der Verfasser hätte sich seiner Aufgabe schlecht entledigt, wenn er sie deswegen verurteilt hätte, wenn er auch nur auf solche andere Fehler zu sprechen gekommen wäre[27]! Wenn er der Anforderung, der er sich gegenüber fand, entsprechen wollte, mußte es ihm gelingen, die Anführer wegen nichts anderem zu verurteilen, als bloß wegen der von ihnen betriebenen Absetzung von Gemeindeleitern[28].

Deshalb ist es nur konsequent, wenn er alles andere wegläßt und allein diese Tat verurteilt, indem er sie 44,4 zur Sünde erklärt und im Verlauf des Briefes immer wieder nur sie mit Qualifikationen belegt wie Prahlerei, Unordnung, Eifersucht (14,1), Streit und Aufstand (14,2), Torheit, Unverstand, Überheblichkeit (21,5; 39,1)[29]. Eine andere als diese indirekte Möglichkeit hat der Verfasser nicht, um die Tat zu verurteilen. Nicht als ob »Absetzung« bisher erlaubt gewesen wäre – da es sie als Problem bisher noch nicht gegeben hat (44,5!), ist sie moralisch noch indifferent. Die moralische Entrüstung der Leser kann nur dadurch hervorgerufen werden, daß Absetzung mit traditionell verwerflichen Taten gleichgesetzt oder, wie in 44,5, als *schockierende* Neuerung dargestellt wird[30].

---

[27] Ich kann daher *Wrede* 29 nur in der ersten Hälfte seines Satzes folgen, wo er sagt: »Bedeutsam aber ist es, daß Klemens außer jenen Urteilen, welche mit ihrer Erhebung gegen die Presbyter unmittelbar gegeben waren, nichts Nachteiliges gegen Charakter oder Lehre der Führer vorbringt«; wenn er aber fortfährt: »es ist ein vollgiltiger Beweis, daß er nichts vorzubringen wußte. Sonst würde er nicht unterlassen haben, es auszubeuten«, so kann ich das nicht schlüssig finden. Meines Erachtens *durfte* der Verfasser nichts anderes vorbringen; falls er anderes gewußt haben sollte, mußte er es auf jeden Fall unterlassen, es auszubeuten. Schändlich waren die Anführer ja aus keinem anderen Grund, als weil sie sich gegen die Presbyter erhoben hatten.

[28] ». . . den Presbytern ist die ἐπισκοπή genommen, das ist der ›Aufruhr‹ (44, 1. 4)« *R. Seeberg*, Lehrbuch der Dogmengeschichte 1. Bd. Leipzig ³1922; Darmstadt ⁵1959, S. 239. Vgl. ebd. 237: »Gegen diese Ansprüche der Pneumatiker erhebt sich Clemens mit einer Argumentation, die die Geschichte von Jahrhunderten vorwegnimmt. Hören wir bei Ignatius und Polykarp, daß die Irrlehre die eine Kirche spaltet, so ist hier die bloße Auflehnung gegen das Amt ein Zerreißen der Gemeinde, ein Schisma.« Darin sieht *Seeberg* sehr zu Recht den »Gesichtspunkt, der auf etwas Neues hinweist« (ebd. 236).

[29] Vgl. auch die Zusammenstellung bei *Wrede* 27 f.

[30] 44, 5 ist also weder ein »bitterer Scherz« (*Fischer* 81, Anm. 259) noch eine gewisse »Ironie« (*Knoch* 166), sondern ein Schockmittel.

*44,6 Sehen wir doch, daß ihr einige, die einen guten Wandel führten, aus dem von ihnen untadelig in Ehren verwalteten Dienst verdrängt habt.*

Wie am Anfang des Briefes Laudatio und Improbatio aufeinander folgen, so fügt sich in c. 44 an das Lob der guten alten Zeit der Tadel des Heute. Hier erst wird der Verfasser ganz konkret, hier sagt er den Vorwurf seinen Gesprächspartnern direkt und unverhüllt auf den Kopf zu. Bisher, in V 3 und V 4, war der Tadel immer noch vornehm in eine allgemein gehaltene Beurteilung oder in einen Konditionalsatz verpackt, so daß die Briefempfänger dem zustimmen konnten, ohne persönlich davon betroffen zu sein. Jetzt läßt der Verfasser alle Zurückhaltung fallen und geht zum Angriff über. Mit einem »ihr habt es getan« stellt er seine Adressaten bloß. Mit diesem Satz will er die Schockwirkung hervorrufen, die zur Besinnung führt.

Der Sinn der VV 5–6, des Schlußteiles von c. 44, ist damit klar: die Leser sollen bereit gemacht werden, sich in den folgenden Kapiteln unter den Frevlern (45,4), den mit aller Schlechtigkeit Erfüllten (45,7), den Ärgernis Gebenden (46,8) wiederzuerkennen und daher schuldig zu fühlen. Auffällig aber bleibt, daß der konkrete Vers 44,6 erst als letzter Satz des ganzen Kapitels dasteht und daß er die einzige Stelle ist im ganzen Brief, die den konkreten Anlaß, der zur Abfassung des Schreibens geführt hat, direkt nennt [31].

Bevor dieser Anlaß im Sinne des Absenders wirkungsvoll genannt werden konnte, bedurfte es also einer sehr sorgfältigen Hinführung. Der Leser mußte »präpariert« werden, damit er den Satz so verstehen konnte, wie der Verfasser ihn auffaßte. Die entferntere Vorbereitung war die Einordnung des Vorkommnisses in den Verfolgungstopos (Neid, Streit, Krieg), die nähere in die apostolische Einsetzungstradition, die nächste war die Erklärung zur schweren Sünde. Erst dann hatte der konkrete Satz – und auch dann nur in seinem Kontrast zur »guten alten Zeit« – die Chance, seine Wirkung zu tun. Ohne diese Vorbereitung konnte er – nach dem Vorgehen des Briefschreibers zu schließen – auf die Empfänger nicht sonderlich aufregend wirken.

Genau das zeigt aber wieder die Erstmaligkeit und Ursprünglichkeit, mit der der Verfasser sich dem Phänomen der Amtsenthebung gegenüber sieht, wenn er die Unabsetzbarkeit beweisen will. Die Argumente, die er vorbringt: guter Wandel und gut verwalteter Dienst, sind nur eine Wiederholung der Sachargumente aus V 3–4 und werden wie dort verwendet, d. h. als Beweis für den »Erstlingscharakter« der Amtsträger, die deswegen nach apostolischer Ordnung unabsetzbar sind.

---

[31] »... erst im allerletzten Satz von c. 44 erscheint endlich der Grund des ganzen Clemensbriefes« *Beyschlag*, Kirchenrecht 12.

## 2. ABSCHNITT

## ZUR BEGRIFFLICHKEIT DES ERSTEN KLEMENSBRIEFES

Nach der Exegese des für das Verständnis des Briefes zentralen Kapitels 44 soll gefragt werden, wie sich die Grundthematik in der Begrifflichkeit niedergeschlagen hat. Um uns von Anfang an auf möglichst sicherem Boden bewegen zu können, soll von den Ergebnissen der wortstatistischen Untersuchungen ausgegangen werden[1]. Die deutlichsten Vorzugswörter waren δεσπότης, ἐκλεκτός, ἐπιτελέω, ζῆλος, ὁμόνοια, ὅσιος und ταπεινοφρονεώ[2]. Von diesen kann ἐπιτελέω wegen seines Hilfsverbscharakters von vornherein beiseite gelassen werden; die Funktion des Begriffes ζῆλος ist schon am Ende der redaktionsgeschichtlichen Beobachtungen genügend deutlich geworden; die Bevorzugung von ὅσιος und ἐκλεκτός geht auf Rechnung der Sakralisierung der Sprache, die am Ende der wortstatistischen Auswertung bereits eine Zuordnung erfahren konnte. Somit bleiben für die Analyse drei Begriffe übrig: die Gottesbezeichnung δεσπότης, die Tugend des ταπεινοφρονεῖν und die Ordnungsgröße ὁμόνοια.

### a) δεσπότης

Nach θεός und κύριος ist δεσπότης im Ersten Klemensbrief die gebräuchlichste Gottesbezeichnung.[3] Während aber proportional zur Länge des Textes θεός und κύριος ungefähr ebensooft vorkommen wie im NT, findet sich δεσπότης als Gottesbezeichnung in hundertfacher Häufigkeit[4]. Das ist in keiner Schrift der umliegenden Literatur, nicht einmal im Pastor Hermae, auch nur annähernd der Fall. Diese rein statistisch feststellbare Sonderstellung soll durch eine Analyse des Begriffes δεσπότης auf ihre Bedeutsamkeit hin geprüft werden.

Die erste Bedeutung, die dem Wort δεσπότης[5] schon kraft seiner Etymologie[6] zukommt, ist die von Herr des Hauses[7] – und von daher auch Herr der Sklaven[8] – mit dem Gedanken der uneingeschränkten Machtfülle. Bei dieser Bedeutung ist es nicht geblieben, sondern zusammen mit der historischen Entwicklung ist das Wort vom Hausherrnkomplex in den Herrschaftskomplex übergegangen. Dieser Übergang

---

[1] In der apodiktischen Form, wie er es vorbringt, kann ich *W. C. van Unnik*, Nombre des élus 237 nicht zustimmen, wenn er sagt: »La fréquence des mots ne prouve rien pour leur importance.« Man kann höchstens sagen, daß die Häufigkeit allein und für sich genommen noch nicht viel beweist. Deshalb bedarf es weiterer Begriffsanalyse.

[2] Siehe oben S. 62 f und 70 f.

[3] *Knoch* 441.

[4] Im NT 1 mal auf 40 000, im 1 Clem 1 mal auf 400 Wörter Text.

[5] Das Wort begegnet in der Literatur zum erstenmal bei Pindar im Sinne von Eigentümer, Besitzer: siehe *K. H. Rengstorf*, ThW II 43, 6; es fehlt noch bei Homer (a. a. O. 43, Anm. 1).

[6] Indogermanische Formel dems-pot (= Hauses-Herr) a. a. O. 43, 9 f.

[7] Aeschylus, Perser 169, vgl. *Rengstorf* 43, 30 ff.

[8] Aristoteles, pol. I 3, 1253 b, 4 ff ebd.

auf die politische Ebene scheint dort stattgefunden zu haben, wo ein fremder Herrscher gewaltsam die Funktionen des bisherigen Grundbesitzers an sich zog[9]. Von daher ist es verständlich, daß das Wort in dieser zweiten Bedeutung, nämlich δεσπότης als absoluter Herrscher im Sinne unbeschränkter und vor allem durch kein Gesetz gehemmter Möglichkeit der Machtentfaltung[10], von einem »Unlustgefühl« begleitet ist[11] und erst durch die Makedonenkönige eine positive Verwendung finden kann[12]. Als dritte Bedeutung wird δεσπότης zu einem Ausdruck, um die Götter nach der Seite ihrer Macht hin zu kennzeichnen[13] und findet sich deshalb oft als Anrede in Gebeten[14]. »In sämtlichen angeführten Stellen bringt δεσπότης eine (soziale) Stellung bzw. einen Rang des oder der so Genannten zum Ausdruck; es ist also keine Standesbezeichnung, wie man zunächst meinen könnte«[15].

»Der Charakter des Wortes als Appellativum hat seine Übernahme auch in die griechische Bibel möglich gemacht. Hier dient es vor allem der Hervorhebung der Macht Gottes«[16]. »Neben der Verwendung von δεσπότης zur Kennzeichnung Gottes als des Allmächtigen tritt der Gebrauch des Wortes innerhalb der menschlichen Sphäre ganz zurück«[17]. Es ist aber nicht nur interessant, daß an 25 von den 56 δεσπότης-Stellen der LXX δέσποτα als Gottesanrede steht[18], größeres Interesse verdient noch die Verteilung der Stellen auf die einzelnen Bücher: Gen 15,2.8; Jos 5,14; Jes 3mal; Jer 4mal; Weish 6mal; Sir 4mal; 2 Makk 5mal; 3 Makk 4mal usw.[19].

»Diese Verteilung rechtfertigt den Schluß, daß das Wort von Haus aus irgendwie nicht in die biblische Gedankenwelt hineinpaßt und erst mit der Zeit fester mit ihr verbunden wird«[20]. Der Grund dafür, daß das Wort nicht in die biblische Gedankenwelt hineinpassen will, kann nur darin liegen, daß nach dem Verschwinden des ursprünglichen soziologischen Sinnes von δεσπότης seine Bedeutung auf das »schlechthinnige Verfügungsrecht« reduziert wurde. Solche Abstraktion widerspricht aber der biblischen, ausschließlich geschichtlich bestimmten Gottesvorstellung. Die Allmacht Gottes, der sich in der Geschichte je und je zeigt, bedarf nicht eines eigenen Ausdrucks, sie ist im Namen bereits mitgesetzt[21].

Im hellenistischen Judentum ist sowohl die bürgerlich-rechtliche Bedeutung von δεσπότης bekannt, wie der Gebrauch des Wortes zur Kennzeichnung der Stellung und der Macht Gottes[22]. Bei Josephus ist δέσποτα die häufigste Gebetsanrede[23].

---

[9] *Rengstorf* 43, 13–23 mit Berufung auf *K. Stegmann von Pritzwald*, Zur Geschichte der Herrscherbezeichnungen von Homer bis Plato (1930).

[10] *Rengstorf* 43, 36–39 mit Hinweis auf Isocrates 4, 121.

[11] *Rengstorf* 43, 23; vgl. 43, 39: bei Plato, leg. IX 859a komme »der griechische Widerspruch« darin zum Ausdruck, daß δεσπότης unmittelbar neben τύραννος behandelt wird.

[12] Demosthenes 18, 235.

[13] *Rengstorf* 43, 44f: Xenophon, anab. 3, 2, 13; ebd. 44, Anm. 8: Euripides, hipp. 88; Plato, Euthyd. 302d; Philo, rer. div. 22ff; Josephus, ant. 11, 64.

[14] *Rengstorf* 44, 2f.

[15] *Rengstorf* 44, 14f.

[16] Ebd. Zeile 29ff.

[17] *Rengstorf* 45, 7ff.

[18] *Rengstorf* 44, 32ff.

[19] *Rengstorf* 45, 31ff; bei Jes stets für ὁ δεσπότης κύριος σαβαώθ 1, 24; 3, 1; 10, 33; bei Jer Gebetsanrede 1, 6; 4, 10; 14, 13; 15, 11.

[20] *Rengstorf* 45, 38ff.

[21] a. a. O. 45, 49–46, 23.

[22] a. a. O. 44, Anm. 11 (Josephus, ant. 3, 314) und ebd. Anm. 12 (Philo, vit. Mos. I 201).

[23] Ebd. Anm. 13.

Das NT kennt δεσπότης als Anrede an Gott (Lk 2,29; Apg 4,24; Offb 6,10), sehr spät auch als christologischen Titel (Jud 4; 2 Petr 2,1) und in den Past in der profanen Bedeutung von Hausherr (2 Tim 2,21) und Herr der Sklaven (1 Tim 6,1.2; Tit 2,9; dazu 1 Petr 2,18)[24].

Bei den AVV findet sich das Wort außer in 1 Clem einmal als Gebetsanrede in der Didache und zweimal von Gott im Barnabasbrief. Pastor Hermae gebraucht es, mit κύριος abwechselnd, 4mal für Gott, 2mal im Sinne von Besitzer und 16mal als den Herrn der Stadt, des Knechtes, des Ackers, des Turmes, des Weinstocks innerhalb der Gleichnisse, d. h. kaum als Gottesbezeichnung[25]. Im Ersten Klemensbrief hingegen ist δεσπότης an allen 24 Stellen (davon sind 4 Gebetsanreden) Bezeichnung für Gott. Beim Vergleich mit der umliegenden Literatur, d. h. mit dem NT und den AVV, muß man also sagen, daß δεσπότης im Ersten Klemensbrief nicht nur die dritthäufigste (nach θεός und κύριος), sondern die hervorstechende Gottesbezeichnung ist.

Allein schon die Tatsache, *daß* es im Brief eine Vergleichsweise aus den andern herausragende Gottesbezeichnung gibt, wird höchst bemerkenswert, sobald man festgestellt hat, daß ein entsprechend herausragender christologischer Titel nicht da ist. Sicher, Christus wird durchgehend »der Herr« genannt. Doch dieser schon lange gebrauchte Titel ist selbstverständlich und traditionell geworden. Wie in LXX κύριος zum Namen Gottes geworden ist, so wird in 1 Clem ὁ κύριος zum Namen Jesu. Daß dieser Herr Christus ist, versteht sich für alle von selbst, es ist niemand da, der es anfechten würde. Das Bekenntnis zu ihm ist nicht mehr Unterscheidungsmerkmal. Er ist einfach »der Herr«[26].

Die übrigen Christusbezeichnungen, wie Szepter (16,2) oder Abglanz (36,2) der Herrlichkeit Gottes, sowie Hoherpriester und Patron (36,1; 61,3; 64) kommen nur vereinzelt vor. Es sind formelhaft erstarrte Epitheta ornantia, die kaum Aussagekraft haben, auf deren Inhalt gar nicht weiter geachtet wird. Nicht weniger traditionell und formelhaft ist die Erwähnung des Blutes Christi (7,4; 12,7; 21,6; 49,6)[27], der Ankunft (17,1), der Auferstehung (24,1; 42,3), des Reiches (50,3), der Herde (44,3; 54,2; 57,2), des Leibes und der Glieder (38,1; 46,7) Christi[28]. Christus und das Christusgeschehen ist selbstverständlich geworden, man kann damit sprachlich operieren, oft genügt dem Verfasser die Anfügung eines »durch ihn«[29] oder eines völlig abgeschliffenen ἐν Χριστῷ, das in seiner Bedeutung so unpersönlich und so sehr zur Bezeichnung eines weltanschaulichen Hintergrundes geworden ist wie unser Adjektiv christlich[30].

---

[24] Vgl. *Rengstorf* 47f.

[25] Pastor Hermae macht also unter den AVV keine Ausnahme. Das ist gegen *Jaubert*, Clément de Rome 67 zu betonen.

[26] »Der selbstverständliche Gebrauch des absoluten Kyriosprädikates für Christus an den noch übrigen Stellen unterstreicht die Feststellung, daß ὁ κύριος zur Zeit des Cl. in Rom zum gebräuchlichen Titel Jesu geworden war«, *Knoch* 327f.

[27] Vgl. *Knoch* 427: »soteriologische Formel« und *Bultmann* 538: »Alle Wendungen sind schon stark formelhaft.«

[28] Vgl. die Zusammenstellung bei *Harnack*, Einführung 73f.

[29] Durch (unseren Herrn) Jesus Christus: insc 2x; 20, 11; 44, 1; 50, 7; 58, 2; 59, 2. 3; 61, 3; 64. Durch ihn: 16, 17; 64; 65, 2. Durch diesen: 36, 2 5x. Durch welchen: 58, 2; 59, 2. 3; 61, 3; 64; 65, 2.

[30] Vgl. die Zusammenstellung bei *Harnack*, Einführung 72 und *Knopf*, Kommentar zu 21, 8.

Die traditionelle und formelhafte Selbstverständlichkeit, mit der von Christus gesprochen wird, bewirkt nun aber ohne weiteres ein Zurücktreten Christi und in einem damit eine Verschiebung des Gottesbildes. Der Vatertitel Gottes begegnet selten[31], und wo er gebraucht wird, ist damit die allumfassende Vaterschaft Gottes der ganzen Schöpfung gegenüber ausgesagt[32]. Gottes Vaterschaft gründet nicht darin, daß er der Vater Jesu Christi ist, sondern darin, daß er der Despotes ist (56,16). Nicht der »Vater unseres Herrn Jesus Christus« ist Gott in erster Linie, sondern der Schöpfer und Herr[33].

Die Macht Gottes gegenüber seiner Schöpfung tritt in den Vordergrund. Das deutlichste Beispiel ist vielleicht 27,4f: »Mit einem Wort seiner Majestät erstellte er das All (vgl. Weish 9,1), und mit einem Wort kann er es zerstören. Wer wird zu ihm sagen: Was hast du getan; oder wer wird seiner gewaltigen Macht widerstehen (Weish 12,12; 11,21)? Wann er will und wie er will, wird er alles tun, und keine der von ihm getroffenen Anordnungen darf vergehen«[34]. Solche Akzentuierung des Gottesbildes ruft geradezu nach der vom NT fast nicht aufgenommenen, aber in den späteren Schriften der griechischen Bibel und im hellenistischen Judentum nicht ungebräuchlichen Bezeichnung von Gott als δεσπότης, welche Bezeichnung gerade die Macht Gottes und seine herrscherliche Stellung betont, so daß wir in 48,1 aufgerufen werden, uns vor ihm niederzuwerfen und ihn unter Tränen anzuflehen.

Die späte Reduzierung des Begriffes auf das »schlechthinnige Verfügungsrecht«[35] ist für 1 Clem kein Hinderungsgrund, ihn zu verwenden, ja, er scheint nach 27,4f seiner Intention eher entgegenzukommen. Denn was die Bibel daran gehindert haben dürfte, den δεσπότης-Begriff in größerem Umfang für Gott zu übernehmen, nämlich das Bild vom Geschichtsgott, dieses Bild tritt in 1 Clem mindestens sehr zurück[36]. Gott ist der δεσπότης der Naturordnung (20,8.11); und auch wo in der Zeit gegebene Fakten angesprochen werden wie die ständige Bußmöglichkeit (7,5) oder die sicher eintretende künftige Auferstehung (24,1.5), werden sie fast nur unter der Rücksicht ihrer auf dem Willen des göttlichen Despoten beruhenden Notwendigkeit beschrieben. Hinter diesen Gott und sein Walten tritt Christus so sehr zurück[37], daß er in 21,6 das erste Glied einer Haustafel (der Herr Jesus – unsere Vorgesetzten – die Alten – die Jungen – unsere Frauen – unsere Kinder) werden kann[38]!

Dem Zurücktreten Christi entspricht das Zurücktreten des Glaubens. Wohl kommt das Wort πίστις verhältnismäßig genauso häufig vor wie im NT[39]; doch darf die

---

[31] »Abgesehen von 7,4 begegnet der Vatertitel Gottes nur noch sechsmal, eine verhältnismäßig geringe Zahl, gemessen an der zentralen Stellung der Vateraussagen in der Verkündigung Jesu und nach Ausweis des gesamten NT«, *Knoch* 431.

[32] »Die Vaterschaft Gottes den Auserwählten gegenüber wurzelt somit in der allumfassenden Vaterschaft Gottes der ganzen Schöpfung gegenüber«, *Knoch* 435. Vgl. dazu auch *Minke* 73 und *Jaubert*, Clément de Rome 69.

[33] »In diesem Zusammenhang ist auch hinzuweisen auf die Häufigkeit und den Reichtum der Schöpfungstitel bei Cl.«, *Knoch* 438, vgl. 292.

[34] Übersetzung nach *Fischer* 59.

[35] *Rengstorf* 46, 2f.

[36] »Man könnte bei Clem geradezu von einer Preisgabe der Heilsgeschichte sprechen«, *Minke* 124. Schon *Wrede* 97f sagt: »Es gibt für ihn überhaupt keine Geschichte, keine Entwicklung des Heils.«

[37] *Knoch* 420. 436.

[38] Diese Stelle beweist deutlicher als der von *Knoch* 269. 420 gegebene Hinweis auf 8,1, daß Christus »in gewissem Sinne in die Reihe der Diener der Gnade Gottes zurücktritt«.

[39] Siehe die Liste oben S. 62f.

Häufigkeit des Gebrauchs nicht über die veränderte Sachlage hinwegtäuschen. Der Verfasser kann alle ihm vorliegenden Traditionsstücke, die den Glauben nennen, in sein Schreiben einbauen. Das Traditionsstück vom gläubigen Abraham verwendet er 10,1–7 in einer Vorbildreihe ähnlich wie Hebr 11; in 31,2 als Anknüpfung für die an Röm 3,28. 30; Gal 2,16; 3,8 anklingende Stelle 32,4 (Rechtfertigung durch den Glauben), an die er jedoch im nächsten Vers (33,1) sogleich die Forderung nach guten Werken anhängt; schon vorher (30,3) hatte er betont, daß wir durch Werke gerechtfertigt werden. Damit steht die uns aus Jak 2,24 bekannte Tradition unverbunden neben der paulinischen. Rechtfertigung und Glaube werden formelhaft weitertradiert, sind aber kein Problem, das gelöst werden müßte[40]. Auch die anderen Traditionsstücke, der Martyriumsbericht Kapitel 5/6, der Hymnus 35,2, das zurechtgelesene Jesaiazitat 42,5 und die Gebetsstelle 60,4 »in Glauben und Wahrheit«, die sich auch 1 Tim 2,7 findet, nennen die πίστις nur formelhaft.

Pistis ist traditionell geworden und braucht nicht mehr zu bedeuten als die »Christgläubigkeit« in der mehr weltanschaulichen Bedeutung dieses Wortes[41]. Sie ist nicht das unvergleichlich Neue, sondern einfachhin die richtige Lebenshaltung[42], die ganz selbstverständlich »christlich« ist[43]. Aufgrund solchen Bedeutungswandels kann das Wort ersetzt werden durch Frömmigkeit oder Heiligkeit[44]. 3,4 steht die Pistis zwischen der Gottesfurcht und dem christlichen Lebenswandel: auch mit diesen Begriffen wird sie austauschbar[45].

Diese Verschiebung entspricht wieder genau dem Hervortreten des Gottesbegriffes δεσπότης. Die personale Beziehung zu Gott als Vater, die als Glaube je neu aktuiert werden muß, wird überlagert von einer bereits selbstverständlich zur Struktur gehörenden Lebens- und Glaubenshaltung, die einem Gott gegenübertritt, der mit absoluter Macht die Struktur garantiert (vgl. 33,3). Die Beziehung zu diesem Gott als Herrscher ist einerseits Furcht und Ehrfurcht[46], andererseits Anerkennung gegenüber den Wohltaten, dem Erbarmen und der Güte des Despotes[47]. Die Haltung, die man ihm entgegenbringt, ist Unterwerfung und Vertrauen. Der Glaube, der sich jetzt mehr auf ihn

---

[40] »Clemens kennt den Rechtfertigungsgedanken im Grunde überhaupt nicht, sondern hat nur das Wort und einen dürftigen Begriff von Erlösung«, Einführung 77, Anm. 1. »Das Problem der Gesetzlichkeit existiert daher für den Verfasser nicht, obwohl er von Paulus den Gedanken übernommen hat, daß wir nicht durch unsere Werke, sondern durch den Glauben gerechtfertigt werden«, Bultmann 539.

[41] »So kann πίστις abgeblaßt das Christentum bezeichnen (22, 1: ἡ ἐν Χριστῷ πίστις; so πιστεύειν 12, 7; 42, 4)«, Bultmann 539. Dazu noch πιστός 48, 5; 62, 3; 63, 3.

[42] Vgl. den ἐνάρετος βίος 62, 1.

[43] Vgl. das καθῆκον τῷ Χριστῷ 3, 4.

[44] »Sie (sc. ἡ πίστις) kann auch einfach die christliche Haltung als ganze bedeuten (5, 6; 6, 2; 27, 3) und so gleichwertig mit εὐσέβεια sein (vgl. 1, 2 mit 22, 1; ferner 11, 1 mit 10, 7; 12, 1; vgl. außerdem für εὐσέβεια 15, 1; 61, 2; 62, 1) oder mit ὁσιότης ψυχῆς (29, 1; vgl. 48, 4; 60, 4; ὅσιος ist beliebt, vgl. 2, 3; 6, 1 usw.)«, Bultmann 539. Mehr dazu bei Knoch 234.

[45] Aufschlußreich ist c. 21. Die Gottesfürchtigen von 21, 7 können niemand anders sein als die Christgläubigen, so daß hier an die Stelle des πᾶσιν τοῖς πιστεύουσιν von 12, 7 ein πᾶσιν τοῖς φοβουμένοις τὸν θεόν getreten ist. Für ἡ ἐν Χριστῷ παιδεία von 21, 8 kann 21, 6 ἡ παιδεία τοῦ φόβου τοῦ θεοῦ stehen.

[46] Alle 16 Stellen der Wortgruppe φοβεῖσθαι/φόβος, ausgenommen drei Zitate, meinen die Gottesfurcht.

[47] 9, 1: flehen wir seine Barmherzigkeit und Güte an und wenden wir uns kniefällig seinen Erbarmungen zu; vgl. 20, 11; 21, 1; 23,1 usw. die Wohltaten und Gaben.

als auf Christus bezieht[48], kann mit $\dot{\epsilon}\lambda\pi\acute{\iota}\varsigma$ zusammen einfach das Gottvertrauen meinen[49].

Von hier aus ist es nur noch ein kleiner Schritt, den Glauben als eine Tugend neben anderen aufzufassen[50], wie es vor allem die beiden Tugendkataloge 62,2 und 64 tun. 1,2 und 62,2 ist er zwar die erste der Tugenden, 22,1 sogar so etwas wie Inbegriff aller Tugenden der Haustafel 21,6–8[51], aber das muß nicht so sein. 62,1 werden über den nachfolgenden, von der Pistis angeführten Tugendkatalog »unsere Religion«[52] und das tugendhafte Leben als Oberbegriffe gesetzt[53]. Glaube ist hier nicht Endpunkt, sondern grundlegende Motivation, nicht Ziel, sondern Mittel[54].

Durch den ganzen Brief zieht sich das Thema des Glaubens, und doch wird er nirgends thematisch; er ist nicht das Problem, das man eigens behandeln müßte, er ist überhaupt als solcher problemlos, einfach vorhanden[55]. Wie Christus ganz selbstverständlich »der« Herr ist, so ist der Glaube ganz selbstverständlich »unsere« Religion (62,2). Wie es nicht mehr des Bekenntnisses zu »unserem Herrn Jesus Christus«[56] als Unterscheidungsmerkmales bedarf, so auch nicht mehr der Betonung des Glaubens als Abhebung von anderen Arten der Frömmigkeit. Wie Christus zum ersten Glied der Haustafel werden konnte, so der Glaube zum ersten Glied des Tugendkataloges.

Die bisherigen Ergebnisse zusammengenommen heißt das, daß wir im Ersten Klemensbrief deutliche Akzentverlagerungen im Glaubens-, Christus- und Gottesverständnis vorfinden. Glaube als Synonym von Heiligkeit, Frömmigkeit und Gottesfurcht kann an die Stelle der ersten Tugend rücken; Christus, der überschattet wird vom Gottesbild des AT, was in einer einmalig starken Verwendung der Bibel bis hin zur positiven Bewertung der atl. Kultordnung als Vorbild (in c. 40/41) zum Ausdruck kommt, kann als der erste, demgegenüber Pflichterfüllung zu üben ist, aufgefaßt werden; Gott, der Vater unseres Herrn Jesus Christus, wird zum Vater der ganzen Schöpfung, weil er der Despotes ist.

---

[48] »Die $\pi\acute{\iota}\sigma\tau\iota\varsigma$ bzw. das $\pi\iota\sigma\tau\epsilon\acute{\upsilon}\epsilon\iota\nu$, das gewöhnlich absolut gebraucht wird, kann Christus zum Obj. haben (22, 1: $\dot{\epsilon}\nu$ $X\varrho\iota\sigma\tau\tilde{\omega}$; nie $\epsilon\dot{\iota}\varsigma$ $X\varrho$. oder $X\varrho\iota\sigma\tau\tilde{o}\tilde{\upsilon}$), öfter aber ist Gott das Obj. (3, 4; 27, 3; 34, 4 und natürlich immer, wenn vom Glauben der alttest. Frommen die Rede ist)«, *Bultmann* 539. »Mit Christus ist nämlich dieser Glaube nur äußerlich verbunden. Gott und sein heiliger Wille sind es, die im Mittelpunkt des Glaubens, auch des Christen stehen«, *Knoch* 233.

[49] Vgl. *Bultmann* 537 und 539 mit Hinweis auf 12, 7; 58, 2; 26, 1; 35, 5. Auch 27, 3 gehört wohl hierzu.

[50] *Bultmann* 539. Vgl. *Knoch* 233: »So gehört der Glaube als grundlegende Tugend zum Tugendkatalog . . . Er ist demnach zwar erste Tugend, aber dennoch nur Tugend unter Tugenden, nicht also alleiniges Grundprinzip des in Christus neugeschenkten Lebens wie im NT . . .«

[51] Vgl. oben S. 79, Anm. 14.

[52] *Knoch* 230 weist darauf hin, daß in $\vartheta\varrho\eta\sigma\varkappa\epsilon\acute{\iota}\alpha$ besonders das Moment des Kultischen und der Gottesfurcht enthalten ist.

[53] Nach 3, 4 braucht es Gottesfurcht, Glaube und christlichen Wandel zur Erreichung von Gerechtigkeit und Frieden; 31, 2 fragt, ob Abraham nicht Gerechtigkeit und Wahrheit wirkte durch Glauben.

[54] Als solches Mittel zum Ziel wird der Glaube speziell mit der Gastfreundschaft verbunden: 10, 7; 11, 1; 12, 1. 3 (*Knoch* 229; *Bultmann* 539), was gleich zu Beginn (1, 2) zu der eigenartigen Zusammenstellung Glaube – christliche Frömmigkeit – Sitte der Gastfreundschaft – Gnosis führen kann.

[55] Gläubig ist man ja von Jugend an: vgl. 63, 3!

[56] »Die Verwendung von ›unser‹ begegnet fast ausschließlich in liturgischen oder in urchristlichen Formeln . . .«, *Knoch* 426.

Die Verschiebung vom Glauben zur Tugend, von der Christusnachfolge zur Pflichterfüllung und von Gott Vater zum Despotes ist also eindeutig. Eine andere Frage allerdings ist, wie diese Verschiebung gewertet werden soll. Bezeugt der Brief etwa ein auf halbem Weg im Spätjudentum steckengebliebenes Noch-nicht-Christentum[57] oder ein wieder ins Spätjudentum zurückgefallenes Nicht-mehr-Christentum[58]? Beide Interpretationsversuche verkennen, daß Christus und der Glaube nicht am Rande erscheinen, sondern mit der ganzen Mentalität des Briefes so dicht verwoben sind, daß sowohl mit Christus wie mit dem Glauben als mit selbstverständlichen und traditionellen Größen gearbeitet wird. Deshalb ist es eben sehr die Frage, ob die Verschiebung Abwertung Christi oder des Glaubens bedeutet und nicht vielmehr Neuverwertung und Neuinterpretation der christlichen Tradition. Könnte darin nicht eine notwendige Entwicklungsstufe der christlichen Glaubensgeschichte zum Vorschein kommen?

Wenn das NT den alten Gott der biblisch-jüdischen Tradition mit Hilfe des Christusereignisses und des Christusglaubens neu interpretiert, so daß man in Christus wieder an diesen traditionellen Gott glauben kann, könnte es dann nicht sein, daß im Ersten Klemensbrief Christusereignis und Christusglaube zum Alten geworden sind, das neu interpretiert werden muß, wenn es seine Bedeutung behalten soll? Könnte es nicht sein, daß der selbstverständlich gewordene Glaube vor der Gefahr, belanglos zu werden, bewahrt wird, indem er jetzt auch als Tugend in neuem Kontext zur neuen Aufgabe wird? Daß Christus und das Christliche (ἐν Χριστῷ) nicht zum bloßen Welt-

---

[57] *Harnack*, Einführung 71 staunt über den »reichen christlichen Inhalt« des Briefes und gibt sich ebd. 72 überrascht, daß »bereits alles da« sei: im Grunde stellt er den Brief damit außerhalb der genuinen christlichen Glaubensgeschichte. Im Grunde vertritt der Brief für ihn Spätjudentum (a. a. O. 71, Anm. 3), mit dem Kerygma von Christus angereicherte Religion des AT, aber abgeschnitten von der apostolischen Tradition (a. a. O. 58, Anm. 1). Wenn er Einführung 71 zugesteht, es sei »das Judentum hier so kräftig abgestoßen, daß es ganz und gar verschwunden ist«, so meint er damit doch nur, daß das »National-Jüdische« (a. a. O. 79, Anm. 1) verschwunden sei, sonst aber der dem Brief zugestandene »Universalismus des göttlichen Erbarmens« (a. a. O. 78) nichts anderes als eine Universalisierung des Spätjudentums sei (vgl. a. a. O. 79, Anm. 1: ». . . bei voller Aufrechterhaltung der ATlichen, spätjüdischen Frömmigkeit und Lehre.«). Es bleibt sich dann ziemlich gleich, ob man mit *Harnack*, Einführung 58 dieses »Christentum« »eine sittliche Bewegung auf dem Grunde des mit höchstem Ernst und höchster Lebendigkeit empfundenen Monotheismus« nennt, ob man es mit *W. Bousset*, Kyrios Christos, ³1926, 289 als »zum vollen Universalismus entschränktes Diasporajudentum« bezeichnet, wie es mit *Beyschlag* 340 Ausdruck auf die spätjüdische Apologetik zurückführt oder ob man mit *Bultmann* 539. 541 sagt: »Das Neue besteht nur in der Namengebung« bzw. »Durch Christus ist im Grunde nur das Selbstbewußtsein der Gemeinde gestärkt und gesichert worden« – immer hat man ihm seinen Platz schon am Rande, wenn nicht außerhalb des »wahren« Glaubens zugewiesen.

[58] Alle Frömmigkeit ist im Brief so sehr christlicher Glaube (vgl. ἐν Χριστῷ πίστις 22, 1 mit ἡ ἐν Χριστῷ εὐσέβεια 1, 2), daß das nicht ständig betont zu werden braucht. Das Urteil bei *Knoch* 228, der Glaubensbegriff sei vom AT *übernommen*, ist voreilig. *Knoch* scheint hier dem oben in Anm. 57 referierten Harnackschen Ansatz unbewußt unkritisch zu folgen, obwohl er ihn S. 414 ausdrücklich zurückweist. Man argwöhnt, das könnte eine rein äußerliche Zurückweisung geblieben sein, denn wie wäre sonst ein Satz wie der auf S. 236 möglich: »Damit ist also Cl. nicht über die Haltung des hellenistischen Spätjudentums und seiner Eschatologie hinausgekommen«? *Knoch* setzt sich damit dem Verdacht aus, seine Deutung der clementinischen Christologie und Soteriologie, nach der Christus das Heilsangebot »universal weitet« (S. 237, vgl. z. B. auch 268. 450f), beruhe doch auf der stillschweigenden Voraussetzung, dieses »Christentum« sei universale Ausweitung des Spätjudentums und gehöre insofern eigentlich nicht in die Geschichte des »echten« Christentums hinein.

anschauungshintergrund absinkt[59], indem es zur ersten und höchsten Motivation für die Erfüllung der Pflicht erhoben wird?

Solche Aktualisierung würde mit Hilfe des Gottesbildes vom δεσπότης geschehen. Dieser Begriff verkündet dann, daß Christus und der Glaube ihre Bedeutung nicht verlieren, wo Herrschaft und Macht ausgeübt werden muß. Oder umgekehrt: Der Begriff würde sagen, da Gott der Despotes *ist*, gibt es Christus und den Glauben nur dort, wo Gott auch erkannt und anerkannt ist als der absolute Herrscher, der unbeschränkt seine Macht ausübt. Der Despotes-Begriff könnte somit zum Schlüsselbegriff[60] für die Bewältigung einer Situation geworden sein, in der Unter- und Einordnung unter Macht als Rettung der christlichen Gemeinde erkannt worden ist. Daß dann Christus zum Vorbild der Selbsterniedrigung wird und der Glaube vom Problem der Gesinnung der Selbsterniedrigung überdeckt wird, wie die folgende Begriffsanalyse zeigen soll, läge in der gleichen, hier vermuteten Linie.

### b) ταπεινοφρονεῖν

Aus der Untersuchung des Wortfeldes zum Wortstamm ταπεινο- ist Demut als Schlüsselwort des Ersten Klemensbriefes hervorgegangen[61]. Einmal davon abgesehen, was »Demut« im einzelnen genau bedeutet, es ist sicher, daß damit etwas positiv zu Wertendes gemeint ist. Diese Feststellung ist nicht überflüssig, weil ταπεινός und seine Derivata in der griechisch-hellenistischen Welt »durchgängig in negativem Sinne« verwendet werden[62] mit nur ganz wenigen Ausnahmen, von denen die wichtigste wohl bei Plato zu finden ist: ταπεινὸν εἶναι als sich einordnen[63].

Diese seltenen Ausnahmen erlaubten es aber wohl den griechischen Übersetzern des AT die Wörter vom Stamme ταπεινο- zur Wiedergabe einer großen Zahl hebräischer Wurzeln[64] auch im positiven Sinne zu verwenden, wobei jenen Stellen besondere Bedeutsamkeit zukommt, die besagen, daß Gott das Hohe erniedrigt und das Niedrige erhöht[65], daß er sich gerade das Geringe und Kleine für seine Pläne erwählt[66]. Der ταπεινός (= der Niedrige, der Gebeugte) ist für die LXX der Fromme, der sich Gott gegenüber recht verhält[67]; in der Wortgruppe ταπεινόω–ταπεινός–ταπείνωσις spricht

---

[59] Gegen *Minke* 123: Es »wird das Evangelium letztlich zu einer Weltanschauung verflüchtigt«.

[60] »*Δεσπότης* ist also der weitere und für des Cl. theologisches und soteriologisches Denken typische Gottesbegriff« *Knoch* 444.

[61] Siehe oben S. 64 und 71.

[62] *W. Grundmann*, ThW VIII 5; so auch schon *Kwa* 107.

[63] Plato, leg. IV 716a, siehe *Grundmann* 4, der als weitere Stellen für positiv bewertetes ταπεινός angibt: Xenophon. Agesil. 11, 11 (= bescheiden); Isokrates, or. 3, 56 (= gehorsam), Aeschylus, Prometh. 3, 20 (= gehorsam werden, sich einordnen?). Vgl. noch *Grundmanns* Gesamturteil S. 6: »Nur bei Platon bekommen sie (sc. die Derivata von ταπεινός) mitunter die Färbung der gehorsamen Einfügung in die dem Menschen vorgegebene Ordnung, die er in seiner Vernunft zu erkennen vermag, während bei Plutarch ihr Sinn, freilich neben dem durchgängig negativen Sinn, eine Wendung nehmen kann, die von der Unterwerfung des Menschen unter die Gottheit herrührt.«

[64] Die Statistik ergibt: 67mal ταπεινός für 12 verschiedene hebräische Wortstämme; ca. 165mal ταπεινόω für 20 hebräische Wortgruppen; 39mal ταπείνωσις für 4 hebräische Entsprechungen; je 1mal ταπεινοφρονέω und ταπεινόφρων: vgl. *Grundmann* 6.

[65] *Grundmann* 8 mit Hinweis auf 1 Kön 2, 7; Ez 21, 31; Sir 7, 11; 2 Kön 22, 28; Os 14, 9 und der Anmerkung, auch die Griechen wüßten um solches Handeln Gottes: Hesiod, Op. 5–8; Euripides, Tro. 612f.

[66] Ri 6, 15 als typische Stelle: *Grundmann* 9.

[67] *Grundmann* 10.

sich der Vollzug jenes Geschehens aus, »durch den der Mensch in die rechte Stellung zu Gott kommt«[68]. Die jüdische Apokalyptik und die rabbinische Literatur gebrauchen die Wortgruppe weiterhin im positiven Sinn[69], während das hellenistische Judentum kein einheitliches Bild gibt[70].

Im NT ist die Wortgruppe vorhanden, wenn sie auch nur spärlich und nicht in allen Schriften vertreten ist[71]. Die einzelnen Wörter zeigen noch eine ziemliche Bedeutungsbreite[72], deutlich im Vordergrund steht aber der religiös-positive Sinn[73], aufbauend auf dem atl. Wort von der Erhöhung und Erniedrigung durch Gott, woraus sich die Demutsforderung (vgl. Jak 4,10; 1 Petr 5,5) und Demut als christliche Tugend (Kol 3,12; Eph 4,2) ergeben kann.

Somit kann die positive Bedeutung der vom Stamm ταπεινο- abgeleiteten Wörter im Ersten Klemensbrief durchaus aus dem Traditionsstrom, der aus dem griechischen AT herkommend in die ntl. Überlieferung Eingang fand, erklärt werden. Was damit aber nicht erklärt wird, ist die zentrale Stellung des Begriffes innerhalb des Briefes. Zwar findet sich der Begriff auch in der umliegenden Literatur – jedoch nicht bei den Apologeten des 1. und 2. Jahrhunderts[74] –, aber vergleichsweise doch nur selten[75]. Der Erste Klemensbrief steht einmalig da, und diese Besonderheit bedarf der Erklärung.

Vom Stamm ταπεινο- kommen vor: 3 mal ταπεινός, 4 mal ταπεινόω, 3 mal ταπείνωσις, 11 mal ταπεινοφρονέω, 1 mal ταπεινόφρων, 6 mal ταπεινοφροσύνη[76]. Am deutlichsten springt in die Augen, daß ταπεινοφρονεῖν innerhalb des Wortfeldes so sehr bevorzugt wird, daß dieses Verbum ein Vorzugswort des Briefes ist[77], obwohl es in der umliegen-

[68] *Grundmann* 12.
[69] a. a. O. 12–14.
[70] Flavius Josephus gebraucht die Wortgruppe wie die Griechen im negativen Sinne, Philo gebraucht sie einerseits im griechischen Sinn, nimmt aber andererseits die biblischen Erkenntnisse auf, der Aristeasbrief (257. 262f) kennt die Tradition von Erhöhung und Erniedrigung: *Grundmann* 14f. Bezüglich Flavius Josephus urteilte schon *Kwa* 105 ebenso, bezüglich Philo meinte er S. 106f, dieser sei mehr der hellenistischen als der jüdischen Auffassung und gebrauche den Begriff wie die Hellenisten im negativen Sinne.
[71] 34 Stellen, davon ταπεινός 8 mal, ταπεινόω 14 mal, ταπείνωσις 4 mal, ταπεινοφροσύνη 7 mal, ταπεινόφρων 1 mal; nicht vertreten in der joh. Literatur, bei Mk, in 1 Kor, Gal und Hebr sowie in Jud und 2 Petr und in den Past: *Grundmann* 15f.
[72] *Ταπεινόω* einebnen (Lk 3, 5), erniedrigen (Phil 2, 8; Mt 23, 12; Lk 14, 11; 18, 14 vgl. Mt 18, 4), unterwerfen (Jak 4, 10; 1 Petr 5, 5f) – ταπεινός gottergeben (Mt 11, 29), niedrig (Lk 1, 52), gebeugt (2 Kor 7, 6; Jak 1, 9), demütig (1 Petr 5, 5; Jak 4, 6), gering (Röm 12, 16), servil (2 Kor 10, 1) – ταπείνωσις Niedrigkeit, Erniedrigung (Lk 1, 48; Apg 8, 33), Todesverfallenheit (Phil 3, 21; Jak 1, 10) – ταπεινοφροσύνη Selbstlosigkeit (Apg 20, 19; Phil 2, 3 vgl. Kol 3, 12; Eph 4, 2), Dienstwilligkeit (1 Petr 5, 5), eine Form von Häresie (Kol 2, 18. 23) – ταπεινόφρων (1 Petr 3, 8) dienstbereit: *Grundmann* 16–24.
[73] Ausnahmen sind nur 2 Kor 10, 1 und Kol 2, 18. 23. *Kwa* kennzeichnet sie als Anführung fremder Meinung und glaubt feststellen zu können, daß der Begriff außerhalb solcher Zitation in bezug auf Personen nicht im negativen Sinn vorkommt: *Kwa* 121. 130. 136.
[74] Siehe *Kwa* 126f.
[75] »Uit de vergelijking is voorts gebleken, dat nergens ταπεινος in de zin van deemoed zo centraal staat als bij Clemens. Immers, terwijl de andere schrijvers het in deze betekenis slechts terloops gebruiken, hamert Clemens van het begin tot het einde gedurig op deze deugd, zodat we de indruk krijgen alsof de gehele brief over deemoed gaat, die Clemens in allerlei schakeringen tentoonspreidt« *Kwa* 126.
[76] Vgl. *Kraft*, Clavis 419f. Die Statistik bei *Knoch* 386, Anm. 22 ist unvollständig und ungeordnet.
[77] Vgl. die Tabelle oben S. 62 f.

den Literatur einzig bei Pastor Hermae dreimal vorkommt, in der LXX nur einmal sich findet und im NT ganz fehlt. Der Akzent, auf den der Brief Wert legt, wird daraus schon deutlich. Gemäß dem zweiten Bestandteil des zusammengesetzten Wortes geht es um ein Gesinntsein, darum, jene Gesinnung zu haben, die der erste Wortteil aus der Tradition mitbringt, also die Gesinnung des Niedrigseins und Demütigseins. Dem Aufruf zu solcher Haltung ist ein eigener Teil des Briefes gewidmet.

Dieser Teil beginnt 13,1 und endet 19,1. Die Untersuchung zum Aufbau des ersten Briefteiles [78] hat ergeben, daß dieser Teil selbst wieder ein Unterabschnitt des von 7,1 bis 19,1 reichenden Abschnittes ist, welchen wir als »Weg zur Neuordnung« bezeichnet haben [79]; er umfaßt die Aufforderung zu Buße (7,1–8,5), Gehorsam (9,1–12,8) und Demut (13,1–19,1), wobei eine deutliche Steigerung schon darin zum Ausdruck kommt, daß der jeweils folgende Unterabschnitt doppelt so lang ist wie der vorausgehende. Von dieser Steigerung her liegt der ganze Nachdruck auf dem letzten der drei Unterabschnitte, der von der Demut handelt. Da hinein ist alles investiert: Die Worte des Heiligen Geistes und des Herrn Jesus und der Schrift, das Beispiel des Herrn Jesus Christus, der Propheten und »Bezeugten« sowie des David; als Abschluß in 19,1 ein kerygmatischer Satz, der zusammen mit dem Kerygma in 7,5 die verklammernde Rahmung des ganzen Abschnittes bildet [80]. Der Unterabschnitt von der Demut enthält nicht nur die längsten zusammenhängenden wörtlichen Bibelzitate, nämlich Jes 53,1–12 mit angehängtem Ps 21 (22),7–9 (in c. 16) und Ps 50 (51),3–19 (in c. 18), sondern bringt auch die eine (die aber die einzige ist im ersten Briefteil) der beiden Stellen, an denen Jesusworte angeführt werden (13,2) und stellt schließlich Christus selbst als Beispiel vor Augen (Kapitel 16 mit 16,17), der vielleicht sogar, um hier wirkungsvoll genannt werden zu können, in der Beispielreihe zwischen Kapitel 4 und 5 (d.h. zwischen David und den Aposteln) ausgelassen worden war [81].

Der ganze Abschnitt beginnt nach dem Neueinsatz von 7,1 mit einer allgemein gehaltenen Paränese, die auf die Tradition (παράδοσις 7,2) aufmerksam macht. Dann wird zwar mit ἀτενίσωμεν formelhaft auf das Blut Christi hingewiesen, aber nicht das ist die Tradition, der man sich zuwenden soll, sondern die mit Hilfe der Blutformel in den Vordergrund gerückte Metanoia [82]. Der Hinweis gerade an dieser einzigen Stelle auf die παράδοσις ist berechtigt. In der ntl. Überlieferung wird mit μετάνοια / μετανοεῖν der traditionelle Umkehrruf der Propheten wiedergegeben [83], und diese Tradition behält der Erste Klemensbrief bei [84].

7,2 bringt gleich zu Beginn den der Umkehr verwandten Gedanken von wegwenden/hinwenden (ἀπολιπεῖν/ἐλθεῖν), der sich auch 9,1 (ἐπιστρέψαι/ἀπολιπεῖν) und 8,3 (μετανοεῖν/ἐπιστρέφειν)

---

[78] Siehe oben S. 47ff.

[79] Siehe oben S. 52 und 54.

[80] Vgl. oben S. 48f und die abschließende schematische Darstellung S. 50.

[81] Vgl. *Beyschlag* 72f. 131. 330.

[82] Ähnlich komponiert der Verfasser auch an den beiden anderen ἀτενίσωμεν-Stellen: 9,2 sollen wir auf die Dienenden schauen, obgleich es um den Gehorsam geht; 19,2b auf den Vater, obgleich es ihm auf den Frieden ankommt.

[83] »Was die religiöse Sprache des AT durch šûb ... ausdrückte, das heißt im NT, wie in den hellenistisch-jüdischen Schriften, μετανοέω und μετάνοια«, *J. Behm*, ThW IV 994.

[84] »Das sprachliche Verständnis der im religiös technischen Sinne von den apostolischen Vätern an viel gebrauchten Vokabeln ist das neutestamentliche: umkehren, Umkehr«, *Behm* 1002.

findet[85]. Die zuletzt genannte Verbindung, die auch schon 7, 5 begegnet, ist ebenso traditionell[86] wie die Begriffe ἀφεθῆναι (51, 1) und ἐξομολογεῖν (51, 3; 52, 1), die an der entsprechenden Umkehrstelle im zweiten Briefteil erscheinen[87]. Daher ist es nicht verwunderlich, daß ein Verständnis von μετάνοια als Bußleistung sich nicht glatt in den Kontext einfügen will. Sicher paßt zu dem formelhaften V 7, 4 die traditionelle Metanoia als Geschenk besser denn als Leistung: nach der Umkehrterminologie von V 2 spricht V 4 ausdrücklich von der »Gnade der Umkehr«. Was hier Gnade heißt, interpretiert V 5 mit τόπος: Möglichkeit, Gelegenheit, und zwar für die, die wollen[88]. Darin bleibt die Bedeutung von Metanoia als Geschenk[89] erhalten: es ist die Möglichkeit zur Umkehr, die auch Hebr 12, 17 vorgestellt wird und die Apg 5, 31; 11, 18 im lukanischen Verständnis mit δοῦναι μετάνοιαν gemeint ist[90]. 8, 5 μετανοίας μετασχεῖν ist eine Variation von 7, 5 μετανοίας τόπον δοῦναι. Von den übrigen Metanoia-Stellen geben 8, 1 und 8, 2a wenig her, μετάνοια 8, 2b wird aber durch 8,3 (μετανοήσατε ἀπὸ τῆς ἀνομίας und ἐπιστραφῆτε πρός με) gleich doppelt als Umkehr interpretiert. Schwierigkeiten könnte man höchstens in 57, 1 in παιδεύθητε εἰς μετάνοιαν sehen; es heißt aber nicht: laßt euch züchtigen als Bußleistung, sondern: auf Umkehr hin, wie sich auch Mt 3, 11 und Lk 5, 32 εἰς μετάνοιαν findet. Dann ist aber auch an der letzten Stelle, in dem als Inhaltsangabe deklarierten Tugendkatalog von 62, 2, die Metanoia als Umkehrforderung und nicht als Bußleistung verstanden[91].

Wo die Umkehr hinzielt, zu welcher Tätigkeit oder Haltung oder Gesinnung sie führen soll, das muß erst noch konkretisiert werden. Deshalb werden in 8, 5 zum Abschluß der Ausführungen über die Metanoia keine Folgerungen gezogen. Diese Aufgabe übernimmt der nachfolgende Vers 9, 1, der den nächsten Unterabschnitt eröffnet, indem er sagt: Gehorchen wir deshalb! Gehorsam ist also die clementinische Interpretation des traditionellen Umkehrrufes. Das sagt übrigens schon 7, 6: Noach rief die Umkehr aus, und die Gehorchenden wurden gerettet. Zur Abhandlung des Gehorsamsthemas greift der Verfasser auf eine traditionelle Vorbildreihe zurück und macht sie seinem Anliegen dienstbar[92]. Verglichen mit Hebr 11 und seiner obstinaten Wiederholung von πίστει bleibt 1 Clem 9–12 jedoch merkwürdig inkonsequent. Zum Gehorsam tritt sogleich der Dienst hinzu, wenn 9, 4 διὰ τῆς λειτουργίας steht an Stelle des ἐν ὑπακοῇ von 9, 3. 10, 2 bringt allerdings wieder δι' ὑπακοῆς, doch das wird im letzten Vers des Kapitels um διὰ πίστιν καὶ φιλοξενίαν (10, 7) erweitert. Bei diesem Thema bleiben dann c. 11 und 12. c. 12 bricht wieder – ähnlich wie c. 8 – ohne Abschluß ab.

---

[85] Zur ganzen Umkehr-Terminologie in 1 Clem vgl. die Zusammenstellung bei *Knoch* 264.

[86] »Aber da das religiös-ethische Verständnis der Begriffe auf der Linie der alttestamentlich-jüdischen Umkehrgedanken liegt, ohne jede Analogie in der Profangräzität, da der neutestamentliche Gebrauch der Wörter gleiche Eigentümlichkeiten zeigt wie der hellenistisch-jüdische (μετανοέω Synonymon von ἐπιστρέφω Apg 3, 19; 26; 20; Konstr. mit Präp. ἀπό oder ἐκ: Apg 8, 22; Apk 2, 21f; 9, 20f; 16, 11; Hebr 6, 1; Konstr. mit εἰς: Apg 20, 21) ..., können μετανοέω und μετάνοια sinngemäß nur mit umkehren und Umkehr wiedergegeben werden«, *Behm* 994.

[87] Z. B. βάπτισμα μετανοίας εἰς ἄφεσιν ἁμαρτιῶν Mk 1, 4; Lk 3, 3 oder μετάνοιαν τῷ Ἰσραὴλ καὶ ἄφεσιν ἁμαρτιῶν Apg 5, 31 und ἐξομολογούμενοι τὰς ἁμαρτίας αὐτῶν Mk 1, 5; Mt 3, 6 im Zusammenhang des Umkehrrufes des Täufers.

[88] Vgl. *Knoch* 266f.

[89] Vgl. *S. G. Hall*, Repentance in I Clement 32–35.

[90] Vgl. *H. Conzelmann* 92.

[91] Bezüglich 1 Clem wird man also das Schlußwort von *J. Behm* 1003: »Der urchristliche religiöse Begriff ist ins Moralistische zurückgebogen. Aus Umkehr wird – zum erstenmal – Buße. Die Buße muß geübt und erlitten werden« mit etwas Vorsicht aufnehmen müssen und genauer nachfragen, in welche Richtung die Entwicklung ging. Noch skeptischer wird man gegen das »Bußverfahren« sein, das *Knoch* 273 im Brief in Umrissen erkannt haben will, wenn man von ihm auch gern den Hinweis übernimmt, daß die Metanoia »zur innerkirchlichen Notwendigkeit und Tugend« geworden ist, *Knoch* 275, da ja bei der Gläubigkeit von Kindheit an der Begriff Metanoia nur dann eine Bedeutung behalten kann, wenn er innerhalb der Kirche eine Rolle zugewiesen bekommt.

[92] Vgl. das oben S. 91f Gesagte.

Die Folgerung, die aus der Beispielreihe zu ziehen wäre, bringt erst 13,1, der erste Vers des nachfolgenden Unterabschnitts. Und diese Folgerung ist nicht die Forderung nach Gehorsam, wie man von 9,1.3; 10,1.2.7 her erwarten würde, aber es ist auch nicht die Glaubensforderung oder die Forderung nach Gastfreundschaft (10,7; 11,1; 12,1), sondern dem Wortlaut nach etwas Neues, nach dem der Verfasser den ganzen Unterabschnitt 9,1–12,8 auf der Suche war, das er mit Gehorsam, Dienst, Gastfreundschaft, Glaube vorbereitet hat und das er nach dieser Vorbereitung jetzt aussprechen kann mit dem Wort ταπεινοφρονήσωμεν οὖν, haben wir also die Gesinnung des Niedrigseins, des Demütigseins! Jetzt ist der Verfasser bei dem Thema angelangt, auf das man seit 7,2ff, seit der Erwähnung des Umkehrgedankens gewartet hat: Es ist das ταπεινοφρονεῖν, das schon 2,1 in die Mitte der Laudatio, des in der Form des Rückblicks gehaltenen idealen Ordnungsentwurfes[93], gerückt ist.

Ταπεινοφρονεῖν ist eindeutig ein positiv-religiöser Begriff. Überhaupt gebraucht der Brief alle Wörter vom Stamm ταπεινο- nur noch im positiven Sinne und nur noch religiös. Ohne Ausnahme nimmt er allein die biblisch-jüdische und hier bloß die positiv-religiöse Tradition auf und führt sie weiter. Er kennt die biblische Tradition von Gott, der erhöht und erniedrigt (59,3 vgl. 14,5; 45,8). Er zitiert (wie 1 Petr 5,5; Jak 4,6) in 30,2 Spr 3,34 LXX, daß Gott sich den Hochmütigen widersetzt, den Demütigen aber Gnade gibt. Der Verfasser fügt dem in der Schrift erwähnten Fasten des Mose (53,2 vgl. Ex 34,28) und der Ester (55,6 vgl. Est 4,16) jeweils noch die ταπείνωσις bei[94], womit nach 16,7 (vgl. auch 18,8.17) die Erniedrigung bezeichnet werden soll[95]. Nur an diesen von der Schrift abhängigen Stellen werden die kürzeren Wortbildungen ταπεινός, ταπεινόω, ταπείνωσις gebraucht; wo der Verfasser das Neue, das er sagen will, zum Ausdruck bringt, gebraucht er die verlängerten Formen ταπεινοφρονεῖν, ταπεινοφροσύνη, ταπεινόφρων[96]. Er verwendet die ihm vorgegebene religiöse Tradition also eindeutig auf ein Gesinntsein hin.

Schon bei der ersten Erwähnung in 2,1 präzisiert er diese Gesinnung durch Anfügung des Gegenbegriffes Prahlerei. Das wiederholt sich in 13,1, hier aber noch ausführlicher: Prahlerei, Aufgeblasenheit, Unbesonnenheit, Zornmütigkeit. Genau diese »Gegen-Tugenden« aber sind es – und sonst nichts! – die der Verfasser seinen Gegnern, die er 51,1 Anführer des Aufruhrs nennt, zum Vorwurf macht. Sie werden genannt: Anführer abscheulicher Eifersucht in Prahlerei und Unordnung (14,1); Menschen, die sich in Prahlerei ihrer Rede rühmen (21,5); unverständige, unvernünftige, törichte und ungebildete Leute, die sich durch ihre Einbildungen selbst erhöhen wollen (39,1); ihre prahlerische und hochmütige Überheblichkeit (57,2; vgl. auch 30,8) wird ange-

---

[93] Vgl. oben S. 52.

[94] »Diese beiden Beispiele dienen dazu, um den Schluß 56,1 vorzubereiten . . ., um damit das Ganze zu retten. Das zeigt, daß Klemens diese Einfügung nicht umsonst gemacht hat, sondern sehr absichtlich; nicht das Fasten an sich war das Wertvolle, sondern die seelische Haltung des Sich-selbst-übersehens, die damit verbunden sein soll«, W. C. van Unnik, Zur Bedeutung von ταπεινοῦν τὴν ψυχήν 252.

[95] Diese Bedeutung von ταπείνωσις findet sich auch schon in der jüdischen Apokalyptik in Test XII Patr (Test Jud 19,2: die mit der Umkehr verbundene Erniedrigung; Test Jos 10,2: die das Fasten begleitende Umkehr des Herzens) und in 4 Esr (4 Esr 8,47–50: Demut als Tugend, die besonderen Lohn empfängt). Siehe dazu Grundmann 13.

[96] Grundmann 25 merkt zu den Apostolischen Vätern allgemein an, daß damit einige in der biblischen Literatur nur spärlich begegnende Begriffe in den Vordergrund rücken, »die die Gesinnung betonen, die die im Vollzug begriffene Ordnung trägt«.

prangert[97]. Dieser zentralen Untugend stellt der Brief als zentrale Tugend *ταπεινοφρονεῖν/ταπεινοφροσύνη* gegenüber. Alles wird aufgeboten, um die Bedeutsamkeit dieser Tugend aufzuzeigen. Es wurde schon darauf hingewiesen, daß Worte des Heiligen Geistes, des Herrn Jesus und der Schrift angeführt werden (c. 13–15); aber nicht nur daß Elija, Elischa, Ezechiel, Abraham, Ijob, Mose und David (c. 17f) als Beispiele der Demut vorkommen; nicht nur daß der ganze Psalm 50 – ausgenommen die beiden Schlußverse – und das ganze 53. Kapitel aus Deuterojesaia wörtlich abgeschrieben werden, der Herr Jesus Christus selber wird – das einzige Mal im Brief – als Beispiel angeführt (16,17), und zwar gerade als Beispiel der der Prahlerei und dem Hochmut entgegengesetzten Demut (16,1f).

Was aber meint diese so ins Zentrum gerückte Demut oder Niedrigkeitsgesinnung? 2,1 gibt bei der ersten Nennung dieser Tugend den entscheidenden Hinweis: dem Gegensatz demütig/prahlerisch ist hinzugefügt: lieber untergeordnet als unterordnend. Unterordnung statt Demut steht 57,2 als Gegensatz von Prahlerei und Hochmut. Unterordnung ist nach 37,5/38,1 der Vergleichspunkt bei dem Bild vom Leib und den Gliedern. Unterordnung unter die Presbyter ist der konkrete Befehl, den der Brief denen erteilt, die den »Grund zum Aufruhr« gelegt haben (57,1). Damit ist Demut zu einer auf Autorität bezogenen Haltung geworden. 38,1 spricht zwar noch von gegenseitiger Unterordnung aller; diese Aussage steht aber im Schatten des militärischen Bildes (37,1–4) von der Notwendigkeit des Sich-Einordnens unter einer Autorität[98].

Diese Ausrichtung des Demutsbegriffs machte wohl das neue Wort *ταπεινοφρονεῖν* nötig. Es ist nicht mehr das Gebeugt- und Niedrigsein allgemein, das Gott durch Erhöhung belohnt, sondern speziell die Haltung des gehorsamen sich Ein- und Unterordnens[99]. Eingeordnet zu sein in die Zahl der Auserwählten kann daher zur Bezeichnung für die endgültige Rettung werden (58,2). Von daher wird es verständlich, warum der Verfasser die Demut vom Gehorsam her angeht (13,3; 14,1) und im Schlußsatz (19,1) des Abschnittes, der von der Metanoia über den Gehorsam zur Demut führte, beide ineinander verflochten sind: Die Demut[100] schafft durch den Gehorsam die Menschen zu besseren[101].

Damit ist die innere Haltung gefunden, um die es dem Brief geht, für die er kämpft: für die Tugend der Demut, gegen das Laster des Hochmuts. Mit diesem Gegensatzpaar sucht der Verfasser seine Situation zu bewältigen, darin liegt in seinen Augen das Problem, um das es geht; nicht etwa in der Frage nach Glauben oder Unglauben, auch nicht nach Rechtgläubigkeit und Häresie. Weder Unglaube noch Häresie kommen im Brief überhaupt vor. Und selbst dort, wo die Frage nach Glauben und Werken breit abgehandelt wird (32,3–33,8), ist das Ganze ausgelöst und getragen von der Frage nach Hochmut und Demut (30,2.8) und dem Kampf gegen Hochmut, Selbstlob und »Worte« (30,3–7; vgl. 57,2: die prahlerische und hochmütige Überheblichkeit der

---

[97] »Die Anklagen lauten also auf Frechheit, Anmaßung, Hochmut, Prahlerei, Eigenruhm, Unbotmäßigkeit, Selbstsucht (*ζητεῖν τὸ ἑαυτοῦ*), Eifersucht (*ζῆλος*), Unverstand, Heuchelei ... Am beachtenswertesten sind die Worte, welche von Rühmen, Prahlen, Anmaßung und Selbstsucht (bes. 21, 5 und 48, 6) der Gegner sprechen« *Wrede* 28.

[98] Zur Herkunft des militärischen Bildes aus jüdischer Tradition vgl. *A. Jaubert,* Les sources de la conception militaire und *O. Luschnat* 130f, der Jauberts Artikel noch nicht kannte.

[99] Gegen *Grundmann* 26, Demut sei zu einer Gesinnung geworden, die Buße und Fasten bewirkt.

[100] *Τὸ ταπεινόφρον* ist hier soviel wie *ἡ ταπεινοφροσύνη,* siehe *Grundmann* ebd.

[101] Auch das *διὰ τῆς λειτουργίας* von 9,4 ist von daher zu verstehen. *Minke* 17f hat nachgewiesen, daß *λειτουργεῖν* bei 1 Clem »gehorsames Sich-Einfügen in die Taxis Gottes« (18) bedeutet.

Zunge). Nicht daß der Glaube von der Demut verdrängt würde: Wir haben gesehen, daß Glaube selbstverständlich geworden ist. Doch die vom Glauben ausgehende Umkehrforderung verlangt den Schritt vom Hochmut zur sich einordnenden, gehorsamen Demut. Deshalb braucht der Brief keine Glaubensbeispiele, sondern Beispiele der Demut. Deshalb wird im zentralen Kapitel 44 nicht der Glaube, sondern die Demut der abgesetzten Presbyter erwähnt (44,3). Deshalb wird am Schluß des Briefes von den Vätern nicht gesagt, daß sie als Gläubige, sondern daß sie als Demütige Wohlgefallen fanden (62,2).

Im Anschluß an die biblische Tradition – so kann abschließend gesagt werden – verwendet der Brief den Begriff Demut und verleiht ihm schon dadurch eine besondere Note, daß er die Wörter vom Stamm ταπεινο- ausschließlich im positiven und ausschließlich im religiösen Sinn verwendet. Der besondere Charakter seines Demutsbegriffes drückt sich formal im bevorzugten Gebrauch des sonst seltenen Wortes ταπεινοφρονεῖν aus, inhaltlich in der Auffüllung des Begriffs durch Gehorsam, Einordnung und Unterordnung. Demut ist jetzt die Haltung, die religiöse Autorität um ihrer selbst willen anerkennt. Das verweist auf eine Situation, in der die Strukturverhältnisse der Gemeinde dabei sind, sich grundlegend zu ändern. Die Analyse des Begriffs ὁμόνοια wird das bestätigen.

### c) ὁμόνοια

Die Interpretation der Wort- und Begriffsstatistiken [102] hat ὁμόνοια unter die eindeutigen Vorzugswörter des Briefes eingereiht. Durch eine Analyse soll die Bedeutung und die Bedeutsamkeit dieses wichtigen Begriffes herausgearbeitet werden. Innerhalb der umliegenden Literatur steht der Erste Klemensbrief mit 14maligem Vorkommen von ὁμόνοια und 1maligem von ὁμονοεῖν [103] einzig da. Denn im NT fehlt die Wortgruppe ganz und gar [104] und in den Schriften der AVV findet sich nur das Substantiv einigemal bei Ignatius [105] und kaum bei Pastor Hermae [106].

Dieser Befund verwundert einen nicht, wenn man erkannt hat, daß die Wortgruppe ὁμόνοια/ὁμονοεῖν keine biblische Vergangenheit hat. Nur ganz vereinzelt taucht das eine oder andere Wort in atl. oder spätjüdischen Schriften auf. In den aus dem Hebräischen übersetzten Texten der LXX findet sich nur je 2mal das Partizip ὁμονοοῦντες und adverbial gebrauchtes ἐν ὁμονοίᾳ [107]. Als Nomen kommt ὁμόνοια ausschließlich

---

[102] Siehe oben S. 70.

[103] An 8 von diesen Stellen steht ἐν ὁμονοίᾳ, an 7 ist ὁμόνοια zusammen mit εἰρήνη genannt.

[104] Auch vom etwa gleichbedeutenden Stamm ὁμοφρον-, der zwar in der LXX ganz fehlt, den aber Philo kennt, kommt nur 1mal ὁμόφρων in 1 Petr 3, 8 vor.

[105] Bei Ignatius steht deutlich des Begriffspaar ἑνότης (11mal)/ἕνωσις (8mal) im Vordergrund, hinter das ὁμόνοια (1mal neben ἀγάπη) und ἐν ὁμονοίᾳ (7mal) wieder zurücktritt.

[106] 2mal neben ἀγάπη. Hermas sind auch die ntl. κοινωνία und die ignatianische ἑνότης/ἕνωσις unbekannt. Die Sache wird bei ihm ein paarmal mit dem Verb συμφωνεῖν zum Ausdruck gebracht.

[107] Nach Hatch-Redpath, A Concordance to the Septuagint and the other greek versions of the Old Testament. Graz 1954. Die ὁμονοοῦντές τινι sind die, die mit einem gemeinsame Sache machen, der Anhang (sensu malo) von einem: Lev 20, 5, vgl. Est 4, 17s und eventuell auch ep Arist 185, doch hier dann sensu bono die Anhänger, Freunde; einmal, Dan 2, 43 LXX, heißt es neutral zusammenhängend. Ἐν ὁμονοίᾳ meint nicht so sehr »eines Sinnes«, als vielmehr »gemeinsam«, »wie ein Mann«: Ps 54 (55), 14 (15); 82 (83), 5 (6), vgl. Weish 18, 9; Weish 10, 5 heißt es einfach »allgemein«.

in späten Texten vor in den drei Bedeutungen: Eintracht im Staatsvolk[108], Eintracht unter Brüdern[109] und Eintracht als erste Tugend in einem Tugendkatalog[110]. Sowohl die späte Zeit wie die Bedeutungen weisen auf hellenistische Herkunft des Begriffes hin[111], so daß man zur Aufhellung der Bedeutung der Wortgeschichte nachspüren und dafür ein längeres Verweilen im außerbiblischen Bereich in Kauf nehmen muß.

In der uns erhaltenen griechischen Literatur fehlen bis zur Mitte des 5. Jahrhunderts v. Chr. Wortbildungen vom Stamm ὁμονο- völlig[112]. Da, an einer für das Griechentum historisch bedeutsamen Stelle, nämlich am Ende des Peloponnesischen Krieges, taucht die Wortgruppe ὁμονοεῖν/ὁμόνοια auf und wird zur Bezeichnung des großen, aus der existenzbedrohenden Notsituation erwachsenen Anliegens der Eintracht, zu der die unter sich zerstrittenen Parteien der Polis zurückkehren sollen[113].

Vom ersten Erscheinen des Wortes an wird der zu überwindende Zustand, die Parteikämpfe, mit Aufstand bezeichnet. Von Anfang heißt ὁμόνοια soviel wie die Überwindung der στάσις[114]. Das bleibt so bis in die späte Zeit hinein[115]. Ebenso bleibt vom Ende des 4. Jahrhunderts an bis zur Kaiserzeit ὁμόνοια in Inschriften juristischer Terminus für die Beendigung eines Rechtsstreites unter Bürgern derselben Stadt[116]. Von seinem im strengen Sinn politischen Ursprung her ist das Wort fähig, mit Beginn seines literarischen Auftauchens zum Schlachtruf für die gesamthellenische Einigung gegen äußere Feinde zu werden[117] und kann deshalb auch für einzelne Städtebündnisse gebraucht werden[118].

Der politische Ursprung des Begriffes steht damit fest. Von hierher bekommt die Wortgruppe ὁμονοεῖν/ὁμόνοια ihre Färbung, wenn sie in einem übertragenen Sinn

---

[108] 4 Makk 3, 21; der Gegensatz ist hier νεωτερίζειν (Aufruhr anfangen).

[109] Sir 25, 1 abgehoben von der Freundschaft unter Nachbarn und dem Einvernehmen zwischen Mann und Frau; 4 Makk 13, 25 (und 13, 23 in Codex A); Test Jos 17, 3.

[110] Or Sib 3, 375f: Eintracht, Liebe, Treue, Gastlichkeit.

[111] Die griechisch-hellenistische Herkunft wird dadurch bestätigt, daß im Rabbinischen, dem für die Sache kein hebräisches Wort zu Gebote stand, das griechische Wort ὁμόνοια in hebräischer Umschrift zur Verwendung kam. Vgl. *Bauer*, Wörterbuch s.v.

[112] *H. Kramer* in seiner Dissertation bei *P. Wendland* und *M. Pohlenz* auf S. 13. Bei Homer, Hesiod, Pindar und Herodot finden sich einige Male Wörter vom Stamm ὁμοφρον-, bei den Lyrikern, Tragikern und Komikern fehlen auch diese Wörter; vgl. die Nachweise bei *Kramer* 8–12.

[113] »Aus allen angeführten Stellen scheint sich zu ergeben, daß dem Wort ὁμόνοια vor der Zeit an, als der athenische Stadtstaat von Parteikämpfen erschüttert wurde, d. h. vom Ende des Peloponnesischen Krieges an, von den athenischen Schriftstellern und Rednern eine bestimmte Bedeutung beigelegt wurde: Friede und Eintracht der Parteien, die sich zuvor heftig verfolgten«, *Kramer* 27; Belege von Demokrit, Archytas, Sokrates bei Xenophon, Thukydides, Thrasymachus, Aristoteles, Andocides, Lysias, Isokrates a. a. O. 16–26.

[114] Demokrit, frg. 249 und 250 bei *H. Diels*, Fragmente der Vorsokratiker II, 6. Auflage, 195, 3. 6; Archytas, frg. 3 a. a. O. I, 6. Auflage 437, 7; Isokrates 18, 68; 6,65 und 67; Aristoteles, eth. Nic. 1155a, 24; vgl. ὁμονοεῖν als Überwindung von στασιάζειν: Lysias II 63.

[115] Z. B. Polybius 6, 46, 6 (*Kramer* 35); Dio Chrysostomus von Prusa 38, 472; 39, 483; 40, 493 (*Kramer* 53, Anm. 1).

[116] *Kramer* 29f mit Referenzen von über zwei Dutzend einschlägigen Inschriften.

[117] »Aus dem Dargelegten erhellt, daß die besten griechischen Schriftsteller und Redner des 4. Jahrhunderts v. Chr., die sich mit Politik befaßten, dem Wort ὁμόνοια eine ganz bestimmte Bedeutung zumaßen: die Eintracht aller griechischen Stämme gegenüber äußeren Feinden«, *Kramer* 44. Ebd. 41–43 Stellenangaben aus Isokrates und Demosthenes. Später im selben Sinn Philostratus, vit. soph. 1, 9, 4f (*Kramer* 38 und 39, Anm. 1); Dio Chrysostomus 12, 74.

[118] Xenophon, hell. 6, 5, 35, vgl. Aeschines II 120; später auf Inschriften: *Kramer* 44f. Dazu auch Dio Chrysostomus 38, 6; 40, 16; 41, 13.

gleich vom 4. Jahrhundert an auch im familiären Bereich Anwendung fand als Eintracht in der Familie[119], zwischen Eheleuten[120] und unter Brüdern[121].

Eine weitere Abwandlung erfährt der genuin politische Begriff in philosophischen Texten. Plato versteht darunter klassisch die innerstaatliche Eintracht[122]. Für Aristoteles ist ὁμόνοια die Freundschaft auf der politischen Ebene, die nicht in der bloßen Gleichheit der Gesinnungen, sondern im gemeinsamen Handeln in den wichtigen staatlichen Angelegenheiten besteht[123]. Dahinter tritt die sehr abgeleitete Bedeutung von ὁμονοεῖν als mit sich selbst in Übereinstimmung sein[124] oder als die Platonsche Harmonie der Seelenteile stark zurück[125]. Am weitesten von der geschichtlich ursprünglichen Bedeutung entfernt sich der Begriff bei den Stoikern, bei denen es möglich wird, daß ὁμόνοια/ὁμονοεῖν die Gleichheit der Lebensauffassung bezeichnet, sowie deren Voraussetzung, die Gemeinsamkeit im Wissen um das wahre Gute, worauf allein Freundschaft basieren könne[126].

Bei der für die Existenz des Griechentums zentralen Urbedeutung des Begriffes wird es nach dem Aufweis der personal-familiären und der philosophischen Verwendungsfähigkeit nicht mehr wundernehmen, daß er auch religiöse Bedeutung hat. Noch im 4. Jahrhundert wurde ʿΟμόνοια personifiziert zur Göttin der Eintracht als Repräsentantin der stadtstaatlichen Einigkeit und als Zeichen für das Zusammenstehen aller Griechen[127]; ihr Bild findet sich häufig auf Münzen der Kaiserzeit[128]. Und wenn man der Überlieferung vom Pythischen Orakel[129] folgen darf, dann wurde die Eintracht der Spartaner seit alters für ein Geschenk der Götter gehalten: Freiheit durch Tapferkeit (nach außen) und Eintracht (nach innen), Knechtschaft durch Streit und Frevel[130].

---

[119] Ps.-Plato, Alcib. I 126 e f; Plutarch, mor. 144 b. c.

[120] Lykurg bei Stobaeus, Menander, Musonius, Inschriften.

[121] Menander, Plutarch; vgl. zum Ganzen *Kramer* 45–49.

[122] Plato, polit. 311 b; resp. 351 d; 432 a; 545 d; leg. 759 b: *Kramer* 29, Anm. 2, vgl. ebd. 53.

[123] Aristoteles führt damit die klassische Bedeutung von ὁμόνοια als innerstaatliche Eintracht, die die στάσις überwindet, weiter. Stellenangaben bei *Kramer* 54. Bei Plato, ep. II 311 b ist die Eintracht unter Weisen und Mächtigen, also bei Berücksichtigung der platonischen Staatslehre deutlich ein politisches Zusammenwirken, gemeint (*Kramer* 46).

[124] Für Plato vgl. die Stellen bei *Kramer* 53 f; für Aristoteles z. B. eth. Nic. 1167 b, 5.

[125] Weitere, aber seltene Bedeutungen von ὁμονοεῖν, die nicht den geschichtlichen Ursprung des Wortes erkennen lassen, sondern auf seine Etymologie zurückgreifen, sind »derselben Meinung sein« bei Plato, Men. 86 c, polit. 260 b und »zustimmen« bei Isokrates 9, 53; 10, 22; 12, 272; Xenophon, Cyr. inst. 4, 2, 47; oec. 17, 3 (*Kramer* 53).

[126] Chrysipp, Fragmenta moralia: *J. v. Arnim*, Stoicorum veterum fragmenta III, frg. 625. 630. 661. Diese Fragmente sind von Stobaeus überliefert und gebrauchen die Wörter ὁμονοεῖν/ὁμόνοια. In den entsprechenden Fragmenten, die sich bei Diogenes Laertius finden (*Arnim* III frg. 628. 631), steht dafür κοινωνία/κοινωνικός. Daß aber Chrysipp ὁμόνοια gebrauchte, wird daraus deutlich, daß es sich auch in einem Chrysipp-Fragment von Philodemus (*Arnim* II frg. 1076) und einem von Clemens Alexandrinus (*Arnim* III frg. 292) findet, sowie aus dem durch Athenaeus überlieferten Chrysippschen Buchtitel Περὶ ʿΟμονοίας (*Arnim* III frg. 353, vgl. ebd. S. 201). Epiktet gebraucht ὁμονοεῖν nur 2 mal als das Zusammenhalten von Mitsklaven (2, 20, 31), Freunden oder Brüdern (2, 22, 24), ὁμόνοια 1 mal als Eintracht im Staat (4, 5, 35) gegenüber Freundschaft im Haus und Friede unter Völkern, so daß spezifischer Gebrauch bei ihm nicht auszumachen ist.

[127] *Kramer* 49–51; Stellenangaben auch in den Wörterbüchern. Davon abgeleitet und sicher in später Zeit wird ʿΟμόνοια auch zur Patronin der Ehe: Charito 3, 2, 16.

[128] *Kramer* 51—53.

[129] Bei Diodor 7, 12, 2 und Eusebius, praep. ev. 5, 28, 5.

[130] *Kramer* 31 f.

Die schon vorhandene religiöse Färbung scheint den hellenistischen Juden eine Übernahme des Begriffes nahegelegt zu haben[131]. Sie übernehmen die Bedeutung von der Eintracht der Polis und wenden sie auf das jüdische Volk an. Dadurch wird ὁμόνοια zum hohen Gut und zur Stärke des Volkes, die nun aber, aufgrund der religiösen Grundausrichtung, aus dem einen Glauben an Gott entspringt[132]. Ὁμόνοια ist Gottesgeschenk und Glaubensgeschenk[133], zunächst für das jüdische Volk[134], dann aber auch für alle Menschen[135]. Als ihr Gegenteil erscheinen Aufruhr und Hochmut[136]. Der Gegensatz Hochmut zeigt schon, daß hier ὁμόνοια als Tugend aufgefaßt wird[137]: sie ist Sinn und Aufgabe des Lebens[138]. Der Mensch ist dazu geboren und berufen[139], das Gesetz ist als Stütze dazu gegeben[140]. Sie ist zu verwirklichen in Freundschaft und Ehe[141]; unter Brüdern wird sie gepriesen[142].

In der Anwendung auf das jüdische Volk behält der Begriff bei den hellenistischen Juden also seinen politischen Charakter. Da die Eintracht dieses Volkes jedoch als Gottes- und Glaubensgeschenk verstanden wird, bekommt er als politischer Begriff so zentrale religiöse Bedeutung, daß er jetzt Sinn und Ziel des Lebens des einzelnen, der Gemeinschaften und der Menschheit bezeichnen kann.

Die Begriffsgeschichte hat also gezeigt, daß ὁμόνοια ein politisch-religiöser Begriff ist. Im Vordergrund steht die politische Komponente, die das Wort vom geschichtlichen Ursprung an bis in die späte hellenistische Zeit und das hellenistische Judentum hinein prägt. Daneben schwingt von Anfang an die religiöse Saite mit, die bei den hellenistischen Juden den politischen Klang übertönt, so daß bei ihnen der Gnadencharakter der ὁμόνοια durchdringt. Diese ὁμόνοια mit dieser Geschichte ist es, die zum Vorzugswort im Ersten Klemensbrief geworden ist.

Friede und Eintracht, also eine von Haus aus politische Wirklichkeit, sind das, wofür der Brief letztlich kämpft. Er nennt sich selbst eine Darlegung[143] über

---

[131] Philo verbindet ὁμόνοια meistens, nämlich an 7 von 13 Stellen, mit κοινωνία; ὁμονοεῖν fehlt bei ihm: siehe den Index von *J. Leisegang*, Berlin 1930, S. 579.

[132] Josephus, c. Ap. 2, 179; Philo, virt. 35; vgl. Josephus, ant. 13, 67.

[133] Josephus, c. Ap. 2, 179; Philo, virt. 35; praem. et poen. 92.

[134] Josephus, c. Ap. 2, 179; Philo, virt. 35.

[135] »Das aber ist es vor allem, was der gottgesandte Prophet (sc. Mose) durch seine ganze Gesetzgebung erreichen will: Eintracht, Gemeinschaft, Gleichgesinntheit, gegenseitige ausgleichende Ergänzung, wodurch Familien und Städte, Stämme und Länder und das gesamte Menschengeschlecht zur höchsten Glückseligkeit gelangen« *Philo*, virt. 119.

[136] Josephus, c. Ap. 2, 294: διίστασθαι, στασιάζειν, ἐξυβρίζειν; Philo, spec. leg. 1, 293: ὑπαιρεῖσθαι φυσηθεὶς ὑπ᾽ ἀλαζονείας/τὸ τοῦ φρονήματος ὑπέραυχον ὕψος vor ebd. 295: κοινωνία, ὁμόνοια, ἰσότης, φιλανθρωπία; vgl. auch Abrah. 243: στασιάζειν im übertragenen Sinn.

[137] Siehe Josephus, c. Ap. 2, 294 die Steigerung: Frömmigkeit, Gesetzestreue, Einträchtigsein (vgl. das schon oben Anm. 110 zitierte Or Sib 3, 375).

[138] ». . . denn was käme dir sonst zu in ihr (sc. der Zeit des Lebens) zu vollbringen als Gemeinschaft und Eintracht, sowie Gleichheit und Menschenliebe, und alle anderen Tugenden zu pflegen . . .«, *Philo*, spec. leg. 1, 295.

[139] Philo, praem. et poen. 92 und decal. 132.

[140] Philo, virt. 119; decal. 14. Auch der Kult: rer. div. 183; und die Sabbatgebote: praem. et poen. 154 sind dazu gegeben.

[141] Philo, spec. leg. 1, 70. 138.

[142] Josephus, ant. 12, 283; vgl. Philo, mut. nom 200. Andere Verwendungsarten kommen nur ganz vereinzelt vor: so die philosophische von ὁμόνοια als Übereinstimmung von Wahrnehmung und Empfindung (Philo, Abrah. 243) oder die etymologische als Sich-einig-gewordensein (Josephus, bell. jud. 2, 345).

[143] *W. C. van Unnik*, Studies I, 55 f.

Frieden und Eintracht (63,2). Der letzte Wunsch, den das Schreiben vorbringt, das Ziel der ganzen Mühe des Verfassers, heißt Frieden und Eintracht (65,1). Beide Begriffe stützen sich gegenseitig in ihrer öffentlich-politischen Dimension. Deshalb ist doch ernstlich zu fragen, ob es dem Brief gemäß ist, den Frieden in der Gemeinde als eine Art personal-familiäre Friedfertigkeit zu deuten, wie das vielleicht dem NT entsprechend wäre, oder ob man nicht daran denken muß, den Frieden des Ersten Klemensbriefes als öffentlich-politische Strukturgröße zu verstehen[144].

Von vornherein wird nämlich der »tiefe Friede« (2,2), der einst in Korinth geherrscht haben soll und der aufgrund ihres Übermutes (3,1) von der Gemeinde gewichen sei (3,4), nicht nur personal verwendbaren Größen wie Eifersucht, Neid und Streit entgegengesetzt, sondern in einem damit auch den eindeutigen Strukturgrößen Aufruhr, Unruhen, Krieg (3,2; vgl. 46,5)[145]. In den Paulusbriefen war es immer um gestörte personale Beziehungen gegangen, die Eifersucht und Streit heißen[146] und die durch die personal-familiäre Liebe[147] überwunden werden. Jetzt geht es um etwas, das den personalen Rahmen von Streit und Eifersucht sprengt und durch die Hinzufügung von Aufruhr und Krieg als Strukturkrise gekennzeichnet wird[148]. Jetzt ist es nicht mehr die personale Liebe, die die Lage bereinigt, sondern öffentlicher Friede und politische Eintracht, also nicht neue Beziehungen, sondern neue Strukturen. Der häufig gebrauchte Doppelausdruck Friede und Eintracht wird somit verständlich: damit Friede unzweideutig im öffentlich-politischen Sinn als Gegensatz zu Krieg aufgefaßt wird, fügt der Verfasser das aus der Geschichte seit je als Gegensatz zum Aufruhr verwendete ὁμόνοια hinzu[149].

Doch nicht nur in dem seit der klassischen Zeit gebräuchlichen Sinn von Überwindung der στάσις verwendet der Brief ὁμόνοια, sondern auch in der hellenistisch-jüdischen Weiterentwicklung als Gottes- und Glaubensgeschenk und als das den

---

[144] Daß »Eintracht und Frieden« »Begriffe der griechischen Staatsethik« sind, stellt *U. Wickert*, Paulus, der erste Klemens und Stephan von Rom 154 heraus.

[145] Daß der Ausdruck »tiefer Friede« in diesen Begriffszusammenhang gehört, hat *W. C. van Unnik*, Tiefer Friede gezeigt. Vgl. 278: »Immer steht dort . . . Friede oder *Homonoia* (Lateinisch *concordia*) in einem Spannungsfeld mit oder eher in Gegensatz zu (Bürger-)Krieg und Aufruhr (στάσις). Durch Empörung, Zwiespalt usw. werden das Staatswesen und seine Harmonie bedroht, zuweilen sogar zugrunde gerichtet. Wo aber ›tiefer Friede‹ herrscht, ist der Staat in guter Ordnung, und da wird den Bürgern das höchste Glück beschert. Dieser ›Kontext‹ liegt auch im 1. Klemensbrief vor . . .« »Der Ausdruck ist im Denken über die *Homonoia* und den Frieden im Staate zu Hause und nicht in der jüdisch-christlichen, apologetischen Märtyrer-Terminologie, wie K. Beyschlag behauptet«, ebd. 279.

[146] 1 Kor 3, 3; 1, 11; vgl. Röm 13, 13; 2 Kor 12, 20; Gal 5, 20.

[147] Vgl. Phil 1, 15f.

[148] Wenn *Beyschlag* 136 dazu sagt: »Das ist um so auffälliger, als der Verfasser, selbst wenn man ihm rhetorische Freiheiten einräumt, streng genommen damit ja weit über das Ziel hinausschießt. Jedenfalls hat das von Clemens mit diesen Schlagworten erzeugte Panorama mit einer christlichen Gemeinde des 1. Jahrhunderts kaum noch etwas zu tun, sondern beschwört das rein weltliche Bild blutiger Auseinandersetzungen auf dem lichten Hintergrund des einstigen ›tiefen Friedens‹«, so verkennt er die Richtung, in die Hinzufügung von ›Krieg‹ eine Steigerung bringt: es ist nicht die ›Blutigkeit‹, denn blutig können auch familiäre Streitigkeiten verlaufen, sondern es ist die Ausweitung vom Familiär-Personalen ins Politisch-Strukturelle. Und dieses Problem kann ja durchaus etwas mit der Kirche des ausgehenden 1. Jahrhunderts zu tun haben.

[149] In der Kaiserzeit wurden die Göttinnen Ὁμόνοια und Εἰρήνη öfter miteinander verbunden; auf Münzen von Traianus und Antoninus Pius sind sie zusammen dargestellt: *Kramer* 53 mit Anm. 3. Vgl. *van Unnik*, Studies I, 31 f, die Formel »Friede und Eintracht« beziehe sich auf das Wohl des Staates in der Kaiserzeit.

Menschen gesteckte Ziel. Im Gebet am Schluß des Briefes werden Friede und Eintracht als einzige konkrete Gabe mit dem Imperativ »gib!« erbeten[150]. Die neuen Strukturen, die der Brief anstrebt, sind als Gabe und Gnade Gottes gekennzeichnet: die neue Ordnung, das Ziel (19,2a) des Weges, der von der Buße (c. 7f) über den Gehorsam (c. 9–12) zur Demut führt (c. 13–18), ist nicht einfachhin der Friede, sondern es sind die Geschenke und Wohltaten des Friedens (19,2b), bzw. Frieden und Eintracht als Wohltaten des großen Demiurgen und Despoten aller (vgl. 20,11). So ist die neue Strukturgröße »Friede und Eintracht« der Gemeinde gleichzeitig als Sinn und Ziel, von dem sie sich bis in ihren innersten Selbstvollzug hinein bestimmen zu lassen hat[151], und als nicht machbares Geschenk, das man nur annehmen kann[152], vor Augen gestellt.

Dem neuen Anliegen wird auch der überlieferte Begriff der Liebe dienstbar gemacht. In der Mitte des Hymnus von der Liebe (49,5) prallt das Neue auf die Tradition, wenn es heißt: Liebe kennt keine Spaltung, Liebe macht keinen Aufruhr, Liebe tut alles in Eintracht. Liebe ist mit Eintracht gleichgesetzt und damit herausgenommen aus den personal-familiären Beziehungen und hineinverlegt in die politisch-gesellschaftliche Strukturfrage, bei der es um Krieg oder Frieden, Aufruhr oder Eintracht geht. Durch diese öffentlich-politische Liebe, nämlich die »Eintracht der Liebe« werden uns jetzt die Sünden nachgelassen (50,5); durch das Einträchtigsein in Liebe und Frieden werden wir Gott gefallen (62,2).

An einer Stelle geht der Brief über alle in der Begriffsgeschichte angetroffenen Verwendungsmöglichkeiten hinaus. Das ist gerade in dem Kapitel, in dem ὁμόνοια am gehäuftesten verwendet wird, Kapitel 20. Es ist aber gerade auch jenes Kapitel, das die bisherige Analyse ganz offenkundig bestätigt. Der in der Tradition zumindest neutrale, in der apokalyptischen Überlieferung sogar negative Begriff κόσμος als der durch die Gemeinde zu überwindende Zustand, dieser Begriff wird jetzt im positiven Sinne verwendet[153]: der Kosmos wird zum Vorbild für die Kirche, und zwar genau deshalb, weil in ihm unabänderliche Strukturen absolut herrschen. Bis zum Überdruß bringt jeder Vers zum Ausdruck, daß die kosmischen Kräfte den göttlichen Anordnungen[154] ohne jede Abweichung[155] entsprechen. Das der vorgegebenen Struktur gemäße Verhalten der Natur, das heißt nun Frieden (20,1.9.10.11) und das heißt Eintracht (20,3.10c.11).

Damit ist der traditionell politische ὁμόνοια-Begriff durch den Ersten Klemensbrief als statischer Ordnungsbegriff präzisiert[156]. Struktur versteht er also nicht nur, wie

---

[150] Dieselbe Bitte wiederholt sich 61, 1 für die Herrscher. Sonst finden sich an Bitten in diesem Gebet nur die allgemeinen Fürbitten 59, 4 und die Bitte um Vergebung 61, 1c–2.

[151] Nach 34, 7 soll der Gottesdienst in Eintracht erfolgen.

[152] 30, 3 heißt es: Ziehen wir die Eintracht an. Nirgends wird die Eintracht moralisch-paränetisch verwendet so wie die Demut, sondern immer nur als vorgegebene Heilsgabe.

[153] »Clément de Rome a, le premier, entonné cet hymne (sc. au monde), et de quelle voix! au chapitre XX de son épître« *M. Spanneut* 373.

[154] τεταγμένος (V 2), διαταγή, ἐπιτεταγμένος (V 3), δεδογματισμένος (V4), πρόσταγμα (V 5), διατάσσω (V 6), ταγή (V 8), προστάσσω (V11).

[155] μηδὲν ἐμποδίζων (V2), δίχα παρεκβάσεως (V 3), μὴ διχοστατῶν, μὴ ἀλλοιῶν (V 4), οὐ παρεκβαίνειν (V 6), ἀπροσκόπως, δίχα ἐλλείψεως (V 10).

[156] »Das kosmologische Element wird in den Dienst einer ethisch-politischen Idee gestellt, wie dies oben gezeigt wurde. Die eigentliche Bedeutung der Sache liegt in der Übertragung dieser Betrachtungsweise, die schon auf das 5. Jhdt. und auf die sophistische Paideia zurückgeht, auf das

es von der Sache her notwendig ist, als den personalen Beziehungen übergeordnet (also in diesem Sinne apersonal), sondern direkt unpersönlich als von Personen unbeeinflußbar wie die kosmische, vom göttlichen Despoten garantierte Naturordnung.

Gegenüber dieser vorgegebenen Ordnungsstruktur kann es nichts anderes geben als Einordnung und Unterordnung (20,1)[157]. Darin bestätigt sich die Analyse von ταπεινοφρονεῖν als zentraler Tugend des Briefes, deren eigentliche Bedeutung Sicheinordnen und Sich-unterordnen heißt. Das Demütiggesinntsein des Briefes ist also die der Gabe der Ordnungsstruktur entsprechende Tugend. Die beiden Stellen, die atl. Berichte mit Eintracht interpretieren, fügen sich in den bisherigen Befund ein. Durch die Arche Noach werden 9,4 die gerettet, die sich fügen (vgl. 7,6 gehorchen), sich an die Ordnung halten und deshalb in Eintracht sind. Die Frau des Lot wird nicht gerettet, weil sie sich nicht fügt, sondern ihre eigene Meinung hat, also nicht in Eintracht ist (11,2).

Die Eintracht genannte Ordnungsstruktur ist das Eigentliche, auf das es dem Brief ankommt. Sie ist im strengen Sinn Ziel der Gemeinde und die göttliche Gabe, die es anzunehmen gilt. An deren Annahme oder Ablehnung, d.h. an der geleisteten oder verweigerten Ein- und Unterordnung entscheidet sich das Schicksal der Gemeinde, vollzieht sich die Krisis: Die nach dem Vorbild der kosmischen Naturordnung gewährten Wohltaten werden zum Gericht, wenn man nicht in Eintracht, der Ordnungsstruktur gemäß handelt (21,1). Die Krise der Gemeinde, Aufruhr und Krieg, wird überwunden durch Einordnung und Unterordnung in vorgegebene Struktur.

Damit ist das Ergebnis der Begriffsanalyse von ὁμόνοια erreicht. Es hat sich gezeigt, daß der Brief den Begriff in seiner ursprünglichen, geschichtlich gewordenen Bedeutung von politisch verstandener Eintracht, die Krieg und Aufruhr überwindet, gebraucht. Im Sinne der hellenistisch-jüdischen Weiterentwicklung des Begriffes ist diese Eintracht aber nicht machbar, sondern nur als Gottesgeschenk annehmbar. Über die ihm vorliegende Begriffsentwicklung hinaus bestimmt der Verfasser dieses Gottesgeschenk in Analogie zur kosmischen Naturordnung als vorgegebene, unveränderliche Ordnungsstruktur, die durch Einordnung und Unterordnung als göttliche Wohltat anzunehmen ist, wenn sie nicht zum Gericht werden soll.

Das Bemerkenswerteste an diesem Ergebnis ist die Tatsache, daß in der christlichen Literatur zum ersten Mal ein Begriff zentral gebraucht wird, der keine biblisch-jüdische Vergangenheit hat, sondern ganz eindeutig der klassischen Antike, und hier der politischen Rhetorik und Philosophie[158] entstammt. Auch in das hellenistische Judentum kann er nicht über die stoische Philosophie[159] Eingang gefunden

---

Problem der christlichen Gemeinschaft der Kirche, die hier im Lichte der klassisch-griechischen Idee der sozialen Eintracht (ὁμόνοια) der Polis erscheint«, *W. Jaeger* 335.

[157] Zur Übersetzung von 20, 1 vgl. *H. Helfritz.*

[158] *Minke* 128, Anm. 24 weist auch für στάσις darauf hin, daß die Bevorzugung dieses Begriffes – als Gegensatz von ὁμόνοια – in seiner Verwendung in der staatsphilosophischen Literatur liegen dürfte.

[159] Gegen *Spanneut*, der S. 373f behauptet: »Ensuite le vocabulaire même est stoïcien, en particulier ce mot ὁμόνοια qui revient trois fois dans le chapitre (sc. XX) et onze fois encore dans l'épître.« Diese Behauptung wird nirgends bewiesen, nur wiederholt vorgebracht: »Tout est dans la paix et dans l'homonoia sous la conduite du démiurge. Ce developpement est certainement d'inspiration stoïcienne«, es sei denn, man nimmt die beigefügte Anmerkung: »C'est l'avis de tous les

haben, sondern kaum anders als über den politischen Hellenismus[160]. Kündigt sich darin an, daß die christliche Glaubens- und Gemeindegeschichte in eine Situation gekommen ist, die so neu war, daß die genuin biblische Begriffssprache zu ihrer Bewältigung nicht mehr ausreichte, die aber auch als so kritisch angesehen wurde, daß zu ihrer Bewältigung alle erreichbaren Mittel für legitim erachtet wurden? Der Begriff ὁμόνοια scheint es zu verraten, daß das jene Grenze gewesen sein könnte, wo die Gemeinde endgültig den familiären Rahmen gesprengt hatte und zu einer öffentlichen Körperschaft geworden war, die nicht mehr durch die personalen Gesetze von Liebe oder Haß, sondern durch die strukturellen von Krieg oder Frieden bestimmt wird.

---

commentateurs . . .« als Beweis. Auch *E. Skard* 69 gibt lediglich die Behauptung weiter, »daß das Lob der spartanischen ὁμόνοια und der mit ihr verbundenen Tugenden besonders bei den Stoikern heimisch war«, ohne auf einen Beleg hinzuweisen. Für ὁμόνοια ist aber, wie sich bei der Begriffsanalyse gezeigt hat, die stoische Verwendung eine ganz andere als bei 1 Clem. *Knopf* weist im Kommentar daher auch für ὁμόνοια nicht auf den Stoizismus hin. Bezüglich ὁμόνοια bemerkt er nur sehr zurückhaltend zu 60, 4: »Die Zusammenstellung ὁμόνοια καὶ εἰρήνη auch 20, 10 f (liturgisch); 61, 1; 65, 1.« Vgl. *van Unnik*, Studies I, 31 f (sicher nicht nur stoisch).

[160] *W. C. van Unnik*, Studies I, 29–33 stellt unter Berufung auf Dio Chrysostomus, Plutarch, Lukian, Dio Cassius, Diodor und Dionysius von Halikarnaß die politische Herkunft der Formel »Friede und Eintracht« fest (nicht vor der Mitte des 1. Jhs. v. Chr.). Da er der Herkunft von »homonoia« allein erst in einer späteren Untersuchung nachgehen will (ebd. 33), konnte er bei der Besprechung dieses Begriffs (S. 17–23) nur auf seine Bedeutsamkeit innerhalb des Briefs (60,4; 9,1.4; c.11; c.20; 30,1–3; 34,7; c.49) hinweisen, ohne schon eine Deutung zu bieten.

## 3. ABSCHNITT

# DIE INDIVIDUELLE FORM DES BRIEFES

Die Exegese des zentralen Kapitels 44 und die Begriffsanalysen zu δεσπότης, ταπεινοφρονεῖν und ὁμόνοια haben die Grundthematik so weit offengelegt, daß jetzt in einem abschließenden Abschnitt die zusammenfassende Darstellung gewagt werden kann. Dabei muß mehreres gleichzeitig gelingen. Es soll sich erweisen, daß der entwickelte hermeneutische Zugriff das werkgerechte Ergebnis erbringt; es soll die Grundthematik und theologische Mitte des Briefes klar durchsichtig zur Ansicht kommen; und es soll in der Formbestimmung des Briefes seine Individualität eindeutig benannt werden.

Bestimmung der »Individualität« des Briefes heißt aber, daß er eingeordnet werden muß in die Geschichte des Glaubens. Mit größtmöglicher Exaktheit soll der Platz bestimmt werden, den das Schreiben in der geschichtlichen Entfaltung von Glaubensleben und Glaubensreflexion, von Kirche und Theologie einnimmt. Diese Zuweisung eines »Platzes« ist nur zu leisten von der historisch-soziologischen Situation her, aus der heraus und in die hinein der Brief spricht. Alle Einzelphänomene, die sich ergeben haben, sind jetzt zu sichten und zu beurteilen, inwieweit sie auf bestimmte Anlässe gesellschaftlicher Art hindeuten. In vergleichender Methode sind dabei die vom Glauben her gesehen strukturverwandten Werke des NT, insoweit deren Entstehungshintergrund bekannt ist, mitzuverwenden, damit von der geschichtlichen Situationsbestimmung her eine Einordnung und damit ein Gesamtverständnis des Werkes möglich wird. Das heißt nun aber, daß dieser letzte Abschnitt die Formbestimmung ist, auf die die ganze Arbeit von Anfang an ausgerichtet war. Aus der geglückten Formbestimmung ergeben sich Grundthematik und Richtigkeit der Methode von selbst.

### a) Die Geschichtsmächtigkeit des Briefes

Abgesehen von der genauen Datierung des Briefes[1] steht man von Anfang an auf gesichertem historischen Boden, was die Geschichtsmächtigkeit[2] des Briefes angeht.

---

[1] Die Datierung auf die letzten Jahre des 1. Jhs. konnte weder durch *H. Delafosse* noch durch *E. Barnikol* und schon gar nicht durch *C. Eggenberger* erschüttert werden. Auch wenn *Barnikol* 13 meint, gegen die »chronologische Clemens-Legende vom Jahre 96«, die Harnack »stabilisiert« haben soll, angehen zu müssen, so bleiben die von *Harnack*, Studie 63 (= Exkurs III) angeführten »inneren Beobachtungen« weiterhin unwiderlegt und unseres Erachtens auch unwiderlegbar. Kurz zusammengefaßt führt *Harnack* an: 1. Unbefangene Beurteilung der römischen Obrigkeit wie Paulus, 1 Petr und Apg: in trajanischer und nachtrajanischer Zeit wäre das auffallend. 2. Die Folgen von ζῆλος und φϑόνος reichen nur bis zur neronischen Verfolgung (c. 5/6): von allgemeinen Verfolgungen ist dem Verfasser noch nichts bekannt. 3. Die Spannung zwischen der neuen Religion und dem Staat und der Gesellschaft ist noch ziemlich latent. 4. Herrenworte werden nicht nach unseren

Zusammengehörig sind die Zeugnisse der ersten Jahrhunderte[3]. Polykarp von Smyrna, Hegesipp, Dionysius von Korinth und Irenäus lassen bereits eine einheitliche Sicht erkennen. Polykarp benennt den Brief zwar nicht ausdrücklich, benutzt ihn aber stillschweigend in seinem Begleitschreiben zur Sammlung der Ignatiusbriefe, die gar nicht anders denn als Vorkämpfer für den monarchischen Episkopat verstanden werden können. Ausdrücklich bezeugt wird die Existenz des Briefes erstmalig von Hegesipp, und zwar zusammen mit dem Bericht von seiner Reise nach Rom, wo er »bis Anicet« blieb[4]. Die erste Erwähnung der Autorschaft durch Klemens geschieht durch Dionysius von Korinth bezeichnenderweise in einem Brief an den Bischof von Rom, Soter[5]. Irenäus (III 3,3) ist es dann, für den Klemens eine Gestalt der Papstliste ist[6]. Damit wird der Brief mit höchster Autorität ausgestattet. Die bei den früheren Autoren nur als Tendenz vorhandene Verbindung zu kirchlichem Amt und kirchlicher Ordnung wird durch die Deklarierung als »Papstbrief« für das weitere Verständnis bestimmend. So brauchbar erweist sich der durch den Brief charakterisierte Name Klemens, daß eine umfangreiche, obzwar romanhafte Literatur sich unter diesem Namen Autorität verschaffen und auf die Kirchenordnungen Einfluß gewinnen kann[7].

Deutlichstes Kriterium für die wichtige Stellung des Briefes in dieser Periode ist seine »Kanonverdächtigkeit«[8]. Aus solcher Tradition wissen Klemens von Alexandrien, Origenes, Eusebius, Hieronymus, Basilius und Cyrill von Jerusalem von dem Brief und seinem Verfasser[9]. Dann geht mit dem Auslaufen der Kirchenväterzeit

---

Evangelien angeführt. 5. Die »gnostischen« Bewegungen konnten noch völlig übersehen werden (anders Hermas!). 6. Die Diakone stehen den Episkopen im Range noch ganz nah und scheinen sogar wie diese in den Kreis der bestellten Presbyter zu gehören (ganz anders bei Ignatius!). Die Datierung ruht also auf einem viel breiteren Fundament als auf der gemeinhin einzig angeführten Hypothese, mit den συμφοραὶ καὶ περιπτώσεις von 1,1 sei auf die domitianische Verfolgung angespielt. Auch wenn also diese Hypothese als abgetan gelten kann (siehe oben S. 101f), so bleiben noch genug Gründe, die einen zwingen, an der eingangs genannten Datierung in die letzten Jahre des 1. Jhs. festzuhalten. Ich stimme deshalb *Knoch* 31 zu, wenn er sagt: »Zwar werden im Brief keine direkten Angaben über den Zeitpunkt der Abfassung gemacht, doch ist heute allgemeine Ansicht der zuständigen Forscher auf Grund der aus dem Brief selbst zu erschließenden Anhaltspunkte wie auch der Zeugnisse der Tradition, daß das Schreiben zwischen 96 und 98 n. Chr. abgefaßt wurde. Also am Ende der Ära Domitians oder am Beginn der Ära Nervas.«

[2] Was mit Geschichtsmächtigkeit gemeint ist, ist in dem Punkt »Werkcharakter und Wirksamkeit« (S. 33ff) entwickelt. Dort ist auch in Anm. 28 zu dem verwandten Begriff *H.-G. Gadamers* »Wirkungsgeschichte« Stellung genommen.

[3] Die Testimonien finden sich gut bei *Harnack*, Patrum Apostolicorum Opera I, 1 pag. XXIV bis XLIV.

[4] Bei Eusebius, hist. eccl. IV 22, 1–3.

[5] Bei Eusebius, hist. eccl. IV 23, 9. 11.

[6] Für die Frage, welche Stellung Irenäus dem Klemens zuerkennt, sei auf den Artikel von *Bévenot* hingewiesen.

[7] Die Grundschrift des »Romans« dürfte um 230 wohl in Syrien abgefaßt worden sein. Die heute vielfach als nachnicaenisch geltenden Weiterentwicklungen sind auf uns gekommen als die griechischen »Homilien« und die lateinischen »Recognitiones«. Diese Recognitiones werden von den zwischen 360 und 380 entstandenen Apostolischen Konstitutionen benutzt. Die den Homilien vorangestellte Epistula Clementis, die neben dem Tod des Petrus die Einsetzung des Clemens zum Bischof erzählt, hat in lateinischer Form Eingang in die mittelalterlichen Dekretensammlungen gefunden. Vgl. dazu *B. Rehm.*

[8] Vgl. die Ausführungen oben S. 35.

[9] *Harnack* am Anm. 3 angegebenen Ort XXX–XXXIV.

auch die erste Periode der Wirksamkeit des Briefes zu Ende. Im Westen rascher[10], im Osten langsamer, verschwindet er für das ganze Mittelalter[11] aus dem Gedächtnis.

Dieses relativ frühe Vergessenwerden und die Wiederentdeckung zu Beginn der Neuzeit weisen den Brief jener Gruppe literarischer Werke zu, die, aus einer besonderen Zeitproblematik heraus entstanden, ihre Wirksamkeit aus bestimmten geschichtlich-gesellschaftlichen Verhältnissen beziehen und im Gegensatz zu zeitlos-klassischen Werken jahrhundertelang der Vergessenheit anheimfallen können, um in analogen Situationen wiederentdeckt zu werden. Daher erstaunt es nicht, daß dieses vom hierarchisch-rechtlichen Denken her verstandene Schreiben in der Neuzeit, die vom Zerfall der alten Autorität und dem Entstehen neuer (demokratischer) Ordnungsgefüge geprägt ist, zu neuer Wirksamkeit gelangt.

Nach der ersten noch unvollständigen Druckausgabe 1633 und der vollständigen von 1875 ist es bemerkenswert, daß der Brief bestimmend wird gerade im neu aufkommenden Streit um das Kirchenrecht in der protestantischen Kirche. Wo es notwendig wird, die Voraussetzungen des Rechts im kirchlichen Raum zur Stabilisierung des in die Krise geratenen Ordnungsgefüges zu reflektieren, scheint die geschichtlich-gesellschaftliche Situation gegeben zu sein, die jener analog ist, welche zur Entstehung des Ersten Klemensbriefes geführt hat.

Ähnliches zeigt sich bei der Wiederentdeckung des Briefes in der katholischen Kirche. Auch hier gewinnt der Brief einen neuen Platz im Ringen um die Stabilisierung der Ordnung. Allerdings geht es hier nicht um die Krise der Rechtsordnung, sondern um die Krise der hierarchischen Verfaßtheit. Zum Beweis der Rechtmäßigkeit des neudefinierten Primatsdogmas erweist sich der Brief als überaus nützlich, weil er als Zeugnis für die Apostolizität der neuen Entscheidung ins Feld geführt werden kann. Der monarchisch-absolutistische Jurisdiktionsprimat (in seiner Satzhaftigkeit geboren am Übergang vom Ständestaat zum Industriestaat) wird als die ständige Verfaßtheit der Kirche aufgezeigt, indem die Tradition durch den Ersten Klemensbrief hindurch entsprechend gedeutet wird. Dadurch wird eine epochale Umbruchssituation in der katholischen Kirche zum Anlaß für die Neuentdeckung des Ersten Klemensbriefes. Auch das stellt wieder die Frage nach der dem Klemensbrief zugrunde liegenden analogen »kirchenpolitischen« Problematik.

Die so skizzierte Geschichtsmächtigkeit des Briefes stellt die Frage nach seiner Bedeutung heute, nach der richtigen Interpretation; es ist die Frage nach der Form des Briefes, die sich von den dem Briefe zugrunde liegenden Lebensprozessen her zu bestimmen hat. Dafür hat die Geschichte der Verwendung des Briefes als das Gebiet, für das der Brief relevant ist, Ordnung, Recht und Autorität ergeben[12]. Außerdem macht die Art, wie der Brief geschichtsmächtig wurde, darauf aufmerksam, daß es sich nicht um eine durchgängig vorhandene, sondern spezifisch zu ver-

---

[10] *Harnack*, a. a. O. XXXVI ff. Wenn das Mittelalter Klemensbriefe zu besitzen glaubte, so waren das nur die lateinischen Fassungen der den pseudoclementinischen Homilien vorangestellten Briefe (vgl. Anm. 7).

[11] Insofern die byzantinische Kirche den deutlichen Einschnitt zum Mittelalter nicht so kennt wie die westliche, blieb dort Klemens noch eine Zeitlang bekannt und in Gebrauch. Photius erwähnt ihn noch, allerdings nur, indem er Eusebs Urteil wiederholt (wie das im Westen schon Hieronymus getan hatte). Siehe *Harnack*, a. a. O. XXXIX–XLIV.

[12] So nennt *P. Meinhold* 84 unseren Brief richtig eine »prinzipielle Darlegung der christlichen Religion im Hinblick auf eine bestimmte Zeitfrage«.

stehende Problematik handelt[13]. Diese zeitgebundene, spezielle Situation scheint den Charakter einer gesellschaftlichen Umstrukturierung und Neubestimmung der Autorität an sich zu tragen.

### b) Der Briefstil

Dem Ergebnis des vorigen Punktes steht der Briefstil entgegen. Dem Recht entsprechen Gesetze und Ausführungsbestimmungen, der Autorität Befehle und Entscheidungen, der Ordnung Instruktion und Planung. Unter keine dieser Gattungen läßt sich 1 Clem einreihen; er ist nicht eine in Briefform gekleidete Verordnung oder Instruktion[14] oder dergleichen. Der Gattung nach ist er wirklicher Brief. Wirkliche Briefe sind Gelegenheitsschriften: vom Anlaß her situationsgebunden, von der Sprache her partnerschaftlich, vom Inhalt her subjektiv.

Eine partikuläre Situation oder ein partikulärer Aspekt einer Situation werden, soweit sie die Briefpartner subjektiv betreffen, mitgeteilt und aufgehellt. Das Wesentliche daran ist wohl die Tendenz des Sich-Mitteilens: Eine Person oder Personengruppe möchte sich einer anderen – durch Vermittlung von beide existentiell betreffenden Informationen – selber mitteilen. Das Ziel des Sich-Mitteilens ist aber die Aufhellung bzw. Bewältigung der partikulären Situation. Dazu knüpft der Brief notwendig an die vorhandene Gemeinsamkeit des Lebens an: gemeinsame Bekannte, gemeinsame Erlebnisse, gemeinsame Überzeugungen usw. Durch den Brief werden sowohl die gemeinsamen Erinnerungen wie die gemeinsamen Anschauungen zu einem Teil der gemeinsamen Lebensgeschichte[15]. Solche Art der Selbstmitteilung ist nur in einem Rahmen partnerschaftlichen Verhältnisses möglich. Abhängigkeitsverhältnisse können keine wirklichen Briefe hervorbringen. Besteht ein solches Abhängigkeitsverhältnis zwischen Personen oder Personengruppen, dann gibt es den Brief höchstens in den Lebensbereichen, in die dieses Verhältnis nicht hineinspielt[16]. Aus der Situationsgebundenheit und personalen Partnerschaftlichkeit des Briefes resultiert die Einsicht, daß wohl bei keiner anderen literarischen Gattung das subjektive Element für das Verständnis so entscheidend ist wie beim Brief. Denn sowohl die zu deutende partikuläre Situation wie die Sprache der Partner sind ganz und gar bestimmt von der Subjektivität des Absenders und Empfängers. Die ineinander verflochtenen Elemente von Situationsgebundenheit, Partnerschaftlichkeit und Subjektivität müssen bei der Interpretation eines Briefes aufgedeckt und gedeutet werden.

Alle drei Elemente: Die Situationsgebundenheit, d.h. die Mitteilung eines partikulären Falles und die Aufhellung der Situation durch Berufung auf gemeinsam

---

[13] ». . . und wo man um die Rechte des Amtes kämpft, wird der I. Klemensbrief immer wieder gerne herangezogen«, *v. Campenhausen* 103.

[14] Gegen »a general instruction« bei *van Unnik*, 1 Clem 20, 181.

[15] Das heißt nun aber, daß die Gattung Brief sich solchen Informationen verschließt, die nicht existentiell betreffend, sondern nur auf Grund von Autorität vermittelt sind. Die Mitteilung der Lösung einer mathematischen Aufgabe oder einer geschäftlichen Angelegenheit z. B. wird erst dann zu einem wirklichen Brief, wenn es primär um persönliche Mitteilung geht, d. h. wenn die Bedeutsamkeit der mathematischen Lösung oder der geschäftlichen Angelegenheit für das eigene Leben bestimmend ist bei der Mitteilung.

[16] Selbstverständlich ist der Brief möglich, wo das Abhängigkeitsverhältnis so sehr personal ist, daß die Abhängigkeit in der personalen Bindung selber besteht. Diese Prävalenz der personalen eziehung vor der Abhängigkeit zeigt sich am deutlichsten in der Beziehung Eltern–Kind

Bekanntes und gemeinsam Betreffendes, die Partnerschaftlichkeit zwischen Absender und Empfänger und die Subjektivität treten beim Ersten Klemensbrief deutlich hervor.

Die Partnerschaftlichkeit, die am ehesten bestritten worden ist, liegt dennoch offen zutage. Der Verfasser kann nur mahnen, bitten, an den guten Willen appellieren[17]. Die einzige Autorität, auf die er sich berufen kann, ist die des Wortes der Schrift und des Herrn Jesus; d.h. nur mit Gottes Autorität[18] kann er Strafe androhen und Lohn verheißen. In keinem Satz findet sich die Andeutung eigener Machtvollkommenheit und damit eines irgendwie gearteten Abhängigkeitsverhältnisses der korinthischen Gemeinde von der römischen[19]. Ganz im Gegenteil: der Verfasser muß sich fortwährend bemühen, mit Hilfe des kommunikativen Wir den partnerschaftlichen Kontakt immer wieder neu herzustellen. Er kann es sich nicht erlauben, auch nur

---

[17] Daß das Eingreifen des Schreibens in keiner Weise autoritativ ist, hat schon *R. van Cauwelaert* deutlich gesehen und sehr pointiert zum Ausdruck gebracht in: Réponse aux remarques de M. J. Zeiller 765: »Admettre que la Iᵃ Clementis fut une intervention consciente d'autorité, c'est faire une supposition gratuite, puisque ... ni le document lui-même, ni son style, ni aucun fait connu par ailleurs n'apporte aucun appui, ni direct, ni indirect, à cette interprétation. Si la Iᵃ Clementis a été un acte d'autorité, il devrait être facile d'en avancer les preuves positives.« Vgl. auch *Mikat* 32f: »Nun gilt es zu bedenken, daß der römischen Gemeinde die realen Mittel fehlten, eine Verbannung auch tatsächlich durchzusetzen, falls die Aufrührer in Korinth nicht von selbst bereit waren, sich in Gehorsam zu beugen.«

[18] »Im Zusammenhang mit der correptio der Aufrührer muß es hier nun freilich ganz besonders auffallen, daß Gott letztlich diese Zurechtweisung vornimmt, Gott, der an dieser Stelle dem paterfamilias, der seine ›Hauszucht‹ übt, gleichgesetzt wird«, *Mikat* 30.

[19] »1 Clem enthält keine Theorie über eine Amtsautorität gegenüber anderen Kirchen«, *J. F. McCue*, Concilium 7 (1971) 246. Das kann nicht deutlich genug betont werden gegen den allzu raschen Versuch, den Ersten Klemensbrief apologetisch in Beschlag zu nehmen für den allgemeinen Jurisdiktionsprimat des Bischofs von Rom. Wenn *W. M. Plöchl*, Geschichte des Kirchenrechts, Bd. I, Wien ²1960, S. 52 sagt: »Dadurch wurde der Clemensbrief für den Primat ein wichtiges Zeugnis, denn er zeigte, daß der Vorsteher der römischen Gemeinde in die verwirrten kirchlichen Verhältnisse von Korinth eingegriffen hat«, so ist dazu erstens zu bemerken, daß nach dem Brief nicht »der Vorsteher«, sondern die Gemeinde als ganze »eingegriffen hat«, wobei der Brief nirgends zu erkennen gibt, daß es in Rom den einen Vorsteher überhaupt gegeben hat; zweitens ist zu bemerken, daß, wenn die Art, wie der Brief »eingegriffen hat«, in keiner Weise autoritativ war, daraus für den Primat überhaupt nichts gefolgert werden kann.

Dasselbe muß gegen die Bemühungen der modernen fundamentaltheologischen Ekklesiologien gesagt werden. Wenn z. B. *A. Lang*, Der Auftrag der Kirche (Fundamentaltheologie Bd. II). München ⁴1968, S.142 von der römischen Gemeinde behauptet: »Sie tat es aus eigener Machtvollkommenheit und Verantwortlichkeit ... Sie tat es mit wahrhafter Autorität und Jurisdiktion«, so ist das durch den Text des Briefes nicht abzudecken und zudem für den Primat nicht beweiskräftig. Denn daß die römische Gemeinde »mit wahrhafter Autorität und Jurisdiktion« gehandelt habe, müßte ja erst bewiesen werden. Es stellt die Tatsachen auf den Kopf, wenn dazu bemerkt wird: »Wenn der Brief seine Weisungen selbst ›einen Rat‹ nennt (58, 2), ›geschrieben zur Ermahnung‹ (7, 1; 63, 2), so geschieht das nur aus psychologischer Zurückhaltung.« Aber selbst wenn es stimmen würde, was S. 142 einleitend gesagt wird: »Schon das Mahnschreiben, mit dem die Kirche von Rom in die Streitigkeiten von Korinth eingriff, zeigt das Bewußtsein einer autoritativen Stellung und Verantwortung ...«, dann würde aus einem solchen Bewußtsein der ganzen Gemeinde direkt noch nichts für einen Primat ihres Bischofs folgen. *Lang* hat das gespürt und folgert – vorsichtiger als andere – nur »ein erstes Aufleuchten des päpstlichen Primates«. Was das heißen soll, bedürfte einer eigenen, ausführlichen Interpretation.

*S. Lösch*, Der Brief des Clemens Romanus, sagt S. 187 sehr richtig, daß es darum geht, »das κοινὸν τῆς ἐλπίδος (51, 1) zu retten«, daß es also um das Ganze des Christentums geht. Es ist auch richtig, daß das Eingreifen der römischen Gemeinde einem Pflichtbewußtsein gegenüber der Tradition entsprungen sein muß. Eine »Eisegese« ist es aber, wenn gesagt wird, dieses Pflichtbewußtsein habe darin bestanden, die Tradition zu »überwachen« und das sei »ein Akt autoritativen Vorgehens« gewesen.

den Verdacht einer Kluft zwischen Absender- und Empfängergruppe aufkommen zu lassen, und ist deshalb gezwungen, sich und seine Gemeinde ständig mit den Korinthern zusammenzuschließen[20].

In diesem Phänomen zeigt sich nicht bloß die Partnerschaftlichkeit, sondern auch das andere den Briefstil charakterisierende Element: Die Subjektivität. Briefpartner bedienen sich, da sie ja nicht für ein größeres Publikum schreiben, einer abgekürzten Ausdrucksweise. Das Eigentliche braucht nur angedeutet zu werden, Hintergründe können unerwähnt bleiben: Man versteht sich auf Grund der partnerschaftlich herrschenden Gemeinsamkeit. Gerade diese andeutende oder gar abkürzend-verschweigende Ausdrucksweise hat man im Ersten Klemensbrief schon lange festgestellt. Er hält es nicht für nötig, die Hintergründe der Absetzungsaffäre zu durchleuchten. Trotz der Breite der Ausführungen erfährt der Leser rein gar nichts über die tatsächlichen Vorgänge, wie etwa Machtkämpfe, Intrigen, Verdächtigungen, Abwahl, Ausstoßung, Gottesdienststörung, Richtungsunterschiede oder was es immer in Korinth gegeben haben könnte[21]. Selbst die Tatsache, die das höchste Mißfallen der Römer gefunden und die Entstehung des Schreibens letztlich ausgelöst hat, braucht erst sehr spät (44, 6) und nur wie beiläufig fallen gelassen zu werden. Das Schreiben erweist sich damit als ganz und gar situationsgebunden. Nur dem in dieser Situation Stehenden konnte es unmittelbar verständlich sein: d. h. aber wieder, daß das Schreiben sich als wirklicher Brief erweist. Einem Brief entsprechend geschieht deshalb die Aufhellung der Situation durch die Herstellung des Bezuges zu Gestalten und Erzählungen, die beiden Partnern bekannt sein müssen und von denen sich beide betreffen lassen, sei es, daß diese Gestalten und Erzählungen der Bibel, sei es daß sie der hellenistischen Umwelt direkt oder indirekt[22] entnommen sind.

Schlagendster Beweis für die Subjektivität und damit für den Stil des echten Briefes ist das harte Nebeneinander von Tadel und Lob bzw. von Forderung und Lob. Auf die Laudatio am Anfang folgt unmittelbar die Improbatio. Dieselben, denen Schande, ja große Schande vorgeworfen wird (47, 6), dieselben heißen später »gläubige und hochangesehene Männer, vertieft in die Worte göttlicher Zucht« (62, 3). Die als »Anführer abscheulicher Eifersucht« (14, 1) beschimpft wurden, werden später unter Hinweis auf Edelmut, Hochherzigkeit, Liebe (54, 1) und christlichen Ruhm (54, 3)

---

[20] Man kann diese Eigentümlichkeit nicht auf den Diatribenstil abwälzen. Die Frage ist ja die, warum 1 Clem sich dieses Stiles in größerem Ausmaße bedient als etwa die Paulinen. Das scheint doch daher zu kommen, daß 1 Clem – ähnlich wie die Popularphilosophen in den Diatriben – etwas mehr Abstraktes mitzuteilen hat, das nicht unmittelbar mit dem Lebensproblem des einzelnen und der Gemeinschaft identisch ist, während die Paulusbriefe viel mehr mitten in das gelebte Leben hineintreffen. Paulus ist deshalb von seiner Materie her eo ipso schon in unmittelbarem Kontakt zum Briefempfänger, 1 Clem aber muß diesen Kontakt, ähnlich wie die Popularphilosophen mit ihren theoretisch-abstrakten Anliegen, immer wieder neu herstellen.

[21] Diese Tatsache stellt auch *v. Campenhausen* 102 fest: »Es ist bezeichnend, wie uns unser Brief bei aller salbungsvollen Breite und Gravität seiner erbaulichen Deklamationen über den eigentlichen Anlaß und die entscheidenden Streitpunkte der korinthischen Wirren trotzdem völlig im Dunkeln läßt.« Der Versuch, das mit dem statischen Ordnungsbegriff des Briefes in Zusammenhang zu bringen, scheint mir nicht überzeugend zu sein. Man darf auch nicht, wie *Knopf*, Ausgabe 174 es tut, schließen: »Der Verfasser des Briefes scheint selber keine klare Anschauung von dem Wesen des Streites zu haben . . .« *Van Unnik*, Studies I, 42 f macht dafür das Genus litterarium »Symbole« verantwortlich.

[22] »Indirekt« heißt: auf dem Weg über die hellenistische Synagoge. Vgl. die Arbeiten von *K. Beyschlag, A. Jaubert, Kwa Joe Liang, W. Nauck, O. Perler, E. Peterson, W. C. van Unnik.*

zum freiwilligen Exil verlockt. Die Lage, in der der Verfasser steht, erweist sich also ganz und gar als die eines echten Briefschreibers: seine Ausdrucksweise ist partnerschaftlich, subjektiv und situationsgebunden.

Von der Geschichtsmächtigkeit des Briefes her gesprochen muß man das nun umgekehrt sagen: Vom eindeutigen echten Briefstil her steht fest, daß das Schreiben nicht autoritativ ist, nicht in objektiven Vorgegebenheiten sich bewegt, nicht sich auf allgemeinverbindliche Voraussetzungen bezieht. Damit fehlt ihm aber so ziemlich alles, was ein Schriftstück kennzeichnet, das es mit Autorität, Recht und Ordnung zu tun hat. Wenn die erste Einordnung dennoch stimmt, so eben nicht in der Weise, daß der Brief sich innerhalb eines festen Rechts-, Ordnungs- und Autoritätsgefüges bewegen könnte, sondern allenfalls, daß es ihm darum zu tun ist, solches »Gefüge« anzustreben.

### c) Die Materialverwendung

Zur Aufhellung der Situation beruft sich der Brief auf Gegebenheiten, die dem Absender und dem Empfänger gemeinsam bekannt sind und die beide gemeinsam betreffen. Mit Hilfe vorgegebenen bekannten und relevanten »Materials« wird die Situation dargestellt und durchsichtig gemacht. Was ein Brief als solches Material verwendet und wie er es verwendet, das macht am meisten seine Individualität aus. Wenn es gelingt, dieses Material und seine Verwendungsart zur Ansicht zu bringen, dann ist der entscheidende Schritt zur Formbestimmung des Briefes getan.

Schon beim ersten Durchblättern des Ersten Klemensbriefes fällt auf, daß er in ausgiebiger Breite das AT als Material verwendet. Aber nicht ausschließlich. Bei näherem Hinsehen entdeckt man, daß er daneben mit offensichtlicher Unbekümmertheit auch profane Beispiele gebraucht. Die Herkunft dieses Materials ist von außerhalb der Gemeinde. Das kennzeichnet den Brief: das gegenwärtige Gemeindeleben wird nicht als gemeinsam bekanntes und gemeinsam betreffendes Material angesprochen. Seine lebensmäßig gewachsenen Bräuche und Normen geben anscheinend zur Bewältigung der Situation nichts oder nicht genug her. Nur in der Verklärung der guten alten Zeit – in der Laudatio 1,2–2,8 – ist es noch vorhanden. In der Gegenwart ist es selbst in die Krise geraten. Zur Überwindung der Krise muß das relevante Material aus einem größeren Zusammenhang bezogen werden. Dieser größere Zusammenhang ist das AT und der Kosmos.

Für die Verwendung des AT ergibt sich eine eigenartige Beobachtung: einerseits ist es höchste Autorität, andererseits Fundgrube für Anschauungsmaterial. Einerseits sind Bibelzitate Beleg für die Richtigkeit der Ansicht des Verfassers, so daß die Bibel immer das letzte Wort behält. Andererseits wird mit breiten biblischen Erzählungen – ganz im Gegensatz zur autoritativen Zitation – beim Leser um Verständnis und Einsicht geworben[23].

Vom NT her gesehen ist da eine vielsagende Veränderung in der Schriftbenutzung eingetreten. In einer groben Einteilung kann man wohl sagen: das NT kennt zwei Verwendungsarten der Schrift, die allegorisierende und die typologisierende. Allegorisierung zeigt sich vor allem dort, wo der ntl. Schriftsteller durch Übernahme biblischer Ausdrucksweisen seine eigene Sprache biblisch färbt und wo er auf die

---

[23] Vgl. zum Ganzen das oben S. 76–84 ausgebreitete Material und die daraus S. 84–89 gezogenen Folgerungen.

Erfüllung biblischer Weissagungen hinweist. Typologisierung meint die Verwendung atl. Gestalten zur Deutung christlichen Lebens (Abraham als Urbild des Gläubigen; Johannes der Täufer, der Vorläufer des Messias, als wiedergekommener Elija).

Der Erste Klemensbrief kennt nun weder die Allegorisierung noch die Typologisierung. Seine Eigenart ist es nicht, der Sprache biblische Farbe zu verleihen, und noch weniger, im Schema von Weissagung und Erfüllung zu denken[24]. Er braucht das unanfechtbare Wort, den unumstößlichen Beleg, damit das, was er zu sagen hat, unangreifbar wird: Ist ein Schriftwort angeführt, dann ist die Sache in feste Ordnung und Struktur zurückgebunden und es bedarf keiner weiteren Erörterung mehr. An die Stelle der Allegorie ist der Beleg getreten. Auch das typologische Denken ist verschwunden. Biblische Gestalten und Geschichten sind nicht Typen, sondern direkt praktisch verwertbares Bildmaterial. Der Brief gebraucht es als Anschauungsunterricht[25], der den Empfänger unmittelbar anspricht und überzeugt. Es gibt dabei keine Differenzierung in Gleichnisse, Parabeln und Allegorien: Alle Gestalten und Geschichten formen sich letztlich zu Beispielerzählungen. Sogar das Gottesknechtslied Jes 53 wird in c. 16 zu einer Beispielerzählung vom demütigen Jesus. Aus der Typologie ist die bildhafte Beispielerzählung geworden.

In dieser vom NT her gesehen anderen Verwendungsweise des AT kommt die Verschiebung von Jesus zum Gott dieses AT zum Ausdruck. Es ist nicht mehr so, daß von Jesus her die atl. Tradition relativiert wird; vielmehr garantiert jetzt der Gott des AT die Jesustradition. Damit wird das AT zu *der* Schrift der Christen gemacht. Die Bibel erhält höchste Autorität. Ihre Worte sind letzter, unanfechtbarer Beleg; ihre Gestalten und Geschichten sind Veranschaulichung und Deutung der je eigenen Situation. Zwar scheint es so, als würden die beiden Verwendungsarten weit auseinanderliegen, weil doch Belegstellen nur im Gehorsam angenommen werden können, die Bildstellen mit der Vernunft eingesehen werden müssen. Aber sowohl die Belegstellen wie die Bildstellen sprechen unmittelbar die Einsichtskraft der Empfänger an. Beides ist doch dem Buch entnommen, das deswegen, weil es das Wort des alle Ordnung garantierenden Gottes ist, als absolute Norm gelten muß.

Dieser Gott ist sowohl der Gott der Bibel wie der Gott des Kosmos. Was nach seiner Anordnung in der kosmischen Naturordnung (c. 20), im Wechsel der Jahreszeiten (c. 23 f), in der Neugeburt des Phoenix (c. 25), in der Heeresordnung sowie im Zusammenwirken von Leib und Gliedern (c. 37) geschieht, tritt als gleichwertiges Bildmaterial neben das der Bibel, um als ebenbürtige Beispielerzählungen verwendet zu werden[26]. Das wirkt zwar ungeheuer »aufgeklärt«. Doch es kommt keines-

---

[24] »Einige Stellen zeigen, daß Kl in einer Tradition steht, die das AT als Verheißung versteht, doch ist die Verheißung und Weissagung bei Kl entweder zum ›Schriftbeweis‹ oder zur ›vorher niedergeschriebenen‹ Satzung geworden, das weissagende Geschehen entweder zum bloßen Beispiel oder (wenigstens im Ansatz) zur Satzung (Kult- und Ämterordnung)«, *Klevinghaus* 77.

[25] So etwa auch *Minke* 131, Anm. 47: »Dabei werden die Ereignisse, anhand derer das jeweils belegt wird, nicht in ihrem geschichtlichen Bezug gesehen, sondern sie dienen als Anschauungsmaterial von zeitloser Gültigkeit. Clem geht nämlich bei seiner Argumentation von vorgegebenen und inhaltlich fixierten Begriffen aus, um sie dann durch Beispiele aus der Geschichte zu illustrieren.«

[26] »Das Kennzeichnende für Klemens und sein religiöses Denken ist gerade dies, daß ihm der allumfassende Grundsatz der Ordnung und rechten Verfassung ebensowohl ein natürlicher wie ein göttlicher, ein ebenso weltlicher wie kirchlicher Grundsatz ist, der sich immer und überall zu bewähren hat. Darum stützt er ihn nach Belieben mit profanen wie mit heiligen, mit popularphilosophischen und -politischen wie mit alttestamentlichen und christlichen Gründen und Beispielen. Er ist überzeugt, daß eine recht unterwiesene Gemeinde ihm darin unter allen Umständen beipflichten

wegs aus einem irgendwie rationalistischen Interesse[27]. Da das gemeinsame, gewachsene Leben der Gemeinde zum Problem geworden und in Frage gestellt ist, gibt es die lebensmäßige Selbstverständlichkeit, auf die man sich berufen könnte, nicht mehr. Es bleibt nur noch der Weg über Einsicht und Vernunft. Daher tritt auch das für einen Brief an sich typische schlußfolgernde Denken viel mehr als sonst in den Vordergrund, was sich wortstatistisch in dem häufigen οὖν und διά niedergeschlagen hat[28]. Um den Gesprächspartner für sich zu gewinnen, muß ihn der Verfasser des Briefes bei der Hand nehmen und durch ständige Schlußfolgerungen und ständige Verweise auf das aus Bibel oder Kosmos entnommene normative Material zu überzeugen suchen.

Damit ist aber die Krisensituation, in der der Brief spricht, klarer geworden. Der vorige Punkt hatte schon erbracht, daß man nicht auf ein bestehendes Rechts-, Ordnungs- und Autoritätsgefüge aufbauen konnte. Das ist jetzt bestätigt. Es hat sich aber darüber hinaus gezeigt, daß auch die lebensmäßige Selbstverständlichkeit, die es erlauben würde, sich auf ein gewachsenes, wenn auch unreflektiertes Recht zu berufen, abhanden gekommen ist. Was wir vorfinden, ist die Krisensituation, in der nur über Vernunft und Einsicht und die sakrosankt gemachte Bibel eine neue Ordnung angestrebt werden kann. Aus all dem folgt, daß der Brief an *der* Stelle der Glaubensgeschichte steht, wo die lebensmäßig gewachsene Ordnung der Einzelgemeinde sich als ungenügend erwiesen hat, da sie die Problematik der neuen Zeit nicht mehr bewältigen kann. Mit den verbliebenen Mitteln von Einsicht und in einer nur der nachexilischen Zeit vergleichbaren Autorisierung der Bibel muß der Brief versuchen, Recht, Ordnung und Autorität neu grundzulegen, d. h. aber neues Recht, neue Ordnung, neue Autorität zu ermöglichen[29].

Literarisch greifbar wird uns die neue Rechts- und Autoritätsordnung in einer abgeschlossenen Form erst sehr viel später in der sog. Apostolischen Kirchenordnung und den Constitutiones Apostolorum. Daß aber im Verlauf der Glaubensgeschichte solche literarischen Erzeugnisse entstehen konnten, setzt voraus, daß in der Krisensituation einmal alle Anstrengung gemacht wurde, den alten Glauben in die kommende neue Zeit und neue Struktur hinein zu retten. Diese Anstrengung hat 1 Clem unternommen. Mit einem Namen könnte man ihn deshalb »Praeambulum der apostolischen Kirchenordnungen« nennen. »Praeambulum« ist hier in doppeltem Sinn zu verstehen: einmal als Voraussetzung, Möglichkeitsbedingung (welche Bedeutung aus dem Ausdruck »praeambula fidei« geläufig ist); zum anderen als Vorspruch, Einleitung (bekannt aus der Präambel von Verfassungstexten, wo die Präambel der Verfassung voransteht, ohne selbst schon Verfassung zu sein). So ist der Brief bzw. die durch ihn geleistete Bewältigung der Krisensituation geschichtliche – nicht logi-

---

muß, und er vermeidet alles, was dabei nach einseitiger Nötigung oder Vergewaltigung ihres eigenen Urteils aussehen könnte« *v. Campenhausen* 101 f. Damit ist das positiv gesagt, was *Bultmann* 475 nur negativ wertet: »Übrigens konnte der heilsgeschichtliche Sinn der alttest. Geschichte auch verlorengehen, wenn die Gestalten der Geschichte Israels nach synagogaler Tradition als Exempla für das fromme oder moralische Verhalten oder für geduldiges Leiden angeführt wurden, wie in 1. Klem. . . . Wie sehr damit die heilsgeschichtliche Betrachtung verlassen ist, zeigt 1. Klem dadurch, daß er außer den biblischen Beispielen auch ὑποδείγματα ἐθνῶν anführen kann (55, 1 f).« Nach *van Unnik*, Studies I, 43 gehört die Anführung von Paradigmen zum Genus »Symbule«.

[27] Vgl. *R. Padberg* 371; gegen *Minke* 124.

[28] Vgl. oben S. 67 f und 73.

[29] »Die Zeit war erfüllt, da das Recht geboren werden sollte . . . Geburt aber ist immer Krise«, *Gerke* 68.

sche – Voraussetzung und Möglichkeitsbedingung für die neue Ordnung der Gemeinden, die historisch gesehen in Kirchenordnungen, die sich auf die Apostel berufen, ihren Niederschlag gefunden hat. Damit ist der Brief nicht schon selbst Kirchenordnung, nicht schon selbst Rechtstext, sondern ist geschichtlich gewachsener Vorspruch, historische Einleitung zu den späteren verfassungsmäßigen und sich apostolisch nennenden Kirchenordnungen [30].

[30] *K. Beyschlag*, 1. Clemens 40–44 und das Kirchenrecht, ist Recht zu geben, wenn er S. 18 sagt: »Clemens dagegen scheint in seiner Anordnung bereits die kirchliche Entwicklung des 3. Jahrhunderts vorwegzunehmen.« Um so schärfer ist seiner in diesem Artikel wie in seinem Klemensbuch vertretenen These zu widersprechen, daß 1 Clem eine ältere römische Kirchenordnung als Quelle benutzt habe. *Beyschlag* a. a. O. 16, sagt: »Zusammengefaßt: Nicht die beiden späteren Kirchenordnungen (ap. KO und CA) haben den aktuellen 1. Clem. ausgeschrieben, sondern er selbst, Clemens, benutzt in seinem Brief an Corinth offenbar die überlieferte (also römische) Kirchenordnung, die überhaupt sein Fundament zu bilden scheint. Die von CA VIII, 46 und ap. KO 23 gebotene Tradition dürfte also in ihrem Kern älter sein als der Clemensbrief.« Zwei Dinge, die *Beyschlag* nicht klar genug auseinanderhält, sind dabei zu unterscheiden: 1. die Frage, ob 1 Clem ältere Überlieferungen benutzt; 2. die Frage nach der Gattung dieser älteren Überlieferungen. *Beyschlags* Arbeiten haben überzeugend ergeben, daß die erste der beiden Fragen dahingehend positiv zu beantworten ist, daß 1 Clem in einem eigenständigen Traditionsstrom steht. (Ob ihm aus diesem Traditionsstrom auch schriftliche Quellen überkommen waren, ist unbeantwortbar und unerheblich.) Damit begnügt sich aber *Beyschlag* nicht. Er möchte die literarische Gattung dieses Traditionsstromes bestimmen und auf die zweite der oben gestellten Fragen antworten, diese Gattung sei Kirchenordnung. Zum Beweis dieser seiner These hält er a. a. O. 14 f vier Argumente bereit, die aber die ihnen aufgebürdete Last nicht tragen können. Gegen das erste Argument, ap. KO 23 und CA VIII 46 würden unabhängig voneinander Motive aus 1 Clem 20 und 1 Clem 40 ff miteinander kombinieren, beide würden also einer gemeinsamen älteren Quelle folgen, ist zu sagen, daß CA VIII 46 allein diese »Kombination« bietet; ap. KO 23 ist da zu unsicher. Das zweite Argument, wenn 1 Clem die Quelle für CA VIII 46 gewesen wäre, »müßte der CA-Redaktor einen wahren Rösselsprung durch 1. Clem. 40–44 (und darüber hinaus) vollführt haben«, läßt sich retorquieren: Wenn dem 1 Clem eine Quelle nach der Ordnung von CA VIII 46 vorgelegen hätte, müßte *er* einen wahren Rösselsprung vollführt haben. Wenn aber 1 Clem erstmalig aus der historisch-gesellschaftlich neu entstandenen Situation heraus im Problem bewältigen muß, dann wird verständlich, daß er sein Material noch »ungeordnet« und mit dem konkreten Anlaß verquickt darbietet. Späteren Redaktoren war es dann ein leichtes, den konkreten Anlaß auszuscheiden und das Material besser zusammengeordnet darzustellen. (Damit soll jedoch nicht gesagt sein, der CA-Redaktor habe 1 Clem als literarische Quelle vor Augen gehabt; das Traditionsmaterial kann ihn auf anderen Wegen erreicht haben. Es soll nur gesagt sein, daß auf diesem Wege eine ältere gemeinsame Quelle nicht bewiesen werden kann.) Gegen das dritte Argument, 1 Clem teile, ändere und verdoppele, kann man umgekehrt sagen: CA VIII 46 zieht zusammen! Aber selbst wenn es wahrscheinlich gemacht werden kann, daß sowohl 1 Clem wie CA gemeinsames älteres Traditionsmaterial verwenden, so ist damit noch lange nicht bewiesen, dieses Material entstamme einer ausdrücklichen Kirchenordnung. Nicht jede Tradition, die Normen für das Gemeindeleben enthält, darf schon Kirchenordnung genannt werden. Das hat unsere Arbeit durch den Aufweis der historisch-gesellschaftlichen Situation, aus der heraus erst Kirchenordnung in den Blick kommt, deutlich erbracht. Das vierte Argument ist das schwächste. Selbstverständlich ist »die Gleichung zwischen dem alttestamentlichen Modell des Amtes und seiner kirchlich-apostolischen Entsprechung in den CA durchweg deutlicher« als in 1 Clem. Aber das beweist doch nun nicht das höhere Alter der von CA gebotenen Fassung! Die Entsprechung *mußte* bei 1 Clem, der erstmalig zur Situationsbewältigung dieses Modell heranzog, noch undeutlich sein. Später war das leicht, sie deutlicher herauszuarbeiten. Daß 1 Clem den Hohenpriestertitel nur von Christus gebraucht, nicht aber zur »Begründung des Kirchenrechts« ist nun gerade ein Beweis für sein höheres Alter. De facto gibt es eben die Anwendung der Hohepriester-Typologie auf die Rechtsstrukturen der Kirche nirgendwo vor den Ignatiusbriefen. *Beyschlag* hat also seine Behauptung nicht bewiesen, wenn er a. a. O. 18 formuliert: »Doch bildet die Kirchenordnung natürlich das Fundament der römischen Stellungnahme.« Der Satz ist umzukehren: Doch bildet die römische Stellungnahme das (historische) Fundament der (späteren) Kirchenordnung.

### d) Die Mitte des Briefes

Unsere Exegese konnte Kapitel 44 als Zentrum des Briefes aufweisen. Um zeigen zu können, was das heißt, daß gerade dieses Kapitel mit seinem spezifischen Inhalt die Mitte des Ersten Klemensbriefes ausmacht, muß davon ausgegangen werden, was »Mitte« bedeutet. Mitte meint den Kern, das Woraufhin und Worumwillen des literarischen Werkes. Grundsätzlich hat ein Verfasser wohl zwei Möglichkeiten, zum »Kern« zu kommen. Entweder durch eine ständige Steigerung des Werkes auf diese seine Mitte hin, oder durch ein ständiges konzentrisches Kreisen in allen Teilen des Werkes um diese Mitte. Im NT entsprechen dem einen Typus die Evangelien, dem anderen die paulinischen Gemeindebriefe. Der Höhepunkt der Evangelien liegt so deutlich in Passion und Ostern, daß man sie als Leidensgeschichten mit ausführlicher Einleitung bezeichnen konnte. Das Gemeindeleben, als von Kreuz und Auferstehung her verstanden, ist so deutlich das Zentrum des Paulusbriefes, daß sie überhaupt nur um dieses eine Thema kreisen. In den Evangelien wie in den Briefen des Paulus geht es aber – ungeachtet der verschiedenen literarischen Anlage – direkt um das Leben: in der Verkündigung von Tod und Leben wird immer vom Lebensprinzip selber der Gemeinde gesprochen.

Verglichen damit scheint die Mitte des Ersten Klemensbriefes das Leben nur indirekt anzugehen: In Kapitel 44 geht es um Autoritätsfragen, um Fragen der Strukturiertheit des Gemeindelebens. Die Steigerung des Briefes auf diese Frage hin ist zwar sehr deutlich – aber von sich aus stehen solche Fragen nicht in der Mitte des Lebens. Auch wo sie, wie in unserem Brief, zur Lösung anstehen, müssen sie erst in die Mitte gerückt werden. Diese Notwendigkeit, das neue Anliegen in die Mitte zu rücken, brachte den ausführlichen ersten Briefteil hervor: auf die Bewältigung der neuen Situation hin mußte das, was christliches Leben ausmacht, wieder neu formuliert werden[31]. Es verstand sich eben durchaus nicht von selbst, daß das besondere Anliegen so zentral sein sollte, daß es darin um das Gesamt des Lebens der Gemeinde ging[32]. Das überdurchschnittlich häufig verwendete kommunikative Wir verrät auf seine Weise die Sprödigkeit und gewisse Lebensferne des in die Mitte zu rückenden Problems: um zu vermeiden, daß das Interesse der Briefpartner am behandelten Stoff erlahmt, werden sie immer wieder neu partnerschaftlich angesprochen. Auf diese Weise soll die Abstraktheit und die lebensmäßige Leere der in die Mitte gerückten Ordnungs- und Strukturfrage aufgewogen werden[33].

---

[31] Über das eigenartige Ineinander von Allgemeinem und Besonderem im ersten und zweiten Briefteil und die Zuordnung der Entsprechung der einzelnen Unterabschnitte der beiden Teile, vgl. das oben S. 56 ff Gesagte.

[32] Insofern hat *Harnack*, Einführung 52 f richtig gesehen, wenn er sagt: »Demnach gilt es zunächst den Christenstand der Schwestergemeinde zu stärken; denn – das ist die Überzeugung der Römer – dann erst wird sie imstande sein, d. h. Erkenntnis und Kraft besitzen, die Streitigkeiten zu beseitigen.« Was er vergessen hat, ist nur, darüber nachzudenken, woher das »Symptom einer generellen Schwäche des Christenstandes« (ebd.) herrühren konnte. Es macht eben einen Unterschied, ob solche »Schwäche« eine Ermüdungserscheinung in ruhigen Zeiten ist oder eine Unfähigkeit zur Problembewältigung in einer allgemeinen Umbruchssituation.

[33] »Der abstrakte Begriff der Ordnung hat sich von jedem christlichen – d. h. auf Christus und das Evangelium bezogenen – Sinn gelöst und droht damit überhaupt seine geschichtliche Konkretheit und Aktualität zu verlieren. Aber die leere Allgemeinheit und die Armut an wirklich durchschlagenden menschlichen und religiösen Gesichtspunkten, die den I. Klemensbrief kennzeichnen, ist darum, praktisch gesehen, trotzdem durchaus nicht leer ... Das natürliche, moralische oder

Um Ordnungs- und Strukturfragen geht es ja dem Brief im ganzen und in seinem Zentrum: An der einzigen Stelle, wo er konkret wird (44,6), geht es um den »Fall« der Absetzung einiger Amtsträger. Man hat das, was hiermit in die Mitte des Briefes gerückt ist, mit einem Casus aus Recht oder Moral verglichen [34]. Und doch geht es nicht um einen Casus. Bei einem solchen wird aufgezeigt, wie bestehende, feste Normen auf ein abstrakt zurechtgemachtes, sich tausendfach wiederholen könnendes Vorkommnis zu applizieren seien. Die Exegese von Kapitel 44 hat nun aber erbracht, daß es keine bestehenden, festen Normen gibt. Das Vorkommnis muß erstmalig zur Sünde erklärt werden. Die »Norm« der Unabsetzbarkeit muß mühsam aus der apostolischen Einsetzungstradition hergeleitet werden, die sich noch sehr sperrig zeigt für solche Weiterverwendung als Ordnungstradition. Es kann nicht um die Lösung eines allgemeinen Casus gehen. Erstmaligkeit und Einmaligkeit lassen durchscheinen, daß es – um in der Rechtssprache zu bleiben – um einen Präzedenzfall geht, der sich von den vorhandenen »Normen« her eigentlich nicht lösen läßt, der deshalb – da er gelöst werden muß – Neuverwendung und Weiterentwicklung vorhandener Normen erzwingt. Auf die Lösung dieses »Präzedenzfalles« hin steigert sich der Brief.

Von der oben festgestellten Weise, wie der Brief das ihm vorliegende »Material« auswertet, wird dieses Ergebnis bestätigt. Denn das Zentrum, der Präzedenzfall, ordnet sich in die übrige Art der Materialverwendung ein. 44,3–6, die Erzählung von der geschehenen Absetzung, ist das zentrale – wenn auch negative – Bild, das den Lesern vorgestellt wird, das sie über ihre Vernunft zur Einsicht bringen soll. Es ist das »Beispiel«, um das sich alle anderen Beispiele drehen, der Drehpunkt des ganzen beigebrachten Anschauungsmaterials: hier wird die Erzbeispielerzählung geboten. Gerade darin aber, daß der Brief die korinthische Absetzungsaffäre zur zentralen Beispielerzählung macht, erhebt er dieses Vorkommnis in den Rang des Präzedenzfalles und läßt so ein an sich wohl eher belangloses Ereignis zu einem historischen Wendepunkt der Glaubensgeschichte werden [35].

Worin dieser historische Wendepunkt besteht, das hat ja die Exegese von c. 44 schon erbracht. Die Tradition von der apostolischen Einsetzung des Amtes wird neuverwendet und weiterverwendet als apostolische Tradition von der Ordnung des Amtes. Damit ist aber der Ruf nach der institutionalisierten Autorität erhoben, der Weg für kirchliche Rechtssatzung ist bereitet [36], die Möglichkeit von Kirchenordnung

---

im weiteren Sinne ›politische‹ und soziale Selbstbewußtsein der amtlichen Kirche schiebt sich wie von selbst in den Vordergrund und setzt die bestehende eigene Ordnung an die leer gewordene Stelle« *v. Campenhausen* 102.

[34] Vgl. etwa *Knoch* 48: »... wie die Christen in einem solchen Fall sich zu verhalten haben.«

[35] *Harnack*, Einführung 92f ist eben doch recht zu geben, wenn er sagt, erst das Eingreifen Roms habe dem Streit »prinzipielle Bedeutung« gegeben. Vgl. auch *J. Rohde* 219: »Es kann auch sein, daß ein mehr oder minder belangvoller Anlaß für die korinthischen Streitigkeiten erst im Brief der römischen Gemeinde zum Gegenstand prinzipieller Erörterungen über das Wesen des christlichen Gemeindeamtes *gemacht* worden ist.«

[36] Damit ist nicht ganz dasselbe gemeint, was *G. Holstein*, Die Grundlagen des evangelischen Kirchenrechts. Tübingen 1928, S. 59 »urförmiges Recht« genannt hat. Sicher ist *Holstein* zuzustimmen, wenn er sagt, daß Ältestenkollegium, Gemeindeversammlung, Gewähr des Episkopenamtes nicht nur Dinge »rein tatsächlichen Daseins« sind, sondern in sich zusammenhängende Verwirklichungen einheitlicher Prinzipien, kontinuierliche Ordnungen für diese Sozialsphäre. Wenn er aber hinzufügt, das heiße ebensoviel wie »Rechtsnormen«, so ist Vorsicht am Platze, ob da nicht die analoge Bedeutung des Begriffes »Recht« übersehen wird. Denn das Recht, welches das Familien-

grundgelegt. Es ist ein »Praeambulum der Apostolischen Kirchenordnungen« entstanden. Das ganze Empfinden, das aus dem Brief spricht, geht darauf hin, daß an der institutionalisierten Autorität die Existenz der Gemeinde hängt[37]. Auf diese Frage hin steigert sich der ganze Brief. Die Erzbeispielerzählung von der Unabsetzbarkeit bildet Höhepunkt und Mitte des Schreibens. Nicht Passion und Ostern, nicht von Kreuz und Auferstehung her verstandene Fragen des Gemeindelebens stehen im Zentrum, sondern die Institution. Die Lebensfrage ist der Strukturfrage gewichen, oder besser: Die Lebensfrage tritt im Gewand der Strukturfrage auf[38]. Im Vordergrund steht die Struktur, erst wenn sie »heil« ist, kann innerhalb von ihr heiles Leben erfahren werden.

oberhaupt hat, ist eben ein anderes als das Recht der politischen Obrigkeit. Deshalb stimmt sehr wohl, was *Holstein* a. a. O. sagt: »Das urförmige Recht der christlichen Gemeinde lebt wie jedes ähnliche Recht in der unmittelbaren Verflochtenheit von Normen und Normengefolgschaft; erst der Bruch der Gefolgschaft muß, wie überall, die Notwendigkeit der begrifflichen Begrenzung, sei es mit, sei es ohne Inhaltsverschiebung, und die Ansätze zur ausdrücklichen Formulierung bringen.« Aber es bleibt zu bedenken, ob bei solchem Vorgang nicht das »Recht« von einer Kategorie in die andere hinüberwechselt; um beim vorigen Beispiel zu bleiben: ob aus dem familiären »Recht« des Oberhauptes der Familie oder Sippe nicht ein ganz anderes »Recht« geworden ist, wenn aus diesem Oberhaupt ein Scheich, König oder Präsident geworden ist. Wenn man deshalb vom späteren Kirchenrecht her denkt, sollte man die in den ntl. Gemeindebriefen enthaltenen Ordnungen nicht Recht und besser vielleicht auch nicht urförmiges Recht nennen. Erst dort werden solche Ordnungen und Normen zu »Recht«, wenn auch nicht gleich und nicht notwendig zu formalisiertem Recht, wo die Gemeinde ihren hinreichenden Halt nicht mehr darin findet, daß sie Lebensgemeinschaft ist, sondern wo sie zur Garantie ihres Bestandes der Institutionalisierung bedarf und damit zur öffentlich-rechtlichen Größe wird. Daher kann man scharf sagen: Was es »vor« dem Ersten Klemensbrief an Gemeindeordnungen und -normen gegeben hat, war weder werdendes Recht noch urförmiges Recht, sondern – im gesellschaftlich-öffentlichen Sinn – überhaupt kein Recht. Erst der Schritt in die Struktur und Institution hinein, den 1 Clem tut (nicht als einziger vielleicht, aber von ihm aus gesehen doch ohne Vorbild erstmalig), schafft die Voraussetzung dafür, daß Kirchenordnung als Rechtssatzung entstehen kann. Damit wird – nicht so sehr der Brief, aber – der historische Schritt, den der Brief macht, zur historischen Grundlage rechtlicher Kirchenordnung. *Gerke* scheint mir da den Brief eine Station zu weit vorgeschoben zu haben, wenn er S. 15 sagt: »...das Problem des Briefes ist das der Formierung des Urrechts zur Verfassung und der darin beschlossenen verfassungsrechtlichen Wurzeln.« Denn der Brief muß ja erstmals das Recht konstituieren, das dann Wurzel des Verfassungsrechtes ist. Die »Formierung« zur Verfassung kann erst später geschehen. Deshalb möchte ich auch nicht gerne sagen, der Erste Klemensbrief liege auf der »Durchgangsstufe vom Urrecht zum formalen Recht« (ebd. Anm. 1), sondern der Erste Klemensbrief liege an der Umbruchsstelle zum Recht, das die Voraussetzung für formalisiertes Recht und Verfassungsrecht darstellt.

[37] »... wenn Unterwerfung unter das Amt schlechthin gefordert wird (1 Clem 57, 1), so ist damit das Amt gegenüber der charismatischen Ordnung zu entscheidender Instanz des Gemeindelebens erhoben worden«, *G. Holstein* a. a. O. 64. »Das Wunder des neuen Lebens versteht sich jetzt als die Erfüllung von Ordnung und Gesetz«, *v. Campenhausen* 94. Ebenso *Bultmann* 549: »... nunmehr gilt das Amt als ein die Kirche konstituierendes.« Verdeutlichend ist aber zu *Bultmann* a. a. O. hinzuzufügen, daß nicht die »Tradition der *Wortverkündigung* und die *ihre* Kontinuität verbürgende Sukzession« »institutionell gesichert« werden sollen, sondern das Amt, die Autorität als solche! Durch die letzte Bemerkung nimmt nämlich *Bultmann* seine eben zitierte richtige Feststellung von der kirchenkonstituierenden Bedeutung des institutionalisierten Amtes wieder zurück. Das zeigt, daß für ihn dieser Satz *neben* all seinen anderen Aussagen zum 1 Clem steht und nicht als *die* theologische Mitte des Briefes gesehen wird.

[38] »Daß alles ›mit Anstand und guter Ordnung‹ geschehen solle, ist ein Gedanke, den Paulus allerdings auch gelegentlich aussprechen kann. Aber er erscheint bei ihm nur am Rande als eine Selbstverständlichkeit, die man nicht vergessen darf. Für Klemens handelt es sich dagegen um eine heilige Erkenntnis, die den Sinn der Kirche betrifft, eine grundlegende, erhabene Wahrheit, die er zum Inhalt seiner Predigt macht« *v. Campenhausen* 94f.

## e) Die Grundthematik des Briefes

In der Exegese von c. 44 konnte aufgezeigt werden, daß die Not des Verfassers eigentlich darin besteht, zur Bewältigung seiner Situation etwas voraussetzen zu müssen, was es nicht gibt. Die Umbruchssituation verlangte nach der Institutionalisierung der Autorität[39]. Gerade dieses Ergebnis wird von den Begriffsanalysen zu ὁμόνοια, ταπεινοφρονεῖν und δεσπότης gestützt und erläutert.

ʽΟμόνοια, ursprünglich der Ruf nach der stadtstaatlichen und panhellenischen Einheit[40], ist der Ruf nach etwas Ausständigem. Die bisherige Verfaßtheit einer Gemeinschaft trägt nicht mehr. Nur wenn die einzelne Gemeinschaft ihre eigenen Grenzen auf eine größere Vergemeinschaftung hin überspringt, wird wieder neue Zukunft gesehen. Dem drohenden Aufruhr von innen und dem drohenden Krieg von außen kann nur durch die größere »politische« Eintracht begegnet werden. Die einzelnen, die kleinen Gruppen und kleinen Gemeinschaften müssen sich zur Eintracht zusammenschließen, wenn sie weiterleben wollen. Das heißt einerseits Verlust von Rechten zur Stärkung der »Eintracht«, nämlich des Zusammenstehens und auch das Zusammenschlusses, andererseits Gewinnung neuer Bedeutsamkeit über die stärkere, von der größeren Zahl getragene Organisation der »Eintracht«. Es hat sich gezeigt, daß der Brief den Ruf nach solcher ὁμόνοια erhebt.

Die Zeit ist neu geworden. Was in Korinth geschieht, ist nicht gleichgültig für die römische Gemeinde. Die dortigen Vorfälle schlagen auf Rom zurück[41]. »Überregionale« Auswirkungen kündigen sich an und rufen nach allgemeineren, größeren Lösungen[42]. Die Untersuchung zu den Adressaten des Briefes[43] hatte bereits ergeben, daß durch Korinth hindurch nicht nur Rom, sondern die Gesamtchristenheit angesprochen wird, daß hinter der offiziellen Empfängergemeinde sich die christliche Ökumene versammelt[44]. Von jetzt an gilt es, der größeren Zahl gerecht zu werden

---

[39] Wenn *Bultmann* 459 sehr richtig sagt: »Damit« (sc. mit der verbindlichen Rückführung des Gemeindeamtes auf die Apostel in c. 42–44) »aber ist der entscheidende Schritt getan«, so ist so noch nicht gezeigt, daß dieser Schritt gerade hier getan wird. Es auch nachzuweisen, daß der Brief selbst die Umbruchssituation markiert, war die Aufgabe unserer Einzelanalysen.

[40] »... als Hellas in feindliche Lager geteilt war« – »wie schon angedeutet wurde, ist es eben die nach dem Peloponnesierkriege herrschende staatliche und soziale Zersplitterung, die das Wort geprägt und aktuell gemacht hat« – »und der soziale Streit in den einzelnen Städten tobte, da wurde der Ruf nach ὁμόνοια laut«, *E. Skard* 67.

[41] »Es (sc. Rom) stellt sich das Ärgernis in der eigenen Gemeinde vor und beurteilt es am eigenen Maßstabe: das einschließende ἡμεῖς (ἡμῶν etc.) ist nicht etwa als christliche Höflichkeitsphrase zu nehmen, sondern setzt voraus, daß die Gemeindeverhältnisse in Rom und Korinth relativ ähnlich sind«, *Gerke* 16f.

[42] »Hier wird also das Gemeindeamt als für alle Gemeinden verbindlich auf die Apostel zurückgeführt; diese erscheinen also als die Organisatoren der Gesamtkirche«, *Bultmann* 459.

[43] Siehe oben S. 100–107.

[44] »Der zur Ordnung zwingende metaphysische Wille, den Klemens überall meint, ist nicht einfachhin der Wille des biblisch-hellenistischen Schöpfergottes. Es ist vielmehr ein Wille, der gleichsam Dekretalen erläßt. Indem römischer Geist sich der jüdisch-hellenistischen Elemente bemächtigt, wird etwas daraus, was in dieser Hinsicht Klemens von Juden und Griechen eindeutig scheidet – was aber in gewissem Sinne dem Impuls des Paulus ins Römische transponiert: ein weitgespannter, für das Ganze sich verantwortlich haltender, im Namen göttlicher Dekrete auf ökumenische Ordnung dringender politischer Wille« *U. Wickert*, Paulus, der erste Klemens und Stephan von Rom 155.

durch Schaffung neuer Lebensformen[45]. Die neue Lebensform heißt – übernommen aus der politischen griechischen Sprache – ὁμόνοια. Gemeinde muß zu solcher »Eintracht« werden, zum gesellschaftlichen Corpus, das auch öffentlich-rechtlich Bedeutsamkeit hat[46]. In der Gemeinde braucht es institutionell gesicherte Ordnung, der staatlichen Ordung analog[47].

So deutlich durch den Gebrauch von ὁμόνοια der Ruf nach der institutionell gesicherten Ordnung ist[48], so unfertig scheinen die »Pläne« der Neuordnung zu sein[49]. Nur an dem einen konkreten, im Zentrum stehenden Punkt, nämlich der Unabsetzbarkeit aufgrund von Einsetzung, treten die Konturen scharf hervor. Hier zeigt sich die Neuordnung: die Autorität muß institutionalisiert und also gestärkt aus der Umbruchssituation hervorgehen[50]. Auf diesem Wege wird die verwirrte Gemeinde

---

[45] Daß die größere Zahl bei der Entstehung der neuen Situation mit eine Rolle gespielt hat, zeigt 3, 1, wo zur Kennzeichnung der Lage ein Zitat so zurechtgemodelt wird, daß als Ursachen der Wirren »Ansehen und *Wachstum*« der Gemeinde genannt werden.

[46] Auf den Zusammenhang von ὁμόνοια mit der politisch-sozialen Soma-Idee und den Ursprung beider aus der Krise der Polis im 5. vorchristlichen Jahrhundert hat *Minke* 20f mit Anm. 74 hingewiesen.

[47] Für dieses Verständnis spricht auch die Verwendung des Ausdrucks »tiefer Friede« in 2, 2. Nach *W. C. van Unnik*, Tiefer Friede 277f ergibt sich, »daß, wo ein deutlicher Kontext vorliegt, der Ausdruck ›tiefer Friede‹ immer mit der Lage eines Staates verbunden ist . . . Die Terminologie, die dort (sc. im griechischen Staatsdenken) für den Staat gebraucht wird, hat Klemens für die Kirche verwendet (ohne daß man jedoch sagen darf, daß in diesem Brief die Ekklesiologie in eine ›Staats‹-lehre verwandelt worden sei).« Das Körnchen Wahrheit, das die Arbeit von *C. Eggenberger* enthält, besteht darin, daß er richtig bemerkt hat, daß es dem Brief um »Politik« geht. Kurzschlüssig war es jedoch, diese Politik als Staatspolitik zu interpretieren. Denn allzu offen liegt es auf der Hand – und *Eggenberger* gelang seine Uminterpretation auch nur dadurch, daß er den Verfasser zu einem Taschentrickkünstler der Sprache machte –, daß es dem Brief um innergemeindliche bzw. -kirchliche »Politik« und nicht um die Beziehung zwischen Staat und Kirche geht. Auch *P. Mikat* verfehlt letztlich das Grundanliegen des Briefes, wenn er meint, die Gefahr von 14, 2 sei die drohende Christenverfolgung (S. 26). Natürlich handelt es sich bei Stasis um eine »konkrete rechtliche und zugleich politische Aussage« (S. 21), aber angewandt auf die innere Strukturiertheit von Gemeinde und Kirche, nicht auf die Beziehung zum Staat (die wird allenfalls aus dem ersteren folgen). Stasis ist »in Analogie« zum Staat zu begreifen, wie *Mikat* 29 sagt: »Die Zurechtweisung der Aufrührer in Korinth durch die römische Christengemeinde bzw. durch deren Presbyter kann also geradezu in Analogie zu der Coercitionsgewalt der ἐξουσία τῆς βασιλείας (1 Clem 61, 1), der weltlichen Obrigkeit, gesehen werden.«

[48] Auffälligerweise verschwindet der Begriff ὁμόνοια wieder aus der frühchristlichen Literatur, sobald die Neukonstituierung der Ordnung gelungen ist. Insofern Ignatius v. Ant. noch am Übergang steht, gebraucht er ihn. Insofern er aber die entstehende institutionalisierte Autorität, den monarchischen Bischof, bereits kennt, bevorzugt er den ihm treffender erscheinenden Ausdruck ἑνότης/ἕνωσις. Bei den Apologeten des 2. Jh. fehlt ὁμόνοια ganz (vgl. *Goodspeed*, Index apologeticus).

[49] »Es sind unfertige Zustände, in denen wir uns befinden . . . Eine allgemeine Kirche, welche die Einzelgemeinde regierte, existiert nicht. Es fehlt auch ein eigentliches Recht, das die Kompetenzen zwischen Gemeinde und Amt abgrenzte. Denn davon kann nur die Rede sein, wenn es eine Macht über beiden gibt . . .« *Wrede* 25.

[50] Die Feststellung bei *Gerke* 26: »Der Charakter des Institutionellen haftet nicht der Gesamtekklesia an, sondern der Einzelgemeinde . . . Deshalb kennt der erste Clemensbrief nur eine Gemeinde-, aber keine Kirchenverfassung«, ist zu statisch gedacht und verkennt die Dynamik der Umbruchssituation, in der 1 Clem steht. Man kann sagen, der Brief kenne die Gemeindeordnung. Aber indem er in der Bewältigung seiner Situation gezwungen ist, die Voraussetzungen zu schaffen für die Umgestaltung dieser Ordnung zur öffentlich-rechtlichen Struktur und damit auch zur Verfassung der Gemeinde, schafft er darin und damit eo ipso auch die Voraussetzung für die größere Struktur, d. h. für Kirchenverfassung.

neue Relevanz erlangen, auf diese Weise wird die als Heilsgut gesehene Eintracht geschenkt werden.

Aus dem Postulat eines stärkeren und größeren Strukturganzen ergeben sich Konsequenzen von einschneidender Natur für die Grundhaltung des Christen. Die institutionalisierte Autorität ist angewiesen auf Einordnung und Unterordnung ihrer Untergebenen. Deren Zahl ist gewachsen, die Entfernung vom Enthusiasmus des Ursprungs ist größer, die Zeitumstände sind andere, die Meinungen vielfältiger und divergierender geworden. Wenn dennoch die Gemeinsamkeit des Lebens weitergehen soll, wenn dennoch der Zeugnischarakter[51] dieses Lebens hervortreten und werbewirksam sein soll, dann hat das, was wir Disziplin[52] nennen, neues Gewicht erhalten.

Wegen der Gefahr zu großer Divergenzen kann die Ordnung nach innen und die Wirksamkeit nach außen nicht mehr der Eigeninitiative des einzelnen überlassen bleiben. Um der gemeinsamen Ziele willen muß die Sorge für die innere Ordnung und die Vertretung nach außen der mit neuer Macht ausgestatteten Autorität übertragen werden, der der einzelne sich zu fügen hat. Um diese Haltung des Sich-fügens, Sich-einordnens, Sich-unterordnens wirbt der Brief, wenn er von Anfang bis Ende das $\tau\alpha\pi\epsilon\iota\nu o\varphi\varrho o\nu\epsilon\tilde{\iota}\nu$ als Grundhaltung einschärft. Wenn die Schaffung des öffentlich-rechtlichen Corpus gelingen soll, so muß vom einzelnen in seinem ganzen Leben die Grundhaltung der Gesinnung der Selbsterniedrigung verlangt werden.

In der Notwendigkeit, solches fordern zu müssen, lauert freilich auch die jeder Neuschöpfung innewohnende Gefahr[53]. Wenn das Demütiggesinntsein so akzentuiert wird, daß dem Christen jede Eigeninitiative und Eigenverantwortung abgenommen wird, dann ist das ganze Christsein verzerrt, dann dringt – ob man das will oder nicht – der altgriechische, negative Klang von $\tau\alpha\pi\epsilon\iota\nu o\varsigma$ als servil wieder durch. Man kann nicht sagen, 1 Clem sei nicht in die Nähe dieser für ihn spezifischen Gefahr geraten: Wenn Christus nur aufgrund seines Demütigseins beispielhaft ist, so ist das eine Einseitigkeit, die einen falschen Zungenschlag hereinbringt, von dem sich das Christentum kaum je einmal wieder ganz freimachen konnte.

Die gleiche Ambivalenz wohnt der stark hervortretenden Gottesbezeichnung $\delta\epsilon\sigma\pi\acute{o}\tau\eta\varsigma$ inne. Natürlich ist das Bild von Gott als dem mit unumschränkter Macht regierenden und die Struktur garantierenden Herrscher die Voraussetzung dafür, daß der Mensch die Demutsgesinnung als Lebenshaltung annehmen kann. Er muß sich ja nicht Menschen unterordnen, sondern Gottes Willen nachgeben. Das betont der Brief ausdrücklich (56,1). Dennoch ist die Gefahr mehr als groß, daß die neu ent-

---

[51] Vgl. die Bedeutsamkeit von $\mu\epsilon\mu\alpha\varrho\tau\upsilon\varrho\eta\mu\acute{e}\nu o\varsigma$ in 1 Clem.

[52] Man vergleiche die starke Betonung der göttlichen Züchtigung, $\pi\alpha\iota\delta\epsilon\acute{\iota}\alpha$, im Brief; besonders 56, 2—57, 1. Vgl. *Stockmeier*, $\pi\alpha\iota\delta\epsilon\acute{\iota}\alpha$ 405 f: Die atl. Bedeutung scheint mir im 1 Clem bestimmend zu sein.

[53] »Der Gedanke der Ordnung wird in seiner konkreten Anwendung nicht mehr durch den Christusglauben gelenkt und bestimmt, sondern hat sich sozusagen auf sich selbst gestellt und wird in seiner abstrakten, formalen Bedeutung als Welt und Kirche regierende Macht und als die eigentliche Norm des geistlichen Lebens gepriesen. Praktisch bedeutet das, daß die Christen die bestehenden Verhältnisse in der Kirche nicht erschüttern dürfen; sie haben sich in ihre wohlgegliederte und -verfaßte Gemeinschaft einzustellen und durch Geduld und Fügsamkeit die Harmonie den Frieden und die allgemeine Ordnung zu erhalten – lauter Begriffe, die unter sich einen mehr oder weniger gleichbedeutenden Sinn gewinnen. Danach wird auch die Vorstellung der Demut und der Liebe bestimmt« *v. Campenhausen* 95.

stehende menschliche Autorität dieses Gottesbild als Schutzschild vor sich herträgt
und in bestem Glauben zu Amtsanmaßung mißbraucht. Während der Brief die
Bewältigung der Krisensituation erst anbahnt, während er die neue, größere Ordnung
höchstens erst in Umrissen zeichnet, sieht man schon die Gefahren, die die neu
heraufkommende Lösung mit sich bringen wird[54].

Dennoch war dieser Schritt notwendig. Die Gemeinden mußten über einen engen,
familiären Rahmen hinauswachsen. Das Christentum mußte eine rechtlich verfaßte
Körperschaft werden, wenn es nicht zerfallen wollte, sondern zur Kirche werden,
die doch auch und gerade als Reichskirche die Kraft hatte, dem Staat und staat-
licher Willkür die Stirn zu bieten.

Damit hat sich aber die Ausrichtung auf die organisierte Kirche mit institutionalisierter Autorität als die theologische Grundthematik des Ersten Klemensbriefes ergeben. Der Gott dieser Kirche der Zukunft ist der unumschränkt herrschende Despotes. Er schenkt seiner Kirche das Heilsgut der öffentlich-rechtlich
relevanten Eintracht und verlangt von den Christen die Lebenshaltung der Demutsgesinnung, kraft deren sie sich fügen und unterordnen.

Die Stelle der Glaubensgeschichte, an der solcher Zukunftsentwurf notwendig
wurde, war dort gegeben, wo die bis dahin selbstverständlich gewesene Autorität,
weil etwa auf Grund der großen Zahl und des großen Abstandes vom Ursprung
die Meinungen zu divergierend geworden waren, in der bisherigen Form sich nicht
mehr halten konnte. Um sie und damit die Gemeinde zu retten, brauchte es die
Institutionalisierung. Damit war eine Stufe erreicht, wie sie von jeder Gemeinschaft
in ihrer Entwicklung notwendig, aber auch einmalig zu durchlaufen ist[55].

Daß die Notwendigkeit zu solcher Institutionalisierung bestand, trat nicht sofort
ins Bewußtsein. Aber in dem »Fall« Korinth, d.h. an der Tatsache der Absetzung
einiger Amtsträger in Korinth wurde die Unabsetzbarkeit aufgrund von Einsetzung
bewußt. Im Werben um die Anerkennung dieser vom Briefschreiber als apostolisch
empfundenen Ordnung formt sich das Gottesbild des δεσπότης, die Grundhaltung
des ταπεινοφρονεῖν und die Gabe der ὁμόνοια, aus denen uns die Konturen der im
Werden begriffenen Neuordnung entgegenleuchten.

Wenn es vorher die Geschichte der Gemeinden gegeben hat, so beginnt mit dem
Brief die Kirchengeschichte; wenn es vorher Gemeindetafeln und Gemeinde-

---

[54] »Nur soviel wird jetzt deutlich, daß ein derartig formal und statisch verstandener Begriff der
Ordnung und Unterordnung von vornherein die Neigung begünstigen muß, den Amtsträgern und
›Geehrten‹ als der übergeordneten Gruppe im Konfliktsfalle Recht zu geben und ihre Gegner
als übelwollende Störenfriede zu behandeln, denen es eben an der rechten Demut gefehlt hat«
v. Campenhausen 102.
[55] In der Notwendigkeit, die historisch-gesellschaftlich gegebene Situation zu bewältigen, wurzelt
die Theologie und das Kirchenbild von 1 Clem. H.-U. Minke fühlt zwar richtig, daß man »aus
dem Schatten Sohms« (S. 12) heraustreten müsse, weil die historische und rechtliche Sicherung
der Ämter nicht das eigentliche Anliegen des Clemens sei. Wenn er aber dann selber das eigentliche
Anliegen »in der sich in Kirche und Amt ausprägenden τάξις Gottes« (ebd.) sehen will, so wird
man fragen: Wie kommt Klemens dazu? Im Vergleich dazu hatte Sohm den Finger näher am
Puls des Lebens. Denn die Auskunft: »Der Kirchenbegriff des Clem wäre dann primär aus seiner
Schöpfungstheologie herzuleiten« (a. a. O. 22), läßt weiterfragen, wieso es diesem Klemens überhaupt auf Schöpfungstheologie ankommt. Wo liegt das lebendige Interesse des Verfassers, für
das er die Schöpfungstheologie und die τάξις Gottes, in die man sich einfügen müsse (S. 38),
zum Einsatz bringt?

ordnungen gab, so kann es jetzt Kirchenordnungen geben. Der Brief selber bildet die Schwelle. Was er erstrebt, ist die Möglichkeitsbedingung für Kirche, was er darstellt, das Praeambulum der kommenden Apostolischen Kirchenordnungen[56].

---

[56] *W. C. van Unnik*, Studies I, 33–56 hat – ausgehend von 1 Clem 58,2 ($\sigma\upsilon\mu\beta\upsilon\lambda\dot{\eta}$) – gezeigt, daß der Brief dem $\sigma\upsilon\mu\beta\upsilon\lambda\varepsilon\upsilon\tau\iota\varkappa\grave{o}\nu$ $\gamma\acute{\varepsilon}\nu\upsilon\varsigma$ (Aristoteles, ars rhet. I 3, 1358b, 7) zuzurechnen ist. Mit dieser Zuweisung zu einem rhetorischen Genus ist erstmals ein seriöser Beitrag zur *literarischen* Gattungsbestimmung des 1 Clem gelungen. Zu wenig berücksichtigt scheint mir aber noch, daß das Schreiben ganz unbezweifelbar der Gattung »Brief« (im Sinne »generelle Großform« von oben S. 44) und keinesfalls der Gattung »Rede« zugehört. Dann erhebt sich aber die Frage: Wie kommt der Verfasser dazu, für seinen Brief die rhetorisch-literarische Form »Symbule« zu verwenden? Welche »Lebensäußerungen und Bedürfnisse« der frühen Christengemeinde haben die neue Form Brief-Symbule »hervorgetrieben« (vgl. oben S. 43 ff)? Genau auf diese Frage sucht die vorliegende Untersuchung eine Antwort zu geben. Die »Lebensäußerungen und Bedürfnisse« sind die Neuverteilung und Stärkung der Autorität durch deren Institutionalisierung in der Umbruchsituation von Gemeindeordnung zu Kirchenverfassung. Der *formalen* Formbestimmung »Brief-Symbule« kann deshalb die *inhaltliche* »Praeambulum der sich apostolisch nennenden Kirchenordnungen« hinzugefügt werden, die das individuelle Wesen des Werkes 1 Clem aussagt.

# SCHLUSS

Die Erforschung des Ersten Klemensbriefes in den letzten 40 Jahren ist davon gekennzeichnet, daß man immer mehr speziellen Einzelfragen nachgegangen und zu immer mehr divergierenden Einzelauffassungen gelangt ist. Angesichts dieser von ihm festgestellten Sachlage erhob K. Beyschlag 1966 die Forderung, daß die kritische Arbeit ganz von vorn beginnen müsse. Unter diesem Neuanfang versteht er die Frage nach Art und Herkunft des römisch-clementinischen Christentums[1]. Diese Frage versucht er literarisch zu lösen. Motive des Ersten Klemensbriefes findet er in späteren Werken, die von 1 Clem und untereinander unabhängig sind, stets in einem Zusammenhang von Apologetik, Paränese und Kirchenordnung. Also schließt er, daß schon dem 1 Clem eine von Apologetik, Paränese und Kirchenordnung bestimmte Quelle vorausliegt. Dann muß aber erst recht die Theologie von 1 Clem Apologetik, Paränese und Kirchenordnung sein.

Hier muß sich die Kritik zu Wort melden: Daß von einer bestimmten Zeit an bestimmte Motive in ganz bestimmten literarischen Gattungen – z. B. der Gattung der Apologie oder Kirchenordnung – Verwendung finden, kann nicht heißen, daß überall dort, wo diese Motive früher schon vorkamen, auch schon diese selben Gattungen gegeben waren. Dazu müßte vorher schon erwiesen sein, daß innerhalb des geschichtlich-gesellschaftlichen Rahmens, in dem diese Motive gebraucht wurden, jene Gattungen – Apologie und Kirchenordnung – von der historisch-soziologischen Gegebenheit her überhaupt schon möglich waren. Von der Gleichheit der literarischen Motive läßt sich nur – auf die Gleichheit der literarischen Motive schließen, nicht aber auf die Gleichheit der literarischen Gattungen jener Schriften, die dieselben Motive verwenden, und nicht auf die Gleichheit der in diesen Schriften vertretenen Theologie. Was in einer Schrift mit bestimmten Bildern, Motiven und sprachlichen Wendungen gemeint ist, das kann aus diesen Bildern, Motiven und Wendungen nicht unabhängig vom Zusammenhang dieser Schrift abgeleitet werden. Es ist deshalb unmöglich, die literarische Gattung einer Quelle des Ersten Klemensbriefes bestimmen zu wollen, die man aufgrund literarischer Indizien erschließen zu müssen glaubt. Auf diesem Weg war an die Besonderheit des 1 Clem nicht heranzukommen.

An dieser Stelle der Forschung setzt die vorliegende Arbeit ein. Eine Kritik der bisherigen kritischen Arbeit war als Ansatz für die Neuinterpretation nicht zu umgehen. An vier hervorragenden Vertretern der Klemensforschung wurden die Grenzen der historisch-kritischen Methode aufgezeigt. Es konnte aufgewiesen werden, daß die hermeneutischen Ergebnisse weitgehend schon im jeweiligen methodischen Ansatz impliziert waren. Um nicht in den gleichen Fehler zu fallen,

---

[1] *Beyschlag* 43.

wurde eine Reflexion auf die eigene Methode erforderlich. Als entscheidend stellte sich heraus, daß im Vorgang des verstehenden und interpretierenden Bemühens aus dem Werk selbst heraus sein Konzeptionshorizont, d. h. die geschichtlich-gesellschaftliche Gegebenheit, aus der heraus und auf die hin es verfaßt worden ist, herausgearbeitet und durchsichtig gemacht wird. Um auf die Indizien, die den geschichtlich-gesellschaftlichen Hintergrund – den »Konzeptionshorizont« – verraten, stoßen zu können, wurde der Brief von fünf verschiedenen Aspekten her durchgearbeitet. Der Aufbau, die Wortstatistik, die Schriftbenutzung, die Redaktionsgeschichte und die Frage nach den Adressaten stellen das für die Erarbeitung der »Individualität« des Briefes erforderliche Material bereit. Jetzt konnte darangegangen werden, die individuelle Grundthematik und die individuelle Form des Briefes zu bestimmen.

Der Aufbau des Briefes wies die Spur zum zentralen Kapitel 44, dessen Exegese den Brief dorthinein situierte, wo es in der Kirche notwendig wurde, die Tradition von der apostolischen *Einsetzung* des Amtes als apostolische Tradition von der *Ordnung* des Amtes weiterzuverwenden. Die Analysen der zentralen Begriffe, auf die die Wortstatistik aufmerksam gemacht hatte, konnten die aus der Exegese erhobene Situation weiter verdeutlichen. Die spezielle Akzentuierung des Gottesbildes, der Tugendforderung und der Heilsgabe zeigten – über den altbekannten Gemeinplatz, im Ersten Klemensbrief gehe es um Recht und Ordnung, hinaus –, daß es um Strukturfragen quasi öffentlich-rechtlicher Relevanz geht.

Abschließend mußten diese Ergebnisse in den aus dem Brief durchscheinenden historisch-gesellschaftlichen Rahmen hineingestellt werden. Kirche als organisierte Struktur mit institutionalisierter Autorität hat sich als Grundthematik gezeigt: Die institutionelle Sicherung der Autorität als solcher ist die theologische Mitte des Briefes. Daraus ergibt sich für die Frage nach der individuellen Form des Briefes, daß er historisches Praeambulum der apostolisch genannten Kirchenordnungen ist. Damit ist gesagt, daß der Brief in seinem Bemühen, die ihm aus der Situation zugewachsene Aufgabe zu bewältigen, zur geschichtlichen Möglichkeitsbedingung und zum historischen Vorspruch der öffentlich-rechtlich verfaßten, mit institutionalisierter Autorität ausgestatteten und als Strukturgröße relevanten Großkirche wurde.

Man verkennt die Bedeutung des Briefes, wenn man nur feststellt, daß es in ihm Gemeindeordnung, aber keine Kirchenordnung gegeben habe: Seine Bedeutsamkeit liegt gerade darin, zur Rettung der Gemeindeordnung faktisch auf Kirchenordnung hinarbeiten zu müssen. Man verkennt den Brief aber noch mehr, wenn man in ihm bereits konstituierte Kirchenordnung und konstituiertes Kirchenrecht vorfinden will: In Wahrheit geht es erst um die Konstituierung von so verstandener Ordnung. Kennzeichnend für den Brief ist die aus solcher Umbruchssituation entstandene Struktur- und Autoritätskrise. Die Selbstverständlichkeit gelebten Gemeindelebens ist abhanden gekommen. Von dem her, was an gemeinsamem Leben noch vorhanden ist, kann nicht mehr sinnvoll argumentiert werden. Um wieder verstanden zu werden, war die Verwendung neuer Begriffe notwendig.

An ganz entsprechenden Phänomenen zeigt sich unsere gegenwärtige Umbruchssituation, die heute nicht weniger zu einer Struktur- und Autoritätskrise geworden ist als damals. Die Selbstverständlichkeit eines gelebten Pfarreilebens gibt es nicht mehr. Bei der Breite der verschiedenen Lebensauffassungen und der Pluralität der

Theologien ist es nicht mehr sinnvoll, von einem kirchlichen Leben her zu argumentieren. Um überhaupt noch Relevantes sagen zu können, muß man sich – auch auf die Gefahr hin, von verschiedenen Seiten mißverstanden zu werden – nach neuen sprachlichen Möglichkeiten umsehen.

Der Erste Klemensbrief hat seine aus der Glaubensgeschichte erwachsene existentielle Krisensituation durch eine von der Problemlage her geforderte Neuverwendung der Tradition, die in ihrer Auswirkung einer Neuschöpfung in bewußter Rückbindung an das Alte gleichkam, zu meistern versucht.

# LITERATUR

*Aland, K.*, Der Tod des Petrus in Rom. Bemerkungen zu seiner Bestreitung durch Karl Heussi. Kurt Aland, Kirchengeschichtliche Entwürfe. Gütersloh 1960, 35–104 (zu 1 Clem: 66–90).

*Altaner, B.*, Der 1. Klemensbrief und der römische Primat: Theologische Revue (Münster) 35 (1936) 41–45.

*Altaner,B./Stuiber, A.*, Patrologie. Leben, Schriften und Lehre der Kirchenväter. Freiburg i. Br. ⁷1966.

*Andrén, O.*, Rättfärdighet och Frid. En studie i det första Clemensbrevet (Righteousness and Peace. A study in the first Letter of St. Clement of Rome. With a summary in English). Dissertation Uppsala 1960.

*Bardy, G.*, Expressions stoïciennes dans la Prima Clementis: RSR 12 (1922) 73–85.
– La Spiritualité des Pères Apostoliques: VS 42 (1935) 140–161; 251–260; 43 (1935) 40–60.
– La théologie de l'Église de saint Clément de Rome à saint Irénée (Unam sanctam 13). Paris 1945.
– L'Inspiration des Pères de l'Église: RSR 40 (1951/52) 7–26.
– La vie spirituelle d'après les Pères des trois premiers siècles, Bd. 1 und 2. Tournai-Paris ²1968.

*Barnard, L. W.*, St. Clement of Rome and the Persecution of Domitian: Studies in the Apostolic Fathers and their Background. Oxford 1966, 5–18.
– The Early Roman Church, Judaism, and Jewish-Christianity: Anglican Theological Review (Evanston/Illinois) 49 (1967) 371–384.

*Barnikol, E.*, Die marcionitische Deutung und Datierung des 1. Clemensbriefes durch Turmel (Delafosse). Eine Kritik: Theologische Jahrbücher (Halle) 6 (1938) 10–14.

*Bartelink, G. J. M.*, Lexicologisch-semantische Studie over de taal van de Apostolische Vaders. Bijdrage tot de studie van de groeptaal der griekse Christenen. Utrecht 1952.

*Barth, P./Goedeckemeyer, A.*, Die Stoa, Stuttgart ⁶1946.

*Bastien, E.*, Le ministère dans l'Église selon Clément de Rome. Dissertation Montpellier 1965.

*Bauer, W.*, Rechtgläubigkeit und Ketzerei im ältesten Christentum (BHTh 10). Tübingen ¹1934. Hg. von G. Strecker ²1964.
– Griechisch-deutsches Wörterbuch zu den Schriften des Neuen Testaments und der übrigen urchristlichen Literatur. Berlin ⁵1958.

*Behm, J.*, Artikel »μετανοέω, μετάνοια«: ThW IV 994–1003.

*Betti, E.*, Die Hermeneutik als allgemeine Methodik der Geisteswissenschaften (Philosophie und Geschichte 78/79). Tübingen 1962.
– Allgemeine Auslegungslehre als Methodik der Geisteswissenschaften. Tübingen 1967.

*Bévenot, M.*, Clement of Rome in Ireneus's succession list: Journal of theological studies (London) 17 (1966) 98–107.

*Beyschlag, K.*, 1. Clemens 40–44 und das Kirchenrecht: Reformatio und Confessio (Festschrift für W. Maurer). Hg. von F. W. Kantzenbach und G. Müller. Berlin 1965, 9–22.
– Clemens Romanus und der Frühkatholizismus. Untersuchungen zu I Clemens 1–7 (BHTh 35). Tübingen 1966.

*Bieder, W.*, Ekklesia und Polis im Neuen Testament und in der Alten Kirche. Zugleich eine Auseinandersetzung mit Erik Petersons Kirchenbegriff (Dissertation Basel). Zürich 1941.

*Bihlmeyer, K.*, Die Apostolischen Väter. Neubearbeitung der Funkschen Ausgabe. Erster Teil. Tübingen ¹1924; ²1956.

*Blum, G. G.*, Tradition und Sukzession. Studien zum Normbegriff des Apostolischen von Paulus bis Irenäus (Arbeiten zur Geschichte und Theologie des Luthertums 9). Berlin 1963.

*Boismard, M. E.*, Clément de Rome et l'Évangile de Jean: RB 55 (1948) 376–387.

*Böld, W.* (Hg.), Beiträge zur hermeneutischen Diskussion. Wuppertal 1968.

*Bornkamm, G.*, Artikel »Formen und Gattungen, II. im NT«: RGG³ II 999–1005.

*Bousset, W.*, Jüdisch-Christlicher Schulbetrieb in Alexandria und Rom. Literarische Untersuchung zu Philo und Clemens von Alexandria, Justin und Irenäus (FRLANT NF 6). Göttingen 1914.

*Brandt, W.*, Die Wortgruppe λειτουργεῖν im Hebräerbrief und bei Clemens von Rom: Jahrbuch der Theologischen Schule Bethel 1 (1930) 145–176.

*Bultmann, R.*, Theologie des Neuen Testaments. Tübingen ⁶1968.

*Campenhausen, H. von*, Kirchliches Amt und geistliche Vollmacht in den ersten drei Jahrhunderten (BHTh 14). Tübingen 1953.

*Cauwelaert, R. van*, L'intervention de l'église de Rome à Corinth vers l'an 96: RHE 31 (1935) 267–306; Réponse aux remarques de M. J. Zeiller: a. a. O. 765f.

*Chadwick, H.*, Justification by Faith and Hospitality: Studia Patristica IV (TU 79). Berlin 1961, 281–285.

*Choppin, L.*, La Trinité chez les Pères Apostoliques. Paris 1925.

*Conzelmann, H.*, Die Mitte der Zeit. Studien zur Theologie des Lukas (BHTh 17). Tübingen ⁵1964.

*Coreth, E.*, Grundfragen der Hermeneutik. Ein philosophischer Beitrag (Philosophie in Einzeldarstellungen 3). Freiburg i. Br. 1969.

*Cullmann, O.*, Les causes de la mort de Pierre et de Paul d'après le témoignage de Clément Romain: RHPhR 10 (1930) 294–300.

*Daniélou, J.*, Théologie du Judéo-Christianisme (Bibliothèque de Théologie 1). Tournai-Paris 1958.

*Delafosse, H.* (= *Turmel, J.*), La lettre de Clément Romain aux Corinthiens: RHR 97 (1928) 53–89.

*Dibelius, M.*, Rom und die Christen im ersten Jahrhundert: Sitzungsberichte der Heidelberger Akademie der Wissenschaften, Philologisch-Historische Klasse 2. Abhandlung. Heidelberg 1942 (= Botschaft und Geschichte. Hg. von G. Bornkamm und H. Kraft. Bd. II. Tübingen 1956, 177–228).

*Drews, P.*, Untersuchungen über die sogen. clementinische Liturgie im VIII. Buch der apostolischen Konstitutionen. I. Die clementinische Liturgie in Rom. Tübingen 1906.

*Drijepondt, H. L. F.*, I Clement 2, 4 and 59, 3: Two Emendations: Acta Classica (Kaapstad) 8 (1965) 102–105.

*Ebeling, G.*, Theologie und Verkündigung (HUTh 1). Tübingen 1962.

– Artikel »Hermeneutik«: RGG³ III 242–262.

*Eggenberger, C.*, Die Quellen der politischen Ethik des 1. Klemensbriefes. Dissertation Zürich 1951.

*Eltester, W.*, Schöpfungsoffenbarung und natürliche Theologie im frühen Christentum: NTS 3 (1956/57) 93–114.

*Feneberg, R.*, Der Begriff des Verstehens in der Literaturwissenschaft. Untersuchung einer hermeneutischen Frage im Blick auf die Theologie: ZKTh 91 (1969) 184–195.

– Christliche Passafeier und Abendmahl. Eine biblisch-hermeneutische Untersuchung der neutestamentlichen Einsetzungsberichte (Studien zum Alten und Neuen Testament 27). München 1971.

*Fischer, J. A.*, Die Apostolischen Väter (Schriften des Urchristentums. Erster Teil). Darmstadt ⁵1966.

*Flesseman-van Leer, E.*, Het Oude Testament bij de Apostolische Vaders en de Apologeten: Nederlands Theologisch Tijdschrift (Wageningen) 9 (1954/55) 230–244.

*Fuchs, E.*, Hermeneutik. Cannstatt ³1963.

– Marburger Hermeneutik (HUTh 9). Tübingen 1968.

*Fuchs, H.*, Augustin und der antike Friedensgedanke. Untersuchungen zum 19. Buch der civitas Dei (Neue philologische Untersuchungen 3). Berlin 1926.

*Funk, F. X.*, Die Apostolischen Väter. Tübingen ²1906.

*Funk/Bihlmeyer*, siehe *Bihlmeyer*.

*Gadamer, H.-G.*, Wahrheit und Methode. Grundzüge einer philosophischen Hermeneutik. Tübingen ²1965.

*Gebhardt, O.*, siehe *Harnack/Gebhardt*.

*Gerke, F.*, Die Stellung des ersten Clemensbriefes innerhalb der Entwicklung der altchristlichen Gemeindeverfassung und des Kirchenrechts (TU 47, 1). Leipzig 1931.

*Giet, S.*, Le témoignage de Clément de Rome sur la venue à Rome de St. Pierre (I): RevSR 29 (1955) 123–136; Le témoignage de Clément de Rome sur la cause des persécutions Romaines (II): a. a. O. 333–345.

*Giraudo, M. M.*, L'ecclesiologia di S. Clemente Romano (Quaderni »Sacra Doctrina« Serie A–No 1). Bologna 1943.

*Goedeckemeyer, A.*, siehe *Barth/Goedeckemeyer.*

*Goodspeed, E. J.*, Index patristicus sive clavis patrum apostolicorum operum. Naperville/Illinois 1960.

– Index apologeticus sive clavis Iustini martyris operum aliorumque apologetarum pristinorum. Unveränderter fotomechanischer Nachdruck der Originalausgabe 1912. Leipzig 1969.

*Goppelt, L.*, Christentum und Judentum im ersten und zweiten Jahrhundert (BFChTh 2. R. 55). Gütersloh 1954.

*Grillmeier, A.*, Hellenisierung – Judaisierung des Christentums als Deuteprinzipien der Geschichte des kirchlichen Dogmas: Scholastik 33 (1958) 312–355; 528–558.

*Grundmann, W.*, Artikel »ταπεινός κτλ«: ThW VIII 1–27.

*Hall, A.*, I Clement as a Document of Transition: La Ciudad de Dios (El Escorial) 181 (1968) 682–692.

*Hall, S. G.*, Repentance in I Clement: Studia Patristica VIII (TU 93). Berlin 1966, 30–43.

*Harnack, A./Gebhardt, O.*, Clementis Romani ad Corinthios quae dicuntur epistulae (Patrum Apostolicorum Opera I 1). Leipzig ²1876.

*Harnack, A. von*, Der Klemensbrief. Eine Studie zur Bestimmung des Charakters des ältesten Heidenchristentums: Sitzungsberichte der Königlich Preußischen Akademie der Wissenschaften 1909, 1, S. 38–63. Berlin 1909.

– Einführung in die alte Kirchengeschichte. Das Schreiben der römischen Kirche an die korinthische aus der Zeit Domitians (I. Clemensbrief). Leipzig 1929.

*Helfritz, H.*, Οἱ οὐρανοὶ τῇ διοικήσει αὐτοῦ σαλευόμενοι ἐν εἰρήνῃ ὑποτάσσονται αὐτῷ (I Clem. 20, 1): VigChr 22 (1968) 1–7.

*Hertling, L. von*, 1 Kor 16, 15 und 1 Clem 42: Biblica (Rom) 20 (1939) 276–283.

*Hörmann, K.*, Leben in Christus. Zusammenhänge zwischen Dogma und Sitte bei den Apostolischen Vätern. Wien 1952.

*Ingarden, R.*, Das literarische Kunstwerk. (Eine Untersuchung aus dem Grenzgebiet der Ontologie, Logik und Literaturwissenschaft, Halle ¹1931). Tübingen ²1960.

*Jaeger, W.*, Echo eines unerkannten Tragikerfragments in Clemens' Brief an die Korinther: Rheinisches Museum für Philologie (Frankfurt a. M.) 102 (1959) 330–340.

*Jaubert, A.*, Les sources de la conception militaire de l'Église en 1 Clément 37: VigChr 18 (1964) 74–84; Thèmes lévitiques dans la Prima Clementis: a. a. O. 193–203.

– Clément de Rome, Épître aux Corinthiens. Introduction, texte, traduction, notes et index (Sources chrétiennes 167). Paris 1971.

*Javierre, A. M.*, La primera »diadoché« de la patrística y los »ellógimoi« de Clemente Romano. Datos para el problema de la sucesion apostólica (Biblioteca del »Salesianum« 40). Torino 1958.

*Kayser, W.*, Das sprachliche Kunstwerk. Eine Einführung in die Literaturwissenschaft. Bern ⁵1959.

*Klevinghaus, J.*, Die theologische Stellung der apostolischen Väter zur alttestamentlichen Offenbarung (BFChTh 44, 1). Gütersloh 1948.

*Knoch, O.*, Die Ausführungen des 1. Clemensbriefes über die kirchliche Verfassung im Spiegel der neueren Deutungen seit R. Sohm und A. Harnack: ThQ 141 (1961) 385–407.

– Eigenart und Bedeutung der Eschatologie im theologischen Aufriß des ersten Clemensbriefes. Eine auslegungsgeschichtliche Untersuchung (Theophaneia 17). Bonn 1964.

*Knopf, R.*, Der erste Clemensbrief. Untersucht und herausgegeben (TU 20, 1). Leipzig 1899.

– Der erste Clemensbrief: Handbuch zum Neuen Testament. Hrsg. von H. Lietzmann. Ergänzungsband. Die Apostolischen Väter I. Tübingen 1920, 41–150.

*Köster, H.*, Synoptische Überlieferung bei den Apostolischen Vätern (TU 65). Berlin 1957.

– Die außerkanonischen Herrenworte als Produkte der christlichen Gemeinde: ZNW 48 (1957) 220–237.

– Γνῶμαι διάφοροι. Ursprung und Wesen der Mannigfaltigkeit in der Geschichte des frühen Christentums: ZThK 65 (1968) 160–203.

*Kraft, H.*, Clavis Patrum Apostolicorum. Darmstadt 1963.

*Kramer, H.*, Quid valeat ὁμόνοια in litteris graecis. Dissertation Göttingen 1915.

*Kretschmar, G.*, Studien zur frühchristlichen Trinitätstheologie (BHTh 21). Tübingen 1956.

*Kwa Joe Liang*, Het Begrip Deemoed in I. Clemens. Dissertation Utrecht 1951.

*Lehmann, K.*, Artikel »Hermeneutik«: SM II 676–684.

*Lemarchand, L.*, La Composition de l'Épître de S. Clément aux Corinthiens: RevSR 18 (1938) 448–457.

*Lesambo, L.*, La foi dans l'introduction de la »Prima Clementis«: Revue du Clergé Africain (Mayidi/ Congo-Kinshasa) 20 (1965) 434–452.

*Lightfoot, J. B.*, Clement of Rome: The Apostolic Fathers I 2. London 1890.

*Lodder, W.*, De godsdienstige en zedelijke denkbelden van 1. Clemens. Dissertation Leiden 1915.

*Loretz, O./Strolz, W.* (Hg.): Die hermeneutische Frage in der Theologie (Schriften zum Weltgespräch 3). Freiburg i. Br. 1968.

*Lösch, S.*, Epistula Claudiana. Der neuentdeckte Brief des Kaisers Claudius vom Jahre 41 n. Chr. und das Urchristentum. Rottenburg 1930.

– Der Brief des Clemens Romanus. Die Probleme und ihre Beurteilung in der Gegenwart: Studi dedicati alla memoria di Paolo Ubaldi. Pubblicazioni dell'Università Cattolica del Sacro Cuore – Serie quinta: Scienze storiche, vol. XVI 177–188. Milano 1937.

*Luschnat, O.*, Griechisches Gemeinschaftsdenken bei Clemens Romanus: Antiquitas Graeco-Romana ac tempora nostra. Acta congressus internationalis habiti Brunae diebus 12–16 mensis Aprilis MCMLXVI. Hg. von J. Burian und L. Vidman. Československá Akademie Věd. Praha 1968, 125–131.

*Lyonnet, S.*, Artikel »Genus litterarium«: SM II 251–260.

*McCue, J. F.*, The Roman Primacy in the Second Century and the Problem of the Development of Dogma: Theological Studies (Baltimore) 25 (1964) 165–184, für 1 Clem 165–169.

*Maggioni, B.*, La concezione della Chiesa in S. Clemente Romano: Studia Patavina (Padova) 19 (1966) 3–27.

*Marx, W.* (Hg.), Verstehen und Auslegen (Freiburger Dies Universitatis 14). Freiburg i. Br. 1968.

*Marxsen, W.*, Der Evangelist Markus. Studien zur Redaktionsgeschichte des Evangeliums (FRLANT 67). Göttingen ²1959.

*Massaux, É.*, Influence de l'Évangile de saint Matthieu sur la littérature chrétienne avant saint Irénée. Louvain-Gembloux 1950.

*Meinhold, P.*, Geschehen und Deutung im Ersten Clemensbrief: ZKG 58 (1939) 82–129.

*Mikat, P.*, Die Bedeutung der Begriffe Stasis und Aponoia für das Verständnis des 1. Clemens briefes (Arbeitsgemeinschaft für Forschung des Landes Nordrhein-Westfalen, Geisteswissenschaften 155). Köln 1969.

*Minchiotti, G.*, La figura del Cristiano negli scritti dei Padri Apostolici. Dissertation Milano 1966.

*Minke, H.-U.*, Die Schöpfung in der frühchristlichen Verkündigung nach dem Ersten Clemensbrief und der Areopagrede. Dissertation Hamburg 1966.

*Morgenthaler, R.*, Statistik des neutestamentlichen Wortschatzes. Zürich 1958.

*Mørstad, E.*, Evangeliet, met henblikk på Paulus og 1. Klemensbrev: Norsk Teologisk Tidsskrift (Oslo) 69 (1968) 139–157.

*Nauck, W.*, Probleme des frühchristlichen Amtsverständnisses: ZNW 48 (1957) 200–220.

*Padberg, R.*, Gottesdienst und Kirchenordnung im (ersten) Klemensbrief: Archiv für Liturgiewissenschaft (Regensburg) 9, 2 (1966) 367–374.

*Perler, O.*, Ignatius von Antiochien und die römische Christengemeinde: Divus Thomas. Jahrbuch für Philosophie und spekulative Theologie (Freiburg in der Schweiz) 22 (1944) 413–451.

– Das 4. Makkabäerbuch, Ignatius von Antiochien und die ältesten Märtyrerberichte: Rivista di archeologia cristiana (Roma) 25 (1949) 47–72.

*Pesch, R.*, Artikel »Formgeschichte«: SM II 46–50.

*Peterson, E.*, Das Praescriptum des 1. Clemensbriefes: Pro regno, pro Sanctuario (Festschrift für G. van der Leeuw). Hrsg. von W. J. Kooiman und J. M. van Veen. Nijkerk 1950, 351–357 (= Frühkirche, Judentum und Gnosis. Rom 1959, 129–135).

*Pohlenz, M.*, Die Stoa. Geschichte einer geistigen Bewegung. Göttingen ²1959.

*Ponthot, J.*, La signification religieuse du »Nom« chez saint Clément de Rome et dans la Didachè: Ephemerides Theologicae Lovanienses (Louvain) 35 (1959) 339–361.

*Rehm, B.*, Artikel »Clemens Romanus II (Ps.-Clementinen)«: RAC III 197–206.

*Rengstorf, K. H.*, Artikel »δεσπότης«: ThW 43–48.

*Robinson, J. M., ΛΟΓΟΙ ΣΟΦΩΝ.* Zur Gattung der Spruchquelle Q: Zeit und Geschichte (Dankesgabe an R. Bultmann zum 80. Geburtstag). Hg. von E. Dinkler. Tübingen 1964, 77–96.

*Rocco, B.*, Due citazioni bibliche in San Clemente Romano: Bibbia e Oriente (Genova) 10 (1968) 207–210.

*Rohde, J.*, Häresie und Schisma im ersten Clemensbrief und in den Ignatiusbriefen: NovT 10 (1968) 217–233.

*Sanders, L.*, L'Hellénisme de saint Clément de Rome et le Paulinisme (Studia Hellenistica 2). Louvain 1943.

*Skard, E.*, Zwei religiös-politische Begriffe. Euergetes–Concordia: Avhandlinger utgitt av Det Norske Videnskaps-Akademi i Oslo. II. Historisk-Filosofisk Klasse 1931 N. 2. Oslo 1932.

*Sohm, R.*, Kirchenrecht Bd. I. Leipzig 1892.

– Wesen und Ursprung des Katholizismus. Leipzig ²1912.

*Spanneut, M.*, Le Stoïcisme des Pères de l'Église de Clément de Rome à Clément d'Alexandrie (Patristica Sorbonensia 1). Paris 1957.

*Stachel, G.*, Die neue Hermeneutik. Ein Überblick (Kleine Schriften zur Theologie (6)). München 1968.

*Stockmeier, P.*, Der Begriff παιδεία bei Klemens von Rom: Studia Patristica VII (TU 92). Berlin 1966, 401–408.

– Gemeinde und Bischofsamt in der alten Kirche: ThQ 149 (1969) 133–146.

*Strolz, W.*, siehe Loretz-Strolz.

*Stuiber, A.*, Artikel »Clemens Romanus I«: RAC III 188–197.

– siehe *Altaner/Stuiber*.

*Thierry, J. J.*, Note sur τὰ ἐλάχιστα τῶν ζώων au chapitre XX de la Iᵃ Clementis: VigChr 14 (1960) 235–244.

– »Jezus de Heer« bij Clemens Romanus en in de Didachè: Nederlandsch Archief voor Kerkgeschiedenis 45 (1962/63) 1–13.

*Thyen, H.*, Der Stil der Jüdisch-Hellenistischen Homilie (FRLANT 65). Göttingen 1955.

*Torrance, T. F.*, The Doctrine of Grace in the Apostolic Fathers. Edinburgh 1948. Grand Rapids/ Michigan 1959.

*Turmel, J.*, siehe *Delafosse*.

*Unnik, W. C. van*, Is 1 Clement 20 Purely Stoic?: VigChr 4 (1950) 181–189; 1 Clement 34 and the »Sanctus«: a. a. O. 5 (1951) 204–248.

– Zur Bedeutung von ταπεινοῦν τὴν ψυχήν bei den Apostolischen Vätern: ZNW 44 (1952/53) 250–255.

– Le nombre des élus dans la première épître de Clément: RHPhR 42 (1962) 237–246.

– Studies over de zogenaamde eerste brief van Clemens. I. Het litteraire genre: Mededelingen der Koninklijke Nederlandse Akademie van Wetenschappen, Afd. Letterkunde, N. R. 33,4. Amsterdam 1970.

– »Tiefer Friede« (1. Klemens 2, 2): VigChr 24 (1970) 261–279.

*Vögtle, A.*, Die Tugend- und Lasterkataloge im Neuen Testament exegetisch, religions- und formgeschichtlich untersucht (Neutestamentliche Abhandlungen XVI 4/5). Münster 1936.

*Weidinger, K.*, Die Haustafeln. Ein Stück urchristlicher Paränese (Untersuchungen zum Neuen Testament 14) Leipzig 1928.

*Wellek, R./Warren, A.*, Theory of Literature. Penguin Books 1963.

*Werner, E.*, Post-biblical Hebraisms in the Prima Clementis: Festschrift für H. A. Wolfson. English section II. Jerusalem 1965, 793–818.

*Wibbing, S.*, Die Tugend- und Lasterkataloge im Neuen Testament und ihrer Traditionsgeschichte unter besonderer Berücksichtigung der Qumran-Texte (Beihefte zur ZNW 25). Berlin 1959.

*Wickert, U.*, Eine Fehlübersetzung zu I Clem 19, 2: ZNW 49 (1958) 270–275.

– Paulus, der erste Clemens und Stephan von Rom: drei Epochen der frühen Kirche aus ökumenischer Sicht: ZKG 79 (1968) 145–158.

*Wrede, W.*, Untersuchungen zum Ersten Klemensbriefe. Göttingen 1891.

*Young, F. W.*, The Relation of I Clement to the Epistle of James: Journal of Biblical Literature (Philadelphia) 67 (1948) 339–345.

*Zeiller, J.*, A propos de l'intervention de l'Eglise de Rome à Corinthe: RHE 31 (1935) 762–764.

*Ziegler, A. W.*, Prophetische Erkenntnis und Verkündigung im I. Klemensbrief: Historisches Jahrbuch der Görresgesellschaft (München) 77 (1958) 39–49.

– Neue Studien zum ersten Klemensbrief. München 1958.

# ABKÜRZUNGEN

*Ausgabe*  R. *Knopf*, Der erste Clemensbrief (TU 20, 1). Leipzig 1899.

AVV  Apostolische(n) Väter

*Bauer*  W. *Bauer*, Rechtgläubigkeit und Ketzerei

*Beyschlag*  K. *Beyschlag*, Clemens Romanus und der Frühkatholizismus

BFChTh  Beiträge zur Förderung christlicher Theologie

BHTh  Beiträge zur historischen Theologie

c.  Kapitel

ebd.  ebenda, an der eben zitierten Stelle

*Einführung*  A. *Harnack*, Einführung in die alte Kirchengeschichte

f  und der (die, das) folgende Vers (Seite, Kapitel)

ff  und die beiden folgenden Verse bzw. Seiten oder Kapitel

FRLANT  Forschungen zur Religion und Literatur des Alten und Neuen Testaments

Hg.  Herausgeber, herausgegeben

HUTh  Hermeneutische Untersuchungen zur Theologie

*Knoch*  O. *Knoch*, Eigenart und Bedeutung der Eschatologie im theologischen Aufriß des ersten Clemensbriefes

*Kommentar*  R. *Knopf*, Der erste Clemensbrief: Handbuch zum Neuen Testament. Ergänzungsband

LXX  Septuaginta

NovT  Novum Testamentum. Leiden

NTS  New Testament Studies. Cambridge-Washington

RAC  Reallexikon für Antike und Christentum. Stuttgart 1950...

RB  Revue biblique. Paris

RevSR  Revue des Sciences Religieuses. Strasbourg

RGG³  Die Religion in Geschichte und Gegenwart. 3. Auflage. Tübingen 1956–1965

RHE  Revue d'histoire ecclésiastique. Louvain

RHPhR  Revue d'Histoire et de Philosophie religieuses. Strasbourg

RHR  Revue de l'Histoire des Religions. Paris

RSR  Recherches de science religieuse. Paris

sc.  scilicet, nämlich

Scholastik  Scholastik. Vierteljahresschrift für Theologie und Philosophie (Frankfurt/Pullach). Freiburg i. Br.

SM  Sacramentum Mundi. Theologisches Lexikon für die Praxis. Freiburg i. Br. 1967–1969

*Studie*  A. *Harnack*, Der Klemensbrief. Eine Studie zur Bestimmung des Charakters des ältesten Heidenchristentums

s.v.  sub voce, unter dem Stichwort

ThQ  Theologische Quartalschrift. Tübingen

ThW  Theologisches Wörterbuch zum Neuen Testament. Stuttgart 1933...

TU  Texte und Untersuchungen zur Geschichte der altchristlichen Literatur

V (VV)  Vers (Verse)

VigChr  Vigiliae Christianae. Amsterdam

VS  La Vie Spirituelle. Paris

ZKG  Zeitschrift für Kirchengeschichte. Stuttgart

ZKTh  Zeitschrift für katholische Theologie (Innsbruck). Wien

ZNW  Zeitschrift für die neutestamentliche Wissenschaft und die Kunde der älteren Kirche. Berlin

z. St.  zur Stelle

ZThK  Zeitschrift für Theologie und Kirche. Tübingen

# STELLENREGISTER

Der Asteriskus (*) hinter einer Zahl bedeutet, daß die betreffende Stelle auf dieser Seite nur in einer Anmerkung erwähnt ist.

## Altes Testament und spätjüdische Schriften

## Antike heidnische Autoren

# AUTORENREGISTER

Der Asteriskus (*) hinter einer Zahl bedeutet, daß der betreffende Autor auf dieser Seite nur in einer Anmerkung erwähnt ist.

gd

GENERAL BOOK BINDING CO.
73     328NY3    340    A    6692
QUALITY CONTROL MARK